IDEOLOGIA Y VIVENCIAS
EN LA OBRA DE JUAN VALERA

ACTA SALMANTICENSIA
IVSSV SENATVS VNIVERSITATIS EDITA

Filosofía y Letras
103

Esta obra ha sido subvencionada por el Departamento de Literatura Española de la Universidad de Salamanca

ARTURO GARCIA CRUZ

IDEOLOGIA Y VIVENCIAS
EN LA OBRA DE DON JUAN VALERA

EDICIONES UNIVERSIDAD DE SALAMANCA
1978

Ediciones Universidad de Salamanca
Apartado de Correos, n.º 325 Salamanca (España)

Depósito Legal: S. 321 - 1978   I.S.B.N. 84-7481-004-3

Imprenta «KADMOS»-Compañía, 1- Teléf. 21 98 13 - Salamanca, 1978

A mis padres

«Que Valera es así, que es de este otro modo...
siempre será exagerada cualquier afirmación.» (CLA-
RÍN.)

INDICE

INTRODUCCION

Este trabajo ha nacido del descubrimiento de una contradicción en don Juan Valera, y de la necesidad de explicarla.

Esta contradicción, como se verá a lo largo del trabajo, se da en diferentes niveles, fundamentalmente dos: uno de ellos tiene lugar entre su pensamiento y su propia vida.

El otro, entre su pensamiento estético y sus novelas. Aunque la realidad es que uno y otro nivel se hallan íntimamente implicados. Hay muchas parcelas de uno y otro nivel que son comunes. Así, podrá verse que sus novelas son la expresión, de algún modo, de sus anhelos vitales concretados en su ideal humano.

La contradicción más general es la que tiene lugar, pues, entre su ideal humano y su pensamiento filosófico y estético. Este último consagra el misticismo y el platonismo, como doctrina filosófica, que no se ven correspondidos ni por la vida ni por el ideal humano de don Juan.

Por eso, esta investigación tiene dos partes, iguales en importancia, aunque desiguales en extensión.

La primera pretende estudiar de forma coherente y documentada el desarrollo del pensamiento filosófico y estético de don Juan Valera, siguiendo su hilo argumental, aunque éste se nos manifieste de forma sumamente fragmentaria.

Del contraste entre este pensamiento y su vida, pues el primer término no se ve correspondido por el segundo, nace la suposición de que este primero es, en los términos más generales posibles, ideológico: pierde su posibilidad subjetiva de verdad en función de otras motivaciones. Para don Juan Valera, el misticismo y el platonismo, a los que llega en el nivel del pensamiento, no son verdaderos.

En vista de lo cual, nos hemos visto impelidos a buscar las razones por las cuales nuestro autor defiende, en el nivel de la teoría, esas ideas. A esto hemos dedicado los dos últimos capítulos de esta primera parte. En los cuales, la contrastación de los conceptos estéticos de don Juan Valera con los del positivismo y su doctrina artística del naturalismo nos ha llevado a la determinación de unos y otros como expresiones ideológicas de la conflictividad social en la realidad española del siglo XIX en el campo de lo literario.

Para ello, nos hemos decidido por la más rigurosa constatación empírica posible en la documentación de estos hechos, evitando, de este modo, partir de ningún tipo de apriorismo ni de escolasticismo esquemático. Con ello hemos ganado en libertad y objetividad, y consecuentemente en verdad. Pues este paso venía dado, como se verá a lo largo del trabajo, por nuestro propio autor.

En este punto puede darse por terminada la primera parte. Pero iniciándose aquí también de una manera natural el tránsito a los problemas que constituyen la segunda.

Pues habiendo comprobado que la doctrina expresada en el pensamiento no se aviene con la práctica vital de don Juan Valera, y que ésta genera más bien otros contenidos, que se expresan también dentro de la obra misma de nuestro autor, hemos pasado a analizar estos textos literarios, que son los que de un modo más relevante nos sirven para conocer la expresión de este segundo término, que es el que constituye la negación del primero, del pensamiento, siendo así, pues, el término que da lugar a la contradicción.

Los contenidos, y aun la forma, de las novelas de Valera, como expresión de su ideal humano, que radica en sus vivencias, están en contradicción con su pensamiento. Las novelas expresan la verdad de lo que pensaba y quería don Juan. Su pensamiento estético es para él mismo falso. La falsedad de éste queda expresada porque nuestro autor en sus novelas, como en su vida, se encarga de demostrarlo.

Por eso era preciso este estudio de los contenidos de sus novelas y de los planteamientos de éstos, pues éstos constituyen también contenido. Este estudio lo hemos realizado en esta segunda parte.

Nuestro trabajo no ha sido ocioso: la contradicción era patente. Pocos autores, sin embargo, la habían notado, y ninguno se había internado lo bastante en el leberinto verbal de don Juan Valera como para dar con la clave, o las claves, más bien, que lo explicaran. Eso es precisamente lo que hemos intentado nosotros, considerando que esa contradicción es el problema nuclear de la personalidad humana y literaria de don Juan.

Valera está lleno de contradicciones: no le gusta Campoamor, pero dice que le gusta. Duda de la existencia de Dios, pero dice que es católico ortodoxo. No creyó nunca ni en liberales ni moderados, pero anduvo siempre con unos y otros; sin creer en partidos políticos milita en ellos. Dice, por último, hacer arte por el arte, y hace novela realista (aunque con matices).

Todo esto había que explicarlo. A nosotros nos interesaba más lo último, y en ese nivel hemos centrado toda nuestra investigación. Aunque sea la segunda parte aquélla en la cual realicemos esto, y sea más breve que la primera, debe, sin embargo, tenerse en cuenta que ésta, por breve que sea, no hubiera sido posible sin la primera, que se convierte, así, en una especie de prolegómenos.

Con todo, hemos pretendido ser breves, aunque nunca simplistas. Creemos haber acudido en todo momento a lo esencial, evitando hinchar estas páginas que siguen con una ociosa erudición, y dejando, al mismo tiempo, cada afirmación perfectamente documentada.

La línea general del trabajo es esta que hemos dejado expuesta. Pero, evidentemente, en ella se cruzan los mil hilos que componen la vida de don Juan Valera. Hemos aludido a dichas cuestiones, en la medida en que ayudaban a hacer explicativos esos hilos más generales. Que el árbol no impida ver el bosque. Y, por lo general, lo esencial en pocas palabras se dice.

Donde sí nos hemos permitido ser prolijos es en la bibliografía que ponemos al final: hemos pretendido hacer la más completa dentro de lo posible. Ello podrá ser útil a futuras investigaciones.

Por este camino creemos haber puesto de relieve cuestiones de don Juan Valera cuya importancia ni siquiera se sospechaba: por ejemplo, la impor-

tancia, en el nivel del pensamiento, que tiene la epistemología de Kant para nuestro autor; el hilo argumental que va de esta epistemología a la estética, y su peso en el precipitado final de ésta como estética del subjetivismo; el hecho de que la polémica de Valera con Zola y el naturalismo no se dé en el ámbito de las meras ideas, señalando, pues era necesario, las motivaciones reales de éste; también, el papel «pedagógico» —así lo hemos llamado— de su ideal humano, y los auténticos contenidos de éste, sus motivaciones y su expresión literaria.

Todo esto estaba sin hacer. Y se escapaba con ello lo mejor de Valera, se nos pasaba desapercibido. Era preciso investigarlo en su interpenetración, y explicar de este modo una vida y una obra importantísimas. Explicar, conocer: eso, de esta manera, creemos haberlo conseguido.

Por lo demás, los hechos son como son. Por eso, no hemos emitido nunca ningún juicio de valor. Serían extemporáneos y, necesariamente, estarían de sobra. Los hechos hablan, y lo que ellos digan es más bien cosa suya. Nosotros no hemos hecho otra cosa que señalarlos, pues sólo ésta era nuestra tarea.

Explicar y conocer, hasta donde eso sea posible, ha sido nuestro mero compromiso.

PRIMERA PARTE

Es un verdadero espectáculo ver surgir a Valera, su vida y su obra, en medio de la vida cultural y literaria de la España del siglo XIX. Hoy día, y poco a poco, vamos consiguiendo conformar, gracias a la gran cantidad de historias y monografías que se publican, una imagen progresivamente más certera, delineada y segura de lo que fue nuestro siglo XIX. Si miramos a Valera con detenimiento, su vida y su obra, en medio de la vida y obra del siglo XIX, nos sorprende su gentileza, su gracilidad, su serenidad, su manera, siempre ágil y aparentemente sencilla de aproximarse a la vida.

Vamos a estudiar esta aproximación a la vida, en su forma y en sus contenidos. Vamos a internarnos en la concepción del mundo de Valera, partiendo de lo que era Valera y de lo que era la vida. Vamos a descubrir el mundo y el prisma con que fue vivido. Esto nos va a descubrir los resortes más íntimos de su obra, teniendo en cuenta que es ésta lo único ya trascendente y significativo para nosotros de Valera.

De una manera muy general, concepción del mundo es la peculiar forma en que un individuo, un grupo, un estrato, se acerca al conjunto de hechos que constituye lo real. A estos hechos el hombre, en general, se acerca por medio de un sistema conceptual que le sirve de mediación para conocerlos. Este conocimiento, verdadero o no, es lo que va a determinar las pautas de la conducta individual o colectiva en el seno de la vida. Con este conocimiento, el hombre se procura una orientación en el mundo, se da a sí mismo los contenidos éticos, políticos, religiosos, etc., que constituyen su especificidad como ser humano «en compañía».

Por eso, en el proceso del estudio que comenzamos, nos vemos impelidos a hacer una descripción primera de este sistema conceptual con que Valera se enfrenta a la existencia. Será el punto de partida para una aproximación a lo que fue la filosofía de Valera.

CAPÍTULO I

EL PROBLEMA RELIGIOSO EN DON JUAN VALERA: IDEAS, CREENCIAS, ACTITUDES

Y en este terreno tenemos que señalar la actitud absolutamente escéptica de nuestro autor frente a todo sistema de filosofía ya inventado hasta entonces. Valera fue siempre un escéptico. Fue escéptico, en casi todo, excepto en sus teorías de la literatura, en donde, por el contrario, se manifiesta dogmático. Tendremos más adelante ocasión de comprobarlo.

Valera fue un lector apasionado de filosofía. Conoció los sistemas filosóficos más importantes de su tiempo, y conoció los sistemas históricos clásicos de más relevancia en la historia del pensamiento. Desde sus primeras cartas desde Italia, en el primer empleo de su vida, ya manifiesta Valera a su familia el hecho de que se ocupa en leer libros de política y filosofía, con vistas a prepararse para la vida pública. No olvidemos que Valera, hidalgo más bien tirando a pobre para el tipo de vida que él anhelaba llevar, tenía apenas dos caminos para acceder a la vida social de entonces: las letras y la política. En su juventud manifestaba sus proyectos, «filosóficamente moderados», de ser político (1).

De hecho, el interés de sus estudios juveniles en filosofía se orientan sobre todo a la política. Sin embargo, poco a poco, y a medida que pasa el tiempo, Valera va tomando un concepto más sustantivo de la filosofía. En sus años juveniles sus estudios son una labor de ilustración, al mismo tiempo que un proceso de absorción de determinados ideales sociales a través de conceptos expresados en filosofía. Es más bien tarde cuando Valera nos expresa con claridad su concepto de la misma. En su diálogo sobre «El racionalismo armónico», en 1873, nos dice por boca de Filodoxo que filosofía es, de una manera muy general, el conocimiento de las cosas humanas y divinas, una aspiración del espíritu humano, según el propio concepto de los filósofos griegos (2).

Después añade (3):

«Yo soy un mero aficionado, un *dilettante* de la filosofía.»

Y explica su posición personal ante los sistemas filosóficos y la filosofía en general (4):

(1) O. C., T. III, p. 20. Lo de «filosóficamente moderados», está en franca contradicción con su desmedida ambición de gloria y poder (O. C., T. III, p. 30). (*Correspondencia*, 17 de junio de 1847 y 8 de febrero de 1850, respectivamente.)
(2) O. C., T. II, pp. 1519-20 (*El racionalinmo armónico*).
(3) O. C., T. II, p. 1528 (*El racionalismo armónico*).
(4) O. C., T. II, p. 1523 (*El racionalismo armónico*).

«Yo, señora, amo a la filosofía pero no la poseo. No digo que carezco de culpa. Entregado a la vida mundana, sin el recogimiento y el estudio indispensables, he perdido sin fruto lo mejor de mi vida. Ahora ha sobrevenido ya la vejez; y si enfermo está el cuerpo, el alma está más enferma. Espejo de este siglo de anarquía intelectual, trae reflejadas en sí todas las contradicciones que trabajan hoy el espíritu humano; todos los opuestos pensamientos que lo combaten y solicitan. Soy harto inhábil para crearme un sistema, harto descreído y soberbio para adoptar el de otro, y tengo sobra de buena fe, si es que la buena puede ser nunca sobrada, para fingirme un sistema del que no tenga entera certidumbre. Así vivo y hasta combato a veces sin lema ni bandera. No es esto afirmar que tan lastimosa disposición escéptica me haga víctima de una perpetua duda o me condene a un marasmo intelectual.»

Y concluye (5):

«En cuanto a los metafísicos, no condeno yo la pretensión de resolver y explicar esas dudas: mas no creo que ya las hayan explicado y resuelto.»

Hemos visto en un momento la posición escéptica de Valera ante lo que constituye la filosofía como sistemas históricos. Escepticismo que se amplía a muchas otras actividades del espíritu. Valera nos da aquí razones personales para no creer en ninguna sistemática del pensamiento. Ama la filosofía, pero no cree en sistemas. Ante todo conviene recalcar la confesión de que su alma, espejo de un mundo intelectualmente anárquico, no es capaz de romper su poderoso influjo en busca de una mayor clarividencia. Por otra parte, se afirma aficionado, «dilettante», de la filosofía.

No vamos a indicar ahora cuál puede ser el origen de esta actitud escéptica, independientemente de lo que considere a propósito de sí mismo. Baste de momento señalar esta actitud, por lo que tiene de revelación en algo tan importante como es el pensamiento históricamente considerado.

Por lo demás, ya hemos señalado su concepto de la filosofía, poco importa ya si es sistemática o no, como aspiración al conocimiento de la vida, entendida ésta como totalidad de lo humano y de lo divino.

Más importante aún que su peculiar posición ante los sistemas, es su posición personal ante el hecho del pensar humano. Y más aún, si cabe, la descripción de los contenidos que constituyen su propia visión del mundo, de la naturaleza, de los hombres y de la vida.

Si nos internamos en la vía de lo específicamente valeresco, de su pensamiento, vemos que al margen de estas consideraciones acerca de los sistemas, Valera confiesa tener, sin embargo, ciertos principios, espigados entre todo un universo de doctrinas (6).

«Aunque sin orden y por un arte vago y sintético, poseo, o creo poseer, cierta copia de verdades; algo como atisbos de filosofía perenne o, mejor dicho, como el germen y los primeros rasgos de la

(5) O. C., T. II, p. 1524 (El racionalismo armónico).
(6) O. C., T. II, p. 1523. También en O. C., T. III, p. 45, Valera confiesa leer mucho, estudiar mucho, en busca de una idea que sirva de fundamento a todas las demás que constituyen su credo, por así decirlo, a pesar de la confusión en que se ve inmerso (El racionalismo armónico; Correspondencia, 25 de diciembre de 1850).

tal filosofía, en quien concuerdan o se me antojan que concuerdan, los entendimientos sanos. Armado de estos principios, como los héroes antiguos con sus penates, acudo a veces a refugiarme en el templo de la ciencia, y entro en él lleno de religiosa veneración, y confiado en los altos destinos y en la eterna vida de la divinidad simbólica que en él se adora. Si esta divinidad, si este símbolo no respondiese a nada real, sería al menos lo ideal y el más alto ideal del día presente.»

Lo que interesa señalar de los años juveniles de Valera, y su inmersión en el terreno de la filosofía, los móviles que le llevan a estudiarla, es, según confesión del propio Valera, en primer lugar su decidida vocación hacia el mundo político y literario, y en segundo lugar, y directamente relacionado con el primero, su profunda insatisfacción respecto al mundo social en que, por su nacimiento, se vio envuelto.

Factor común de una y otra idea valeresca, que será móvil supremo de todos sus anhelos, será su escasez de dinero para llevar a cabo el tipo de vida que exigía su posición social. Toda la conducta de Valera, todas sus aspiraciones, y todas sus tribulaciones, tanto en el plano de lo real como de lo ideal, se originan en este terreno.

De todo esto nos habla Valera (7):

«Además, entiendo yo que para tener ideas claras y fijas en política se deben tener antes en filosofía, lo que no es fácil en la época que alcanzamos, en que cada uno piensa a su manera y hay un caos en el mundo filosófico (...). Pero, a pesar de todo, por ahora es imposible que yo me mezcle en las cosas políticas, porque no tengo opinión ninguna firme que me anime y entusiasme, ni la esperanza de medrar en uno u otro partido, ya que no haya en mí principios fijos en la parte militante, porque en teoría tengo los que dimanan de mis ideas filosóficas.»

El principal anhelo de Valera es de fama, de gloria, de poder, para lo cual hace falta dinero. Un camino para la gloria es la política. Otro, la literatura. Ambos necesitan, si no ideas claras en filosofía, sí al menos un somero barniz filosófico. Eran ideas corrientes en la época. Valera, con razón, se queja de la mezquina vida cultural española de entonces (8).

«Pero ¡válgame Dios, y cuántas dificultades debo vencer! Empezando por las que nacen de mi propio carácter y de mi situación, yo que deseo todo, lo ideal y lo real, y gozo apenas de lo real, de lo más prosaico, desagradable y grosero. Yo, que aprecio tanto la amistad, y la ciencia, y los modales cortesanos, y las conversaciones discretas, no tengo ni siquiera un amigo que pueda satisfacerme en estas cosas. Los que son eruditos están muy mal educados, son sucios y pedantes, y los que son limpios y cortesanos, tan mentecatos, que no hay medio de poder aguantar.»

En otro lugar muestra de nuevo su insatisfacción de la vida cultural en España (9).

(7) O. C., T. III, p. 36 (Correspondencia, 3 de mayo de 1850).
(8) O. C., T. III, p. 34.
(9) O. C., T. III, p. 36. Las quejas con respecto al público español, de su incultura, son constantes a lo largo de toda su vida. A propósito de esto, dice que si en España no hay más hombres cultos, y limpios, se debe al bajo nivel educativo de la mujer (O. C., T. III, p. 34). (Correspondencia, 3 de mayo de 1850.)

«En España se estudia poquísimo y se sabe menos de lo que se estudia, porque se estudia mal; a fuerza de ingenio algunos han logrado hacerse perdonar su ignorancia: no sé si yo tendré bastante para que me perdonen la mía, aunque siempre debo contar, como cuentan todos, con lo del público, que es gradísima, colosal.»

O sea: Valera estudia filosofía con el fin de formar sus ideas, de hacerse dueño de una cultura que de alguna manera posibilite su acción en la vida.

En tanto, su experiencia de la realidad denota amargura, insatisfacción, hastío. Valera veía claro que su mundo, por su origen y nacimiento, era el de la aristocracia y sus salones. Pero lamenta que este mundo sea tan estúpido. Tanto más cuanto que Valera lo ve como el más elevado ideal de vida posible.

Llegados a este punto, interesa realizar una descripción del ideario de Valera, de su «filosofía perenne», descripción que ha de desarrollarse en varios niveles.

En primer lugar, se hace necesario hacer algunas anotaciones en torno a sus ideas a propósito de la religión.

Por la propia dinámica del contenido que hemos de expresar, resulta imprescindible separar, diversificar, el objeto de estudio en dos planos: en primer lugar, a base de una consideración sobre el plano de lo vivido. Y en segundo lugar, a base de otra consideración sobre el plano de lo expresado. Pues en Valera aquí aparece una primera gran contradicción.

Efectivamente: en la mayoría de los textos en que Valera decide ser sincero, repite una y otra vez que es escéptico en materia religiosa. La inmensa mayoría de los casos se encuentran en su correspondencia más íntima, único lugar en el cual don Juan podía expresarse libremente. Y, a pesar de todo, siempre reticentes, temerosas, llenas de distingos. Y no es del todo infrecuente encontrar cierta contradictoriedad en sus confesiones. Aunque alguna de estas contradicciones se explica tanto por la naturaleza de su escepticismo como por las circunstancias de orden social y psicológico que vivió Valera a lo largo de su vida.

Hemos espigado las confesiones más significativas en este sentido (10):

«No puedo creer ni quiero fingir que creo en todo aquello en que es necesario creer para ser cristiano católico, y tengo, no obstante, mis creencias, mis espiritualismos y mis misticismos.»

Son muchas las confesiones de este tipo. Pueden encontrarse a lo largo de todo su extenso epistolario. Sin embargo, interesa resaltar también la segunda parte de esta confesión. Ya denotaremos su sentido. Por ahora baste con señalar este peculiar escepticismo suyo.

Más interés que todo lo demás quizá sea el hecho de que su escepticismo se refiere sobre todo a la religión católica.

Realmente es esto lo que, de momento, tiene el carácter más significativo. No sería pertinente para nuestra investigación el mero hecho de desenmascarar estas opiniones que Valera reservaba para sus íntimos, en vista de que públicamente don Juan, a pesar de la fama de pagano y volteriano que gozó toda su vida, confesaba ser católico, más o menos ortodoxo, Va-

(10) Correspondencia de Juan Valera, ed. por Cyrus DeCoster, Valencia, Castalia, 1956, p. 145.

lera, efectivamente, oculta una parte de su personalidad. Aunque nunca lo bastante como para que ésta no llegue de vez en cuando a hacerse pública, y forme parte de su fama. Pero nos interesa el hecho de su posición personal ante el problema religioso por la incidencia que tiene sobre su obra.

En Valera aparece una contradicción (11): en sus escritos a la prensa, en sus libros, en su obra pública, se confiesa con frecuencia creyente y partícipe de la ortodoxia católica. Sin embargo, íntimamente Valera no era capaz de afirmar nada.

Confirma su forma de vida esta confesión en la intimidad del epistolario. Su vida no fue realmente muy santa. Más bien moralmente Valera vivía, sobre todo en su juventud, aunque también a la vejez, con cierta holgura de conciencia. No hay más que echar una ojeada al epistolario entre don Juan y Estébanez Calderón para convencerse de ello (12).

Las circunstancias que llevan a Valera a ocultar en lo posible esta manera suya de concebir lo religioso son obvias. Fundamentalmente se resumen en presiones de carácter social. El mismo Valera no lo oculta. En una carta a Salvador Valera Freuller, don Juan hace una referencia a su libro «Estudios Críticos sobre literatura, política y costumbres de nuestros días». En esta carta Valera se expresa así (13):

> «Yo creo que los artículos más impíos del tomo son los que te chocan por demasiado teológicos: los artículos contra Castelar. Todos aquellos misticismos y teologías no son más que para despojar a la religión católica de toda influencia en la civilización y en los destinos humanos positivos, reduciéndola a una cosa excelente para los que quieren irse al cielo por el camino derecho. Esto es achicar la religión y convertirla en una inutilidad para todo lo grande, activo y enérgico de la vida de las naciones, del arte, de la política, de la ciencia y de la economía social. ¿Cómo quieres tú que en España, sin inutilizarme para todo y para siempre, hubiera yo podido decir tales cosas sin velarlas con reticencias e ironías?»

Ya tendremos oportunidad de examinar esos escritos a propósito de la religión católica. De momento interesa la última parte del texto. Efectivamente: ¡cómo Valera, personaje por entonces de la Unión Liberal, frecuentador asiduo de salones de alto copete, podía exponer claramente en torno a cuestiones tan espinosas como ésta!

Otro ejemplo de este tipo de presiones se revelan en la vida de Valera en torno a una fecha: 1893. En este año tuvo don Juan que lamentar su ya excesiva fama de volteriano. Aspiraba por entonces a conseguir la representación diplomática en Roma, uno de los lugares más codiciados para cualquier diplomático. Valera lo perdió. Es entonces cuando don Juan entona a un tiempo dos cantares: de un lado, hace la apología del cristianismo, y de otro encontramos en sus cartas, confesión de sinceras creencias. Veamos (14):

> «No hay hombre seglar en España que, a pesar de las opuestas doctrinas y dudas que agitan la mente de los pensadores de nuestros

(11) Contradicción, por otra parte, ya sugerida por G. TORRENTE BALLESTER: *Panorama de la literatura española contemporánea*, Madrid, Guadarrama, 1956, p. 29.
(12) Carlos SÁENZ DE TEJADA BENVENUTI: *Juan Valera y S. Estébanez Calderón (1850-1858)*, Madrid, Moneda y Crédito, 1971.
(13) *Correspondencia*, op. cit., p. 28.
(14) *Correspondencia*, op. cit., pp. 165-6.

días, sienta más que yo el amor de Dios en lo profundo del alma, piense más que yo en las cosas divinas, ni ensalce en todos sus escritos, en verso y en prosa, desde su primera mocedad hasta hoy, la hermosura y grandeza del catolicismo, aquella poderosa virtud suya que informa y presta unidad y fuerza a la civilización de Europa para dominar el mundo y derramar su luz benéfica sobre todas las lenguas y naciones.

(...) Véase a Menéndez Pelayo en su *Historia de los heterodoxos;* al padre Blanco García en su *Literatura española del siglo* XIX y al cardenal arzobispo padre Ceferino González en su *Historia de la filosofía,* siendo de notar aquí que el padre Ceferino lo que más censura, como escrito por mí, es lo que escribieron en la continuación de la Historia de España, de D. M. Lafuente, Borrego, Pirala, que se encargaron de continuarlas cuando yo la dejé. Y siendo de notar, por último, que mi propensión a las doctrinas ortodoxas y mi aversión a las escuelas contrarias se han marcado más cada día desde que escribieron los autores a cuyo juicio apelo.»

En términos más sinceros, como a quien no se le puede ocultar la verdad, se dirige a Menéndez Pelayo. Ante un testigo de su vida tan ineluctable como su amigo, Valera confiesa en ocasiones su escepticismo. Pero también le dice (15):

«... a pesar de la plena convicción en que estoy de que apenas habrá en España dos personas, no del clero, que hayan cantado, contado y ensalzado con más entusiasmo, fervor y desinterés que yo, en verso y en prosa, las excelencias del catolicismo y su triunfante poder civilizador.»

Valera, ciertamente, no se cansó de expresar su fervor por la idea católica. Idea que, repetimos una vez más, no se avenía con su carácter demasiado alegre.

En los mismos términos se dirige al obispo don Servando Arbolí, con respecto al mismo tema, de forma sincera (16).

«Si bien he sido siempre pecador más débil que empedernido, y algo profano y alegre, con no muy concertada eutrapelia, no tengo remordimiento de haber dicho jamás nada que se oponga a la verdad católica ni a la moral cristiana, y no creo, por consiguiente, que el Gobierno de su Majestad muestre desagrado de que vaya yo a representar a España cerca de él (...).

Dado que yo vaya, aseguro a usted que no tendrá la Iglesia de España más celoso defensor que yo de sus intereses, hasta donde no estén en pugna abierta con los del Estado, lo cual, bien entendido, no puede realizarse.»

Vemos, pues, los motivos por los cuales Valera, hombre escéptico durante casi toda su vida, si no toda, entonó de continuo la apología del cristianismo y del catolicismo.

También dentro de la índole de lo puramente individual, personal, hay ciertos datos, ciertas confesiones en sus epistolarios, en que Valera mani-

(15) *Epistolario de Valera y Menéndez Pelayo, 1877-1905* (ed. por Miguel Artigas Ferrando y Pedro Sainz Rodríguez), Madrid, Espasa-Calpe, 1946, p. 448.
(16) Francisco LÓPEZ ESTRADA: *Epistolario de don Juan Valera a don Servando Arbolí, 1877-1897,* en «Studia Philologica (Homenaje a Dámaso Alonso)», II, p. 399.

fiesta una proximidad desacostumbrada al catolicismo. Ello es, sin embargo, fruto de una cierta inestabilidad psicológica (17):

> «Momentos tengo en que soy católico ferviente y siento arranques de meterme fraile y de irme a predicar el Evangelio a la Oceanía o al centro de Africa.»

Confesiones éstas que no pueden tomarse en serio, bien por no ser nada más que eso, meros «arranques», o por no ser más que, con frecuencia, ironía. Buena prueba de ello es su burla de todo misticismo, empezando por el suyo propio, incluso cuando es objeto de uno de sus poemas (18):

> «Ello es que, cuando yo consigo olvidar mis vanas filosofías, suelo caer en el misticismo, aunque no tengo visiones de lo alto. Pocos días ha me inflamé vivamente en el amor de Dios, y compuse ciertas octavas que no te envío para que no me llames fariseo.»

En resumen: Valera se declara escéptico en cuestiones religiosas, de igual manera que se manifestaba escéptico en relación con los sistemas filosóficos. Si bien en el primer caso, por razones principalmente de tipo social y político se ve obligado a disimularlo. En 1893 tenemos la oportunidad de comprobarlo: Valera, al decirnos que su peculiar manera de ser racionalista no impide que sea buen embajador en la Santa Sede, nos confirma en esta duplicidad entre sus verdaderas creencias y lo que expresaba en sus escritos.

Si nos hemos entretenido en este punto no es por poner al descubierto ciertos aspectos inconfesables de la personalidad de Valera. Ciertamente serían irrelevantes estas actitudes de Valera si se tomaran en sí mismas, a título de anécdota, y si no tuvieran una proyección de cierta entidad en lo que va a ser la concepción del mundo de nuestro autor. Por otra parte, es ésta una actitud de Valera que no debe sorprendernos a la vista de los resultados de la investigación en torno a Valera, crítico literario, realizada por Manuel Bermejo Marcos (19). Se observa idéntica duplicidad de juicios, esta vez en lo que se refiere a su labor como crítico. Los motivos son idénticos también: Valera, ante su público, ante su sociedad, no quiere comprometerse. Pero, repetimos, no es esto lo esencial. No se trata de expresar una valoración sobre las cualidades morales de don Juan, que poco importan, sino de aproximarse a la realidad de su concepción del mundo.

Para lo cual, es preciso adentrarse, tratar de profundizar, en la naturaleza de ese escepticismo y, al mismo tiempo, en la naturaleza de las opiniones expresadas al gran público por don Juan. Y uno y otro aspectos van a adquirir sentido tan pronto se pongan de manifiesto las causas y los factores que los originaron. También, es imprescindible tener a la vista a un tiempo estos dos problemas, dado que no están, como veremos, tajantemente separados. Las vivencias de Valera sirven de sustrato a la expresión de su concepción del mundo. Lo que don Juan cuenta en sus cartas, sus intimidades, por así decirlo, son factor decisivo a la hora de precisar su visión de la vida.

Lo que sí pone de relieve esta contradicción, esta duplicidad, es la esen-

---

(17) O. C., T. III, p. 168 (*Correspondencia*, 13 de abril de 1857).
(18) O. C., T. III, p. 59. También Ramón Esquer Torres: *Para un epistolario Varela-Tamayo y Baus*, «B.R.A.E.», XXXIX (1959), pp. 146-7.
(19) M. Bermejo Marcos: *D. Juan Valera, crítico literario*, Madrid, Gredos, 1968.

cia y la tendencia de la expresión religiosa en Valera, o sea, su carácter ideológico y el sentido hacia el cual se orientan sus contenidos.

A Valera le interesa la religión no por lo que es en sí. Sin embargo, tiene un interés real, efectivo, en el problema religioso de su tiempo. Valera, cuando habla de cuestiones religiosas, vemos como deslinda dos campos: lo que uno realmente cree, que para él poco importa en función de sus intereses en este asunto, y lo que uno debe decir. En don Juan apenas hay una interiorización del problema religioso. Su agnosticismo no se proyecta, como por ejemplo en Unamuno, de una manera agónica. Tampoco es, a diferencia del agnosticismo de Pí y Margall, fundamento de ningún tipo de orientación humanista en el campo de la acción social.

En Valera, más bien parece, como veremos, que se orienta hacia una cierta evasión, tanto de la realidad de su ser como individuo como de las realidades sociales que le tocó vivir.

Si centramos ahora el estudio en este problema de la ideología religiosa en Valera, hemos de hacer referencia inmediata al estudio más profundo de cuantos se han hecho en este sentido. Se trata del de Francisco Pérez Gutiérrez (20). Este autor investiga la dinámica de los conceptos de Valera sobre la cuestión religiosa en tanto que ideología. La conclusión es que Valera se muestra católico liberal (21):

«Valera era muy consciente de que al enfrentarse a la vez con el positivismo y el neocatolicismo por igualmente cerrados y reclusos en su dogmatismo, lo que hacía era todo menos oportunismo. Valera, no sólo sostuvo en multitud de ocasiones una ideología católica liberal, sino que semejante ideología era la suya.»

La conclusión es plenamente acertada. Si bien Valera, a vueltas de mil contradicciones, en muchos casos parece manifestar opiniones muy distintas. Es realmente difícil saber en cada momento qué piensa realmente Valera. Sus escritos, según las circunstancias y según a quien vayan dirigidos, se cargan de matizaciones, de distingos, cuando no de verdaderos embustes.

Independientemente de la orientación concreta de la ideología religiosa de Valera, interesa, a la luz del contraste entre sus creencias y sus declaraciones, precisar los orígenes de este contraste. En buena medida obedece a presiones de tipo social. Ya vimos cómo confesaba Valera a Salvador Valera que no era posible en España manifestar de una forma sincera, sin hundirse para siempre, el pensamiento verdadero de cualquiera en esta cuestión. Si bien el catolicismo liberal no era en aquel entonces, ni mucho menos, la ortodoxia, Valera se guarda mucho de decir públicamente que era agnóstico. Y ello se debe a la vinculación personal de Valera con respecto a los sectores sociales más elevados, al grupo que de una manera cada vez más firme estaba constituido por la alianza de la aristocracia y la del sector más moderado de la burguesía. Huhiera sido motivo de escándalo mayúsculo el que un miembro de este grupo, y uno de sus personajes más significativos en el campo de la cultura, confesara creencias como las que expresaba el revolucionario Pí y Margall. Ni Valera ni su clase social eran lo bastante fuertes como para permitirse este tipo de sinceri-

---

(20) Francisco PÉREZ GUTIÉRREZ: *El problema religioso en la generación de 1868*, Madrid, Taurus, 1975, pp. 21-96.
(21) Francisco PÉREZ GUTIÉRREZ, op. cit., p. 54.

dades. Incluso las expresiones de Valera acerca de su pensamiento católico liberal se encuentran llenas, por este mismo motivo, de contradicciones. En el área política en que Valera se situaba, por temperamento, por tradición familiar, y por intereses de clase, no podía de ninguna manera expresarse con claridad.

Es de notar que algunos de sus más íntimos amigos, eran más bien neocatólicos. Y aunque con frecuencia no habla bien de ellos, está infinitamente más próximo a ellos por inclinaciones temperamentales e intelectuales que de los demócratas, e incluso de los progresistas. Como político, Valera perteneció antes del sexenio revolucionario primero a los moderados, a los cuales abandonó pronto. Luego a la Unión Liberal, antes de la Revolución y en la Revolución. En la Restauración estuvo con Sagasta. Y lo importante de todo esto es su absoluta falta de fe en ninguno de estos partidos políticos. En general, Valera, escéptico en religión, también lo fue en lo político (22).

> «... apenas hay ni un liberal ni un neo que lo sea por convencimiento. Cada cual elige uno u otro papel, según cree que mejor le conviene para medrar y lucirse.»

Esto lo decía Valera en 1878. Y en 1887 continúa (23):

> «El Senado, en donde asisto como senador vitalicio, me roba el tiempo y me aburre. Se echan allí interminables y vulgarísimos discursos, que me hacen dormir o bostezar, y, sin embargo, tengo a veces envidia de los que los echan y me entran ganas de echarlos yo también para ver si consigo hacer en esta farsa un primer papel algún día. Estas ganas mías duran, con todo, poco y son estériles. Me falta paciencia para enterarme de los pormenores y no atino a tomar por lo serio ni a Sagasta, ni a Cánovas, ni a los partidos que capitanean, ni mucho menos llego a percibir la diferencia de doctrinas y de principios que hay entre los partidos, dado que tengan algún principio y doctrinas y que no sea filfa todo.»

De los moderados Valera habla en términos duros, siempre y cuando se hable en la intimidad. También de los progresistas y de la Unión Liberal. Valera, si bien militó en política como diputado o senador, sobre todo por estos dos últimos, nunca estuvo en favor de ellos. Valera, ciertamente, si se apunta a la política es porque era un camino de ser algo en la vida.

De los moderados dice (24):

> «Grande es mi deseo de darme a conocer como escritor político. No quiero por más tiempo estar confundido con la minoría moderada, en la cual he ido a caer por mis pecados, por mi resentimiento con algunos hombres de la situación, porque ésto no me satisface, porque no me juzgaba con bastante importancia para quedarme solo y porque no quería reunirme ni con los demócratas soñadores, ni con los progresistas rancios. No sé si esto, dicho tan a escape, se entenderá; pero al buen entendedor, etc.»

Esto es de 1860. Y a continuación explica cuál es su verdadero partido:

---

(22) Epistolario de Valera a Menéndez Pelayo, op. cit., p. 34.
(23) Correspondencia, op. cit., p. 153.
(24) Julián JUDERÍAS: D. Juan Valera y D. Gumersindo Laverde. Fragmentos de una correspondencia inédita, en «La Lectura», XVII, 3 (1917), p. 173.

uno inexistente, cuya base sea una juventud que realice una política de prestigio nacional (25):

> «Ya usted alcanzará que mi deseo sería estar en el partido de la juventud; en un partido de doctrinas realizables, aunque liberal y progresista, en un partido de miras elevadas y de grande intención y no menores proyectos y planes de grandeza futura para la patria. A esto llamaría yo el verdadero partido moderno. No hallo otro nombre más a propósito. Pero este partido no existe; es menester crearle y ¿quién es capaz de tanto? Toda noble aspiración, como, por ejemplo, la de extender en Africa nuestros dominios; la de unirnos a Portugal, la de volver a conquistar Gibraltar, etc., etc., habían de entrar en nuestro partido y habían de ser ordenadas de un modo prudente, no precipitando las cosas por realizarlas, pero teniendo siempre el propósito y tirando siempre, por medio de una diplomacia activa y de otros medios legítimos, a que se realizasen (...).
>
> En las cosas internas quisiera yo mucha libertad, mucho *laisser faire*, seguro de que tal vez irían mejor que no ocupándonos tanto de ellas. Reconozco que en el atraso de España, y atendidas las condiciones de esta raza que han dado algunos en llamar latina o neolatina, el Gobierno tiene que seguir con la iniciativa; pero ¡por Dios!, que no sea tanto, no acontezca lo que al hombre que cuida mucho de su salud y cae enfermo de puro cuidarse y aplicarse medicamentos. En resolución: yo no estoy de acuerdo con nadie.»

Después creía Valera encontrar este partido ideal en la Unión Liberal. Diez años antes, en 1850, cuando el partido moderado estaba en el poder, ya Valera manifestaba de un lado su inclinación con respecto a las opiniones concretas de partido, y, de otro, su escasa fe en los moderados (26).

> «En política estoy indeciso, porque, no tan sólo este Gobierno no me entusiasma, sino que no tengo por él simpatía ninguna, y, sin embargo, me veo obligado a pretender de él que me coloque en la diplomacia y que me apoye en las elecciones. Si yo fuera rico y más confiado en mi ingenio y fortuna, seguiría un camino independiente y, sin mendigar favores de nadie, esperaría que vinieran a buscarme; pero como no lo soy, tengo que fingir ministerialismo y abstenerme de criticar tantas cosas que me parecen criticables.»

Queda confirmado de una manera clara que toda vinculación de Valera a cualquiera de los partidos políticos en que militó, no se debió a la fe en la política, sino a la necesidad de encontrar, por medio de ellos, el lugar que él creía que le correspondía en el mundo social al que aspiraba. Esta actitud fue una constante de la vida de Valera: conseguir los cargos diplomáticos y políticos vengan de quien vengan dentro de las diversas opciones que le ofrecía la clase social que constituía su mundo.

Esta indiferencia de Valera por los partidos políticos se ve en las continuas críticas que les dedica. Ataca a Cánovas al mismo tiempo que a Sagasta. En 1897, año de la muerte de Cánovas, dice él (27):

> «No faltará quien gobierne a España sobre poco más o menos tan mal como la gobernaba el Monstruo. Posible es que sobrevengan

---

(25) Julián JUDERÍAS, op. cit., pp. 173-4.
(26) O. C., T. III, p. 35 (*Correspondencia*, 3 de mayo de 1850).
(27) *Correspondencia*, op. cit., pp. 247-8.

tiempos peores, pero esto no será porque el Monstruo haya muerto, sino tal vez porque mangoneó demasiado y porque cuando estaba vivo contribuyó a preparar las cosas para que se hudiesen. En suma, Dios quiere que sigamos cobrando yo la paga de jubilado...»

Con lo cual don Juan dejó vivo retrato de Cánovas y de su obra, la Restauración. A pesar de que en 1895 Valera esperara milagros del Monstruo (28):

«Es muy posible que Sagasta, con tantas calamidades públicas como se nos han venido encima, no dure ya mucho en el Poder, y vendrá Cánovas a salvarnos.»

Vemos pues, que el interés de Valera por los partidos políticos no es otro que el de conseguir alguna que otra prebenda. En realidad, si Valera militó en la Restauración por Sagasta, tampoco era por fe en el partido progresista, ni por fe en ningún partido. A los liberales Valera los considera bárbaros (29).

Hay un hecho, según afirmábamos antes, que tiene cierta relevancia en el pensamiento de Valera. Y es que dentro de los círculos intelectuales de la España de entonces sentía especial afición por los neocatólicos. El motivo es que entre ellos, en su compañía, se encontraba don Juan en la élite de la inteligencia. Dice Valera de ellos (30):

«Es raro que sean casi siempre, en España, los clericales, los *neos* o como queremos llamarles, los acusados de parciales del oscurantismo, los que muestren en sus escritos más verdadera ilustración y más elegante cultura.

En otro lugar, Valera confiesa a Menéndez Pelago sentir arranques para dejar a los liberales y pasarse a los neocatólicos (31):

«Algunas veces me entran ganas de hacerme servil, *neo* o como quieran llamarlo.»

Añade en otro lugar (32):

«Aseguro a usted que no me explico por qué soy yo *liberal* en España. La gente culta no sé por qué está en los partidos más conservadores. Salvo Gabriel Rodríguez, *Clarín*, y otros seis o siete, nadie gusta, ni lee, ni entiende de mis cosas, en las huestes del liberalismo, cuyos jefes además me tratan pícaramente.»

Seguidamente anuncia uno de sus deseos más notables: abandonar lo político, al partido liberal y a Sagasta (33).

«Mi sueño dorado es vivir en Madrid y en Cabra, a medias, con independencia, sin ser liberal, ni nada, y diciendo y pensando sobre

(28) DOMÍNGUEZ BORDONA: *Centenario del autor de Pepita Jiménez. Cartas inéditas de Valera,* en «Revista de la Biblioteca, Archivo y Museo», III (1926), p. 453.
(29) *Epistolario de Valera a Menéndez Pelayo,* op. cit., p. 188. También pp. 322-3.
(30) *Epistolario de Valera a Menéndez Pelayo,* oc. cit., p. 125.
(31) *Epistolario de Valera a Menéndez Pelayo,* op. cit., p. 188.
(32) *Epistolario de Valera a Menéndez Pelayo,* op. cit., p. 322.
(33) *Epistolario de Valera a Menéndez Pelayo,* op. cit., p. 322.

política lo que se me antoje, sin la vergüenza de tener por jefe a Sagasta.»

Esta afición suya por los neos, progresiva según se va haciendo viejo, se entiende como cierta afinidad, de carácter intelectual, hacia temas tan relevantes como el religioso y el estético en la perspectiva de la historia nacional. Y es que Valera nunca fue un monolito en cuanto a sus creencias y opiniones. Las contradicciones de Valera se entienden a veces como un intento de transacción siempre entre las diversas opiniones políticas e ideológicas que se originan en las clases más elevadas de la sociedad española. Valera, que mantiene más que nada una ideología religiosa católico-liberal, que «milita» en el partido liberal, que confiesa preferencias de carácter liberal, por tradición familiar, por ciertas inclinaciones psicológicas, y por determinadas formas de vida, intelectualmente se siente inclinado hacia los sectores más extremos de la derecha española de entonces (34):

> «Cada día siento más la conveniencia ya que no la necesidad, de que usted, los Pidales y otros pocos que eligiéramos, formemos una especie de sobrepartido, en el cual, por excepción, me admitiesen' ustedes, a pesar de mis puntos y collares de racionalista, a mi modo, esto es, con dejos místicos, archiespañoles y, en ocasiones, algo parecido de lo que tildan ahí de neocatólico. En fin, yo no puedo ser de otra manera que como soy; pero así como soy, cada día me son más simpáticos los *oscurantistas* que los *liberales ilustrados*.»

Valera se siente más a gusto con los neocatólicos en lo que se refiere a los temas de literatura y de historia. Y es la consideración de España como entidad nacional lo que, como dando fundamento a los temas anteriores, sirve de base a la comunidad intelectual entre Valera y los neocatólicos. No le importaba a Valera incurrir en contradicciones: su obra está llena de ellas. Y por eso Valera, que votó en las Constituyentes del 69 por la libertad religiosa, en contra de los criterios conservadores del clero, los tradicionalistas y el ala derecha de la Unión Liberal (de Cánovas) (35), no tiene inconveniente en adherirse, al menos de palabra, a los postulados que representaba el círculo intelectual de Menéndez Pelayo. ¿Se trata de una nueva duplicidad? Duplicidad o mero espíritu de transacción, el caso es que Valera es así. Como político, Valera es de una forma. En sus creencias es otra. Con sus amigos, otra muy distinta. Es un espíritu templado, más inclinado a la concordia que a la discordia. Transige, dentro de su círculo, con quien haga falta. Convive con todos. Odia las intransigencias. En la cuestión religiosa, Valera íntimamente es escéptico, un racionalista agnóstico. Si se expresa en el parlamento, o en la prensa, es católico-liberal. Frente a la Historia de España, Menéndez Pelayo y Valera coinciden generalmente en sus criterios y en sus valoraciones. Puede decirse que Valera mantiene diferentes opiniones según el tema de reflexión. En la política concreta y en las soluciones diarias, Valera es partidario de un régimen en libertad. Cuando habla de literatura española, de historia nacional, de la religión de los españoles, argumenta de forma con frecuencia idéntica a la de los neos. Por otra parte, en lo que se refiere a temas como los que acabamos de citar, Valera rinde culto a la inteligencia. Según él, ésta se sitúa por encima de la política. Cuando se trata de levantar el prestigio in-

---

(34) *Epistolario de Valera a Menéndez Pelayo*, op. cit., p. 406.
(35) Santiago PETSCHEN: *Iglesia-Estado. Un cambio político*, Madrid, Taurus, 1975.

telectual de España, no tiene inconveniente en pretender unir en especie
de superpartido a Menéndez Pelayo con «Clarín». Para él, que nunca debió
sentir hondamente la política, hay algo superior a ella; y eso es la cultura.
Así propone a Menéndez Pelayo una especie de círculo de salvación nacional
de la cultura española, en el cual entraría incluso Clarín (36):

> «Vamos a ver si entre usted, Alas, algunos otros y yo, aunque
> flojo, resucitamos por completo la mente española, con las condi-
> ciones que en el siglo XIX, y aun XX, conviene que tenga. La ambición
> no es pequeña, pero es menester tenerla. Es menester combatir el
> barbarismo extranjero, el arcaico y el literario también. ¿No le pa-
> rece a usted, como a mí, que en España hay más savia, más vida
> intelectual y más vigor para todo de lo que a primera vista parece,
> salvo que, por desgracia, así en la esfera de la vida activa como en
> lo especulativo, está dominada por los bárbaros y por los vulgares
> y cursis.»

Una compenetración tan íntima entre Valera y Menéndez Pelayo y el
grupo que éste último representaba, tiene por base una proximidad mayor
de lo que parece. Creencias a parte, ciertamente las semejanzas son mayores que las diferencias. Tales diferencias, si bien se mira, tienen origen
en la peculiaridad psicológica de cada uno de ellos. En el fondo, no era
el catolicismo liberal de Valera tan sólido como para no venirse abajo más
de una vez en la comunicación con Menéndez Pelayo. La falta de una base
sentimental firme en la fe de Valera, y su peculiar «panfilismo», le hacen
lo bastante flexible como para aproximarse a unas posiciones que, en virtud de su prestigio intelectual, y aun de sus contenidos, no estaban de
ningún modo lejos de los de Valera.

Valera es católico, ya sin adjetivos, cuando tiene que afirmarse español.
Es decir, en esto se identifica con los criterios de Menéndez Pelayo. Echa
mano de su españolismo en todo. Si habla de Historia, de literatura, de
religión, adopta lo que él cree más español. Este sentido suyo de lo patriótico le impulsa a radicalizar sus posiciones hacia los términos incluso
del tradicionalismo más recalcitrante. Este es el auténtico sentido de la
expresión religiosa de Valera. La más somera ojeada al epistolario entre
Valera y Menéndez Pelayo confirma esta tesis. Lo que une a estos dos
hombres es un igual sentido de lo patriótico. La esencia del catolicismo
expresado por Valera —no ya del liberal, que es más político que otra cosa—
es el nacionalismo.

Valera aquí parece también deslindar dos campos; que, por otra parte,
parecen tener también una proyección cronológica. A lo largo de la vida,
puede decirse que éste va adoptando posiciones más próximas a las de
Menéndez Pelayo (37). Estos dos campos son el político y el exclusivamente
intelectual. Ya lo hemos advertido antes: para la política diaria, pide una
España liberal, más *laissez faire*. En cuanto a sus inquietudes intelectuales,
independientemente de sus verdaderas creencias, de su verdadera fe, quiere hacer gala de patriotismo, y por eso se adhiere a los criterios más tradicionales respecto a lo que es y significa lo español. Lo mismo que cuando, siendo aún joven, quería un partido liberal joven, promotor de una política de prestigio nacional, ahora, más maduro, propugna una cultura de

(36) *Epistolario de Valera a Menéndez Pelayo*, op. cit., p. 411.
(37) De otro lado, también Menéndez Pelayo va tomando, a medida que se acerca su madurez, posiciones más próximas a las de Valera.

sentido más nacional. Propugna, con Menéndez Pelayo, una renovación de los valores tradicionales de la cultura española, y con los criterios de Menéndez Pelayo. Otra vez en su epistolario con don Marcelino encontramos (38):

> «Yo no sé cómo a este pisaflores (el doctor Blumentrit) y así mismo el doctor Schuchardt se les ha metido en la cabeza que usted es muy reaccionario y muy exclusivo y que yo soy muy *progresista* y muy cosmopolita. En cartas y conversaciones he tratado de sacarlos de este error, sosteniendo que usted y yo no discrepamos un ápice en criterio filosófico, político y literario, y si en punto a religión tal vez no parecemos tan de acuerdo, yo me atrevo a sospechar que ha de ser porque usted usa más plegarias y respeta más que yo lo oficial, pero que, sea como sea, ambos coincidimos en creer que franceses, ingleses y alemanes, que tienen hace dos siglos la hegemonía intelectual, han arreglado la historia a su antojo para glorificación de sus naciones y rebajamiento de la nuestra y que nosotros hacemos lo que podemos para corregir tanto error; pero como usted lo hace con más constancia y brío, de aquí, sin duda, que le tilden de reaccionario. Añado que soy tan reaccionario como usted o más, si el serlo consiste en creer que la Reforma fue una rebelión de la barbarie que retardó el progreso dos o tres siglos; que no trajo tolerancia ni libertad de conciencia; que recrudeció el fanatismo en unas y otras parcialidades, y que perjudicó mucho a la elegancia de la vida y a las costumbres, a las artes y a las letras y a la filosofía, tan florecientes ya antes de Lutero, y hasta el conocimiento de la naturaleza, divirtiendo las inteligencias a cuestiones lamentables sobre gracia, libre albedrío, etc., en las cuales los católicos defendían lo liberal y lo razonable y los protestantes desatinaban. De todos modos fue un mal gravísimo que tan estúpidamente se rompiese la unidad de la civilización de Europa. De donde yo infiero y digo a estos señores que Felipe II era más progresistas que todos los príncipes protestantes, y que don Iñigo de Loyola debe ser más simpático que Lutero a todos los liberales y más benemérito de la civilización.»

Cita larga, pero enormemente significativa. Ciertamente que hay exageraciones en ella, pero los propios neos le toman por uno de los suyos en estas cuestiones. El propio Valera lo dice (39):

> «¡Es singular esta afición que me toman los *neos*! ¿Si seré yo semi *neo* sin haber caído en ello?»

Valera explica con más claridad su posición en este punto. Sus raíces son de historia y literatura nacional (40):

> «Entiéndase además que yo, que soy muy admirador de las cosas del día, muy lleno de espíritu del siglo, poco piadoso y creyente, etcétera, etc., no puedo convenir en mil tonterías que hoy se proclaman *ex cathedra*, las cuales me atacan los nervios y contra las cuales soy capaz también de ponerme a defender la Inquisición.»
>
> «A mí lo que me carga, ya usted lo comprende y sabrá hacerlo extensivo, es el desaforado encomio de Shakespeare y el desdén con que se mira a Lope.»

(38) *Epistolario de Valera a Menéndez Pelayo*, op. cit., pp. 504-5.
(39) *Epistolario de Valera a Menéndez Pelayo*, op. cit., p. 54.
(40) *Epistolario de Valera a Menéndez Pelayo*, op. cit., pp. 87-8.

Por su parte, Menéndez Pelayo manifiesta en ocasiones participar de las mismas opiniones que Valera (41). En otro lugar ataca don Juan los salvajismos progresistas y demócratas en torno a la valoración de nuestra cultura (42):

> «Acaso en España todo lo que a la *high life* sea insensible e indiferente a nuestra cultura castiza, así como lo desdecían los progresistas y demócratas, imaginando que no hay luz, ni saber, ni discreción, ni ingenio que no nos venga de *extranjis*. Es fenómeno muy curioso que en nuestro país los pocos que estiman y guardan el fuego sagrado del saber, de la inspiración en las letras y artes y del progreso no transplantado de fuera, sino retoñando y reviviendo de las raíces propias del suelo patrio, son gentes de nuestra clase media, tildadas, por lo común, de oscurantistas, fanáticas y retrógradas.
>
> Yo doy por seguro que ni mi jefe político; ni por otro estilo las condesas, marquesas y duquesas elegantes, salvo nuestra amiga Corina, han leído una sola página de usted o mía, ni en prosa ni en verso, y que se aburrirían o se dormirían leyéndolas o no las entenderían aunque las leyeran. Nuestro mismo idioma está por estas gentes casi ignorado en lo que tiene de artístico y primoroso.»

Vemos, pues, que Valera, por algo más que por mero espíritu de transacción —ya veremos otras motivaciones a su debido tiempo—, se aproxima a la tesis de M. Pelayo en este punto, que es clave para el conocimiento de Valera, de su pensamiento religioso.

Pero aún hay que hacer una matización más en torno al problema religioso. Nos referimos a la idea que tiene de la religión.

Es sorprendente por muchos motivos, pero sobre todo por uno muy concreto. Pues se adelanta, en este sentido, en muchos años al concepto que, aun hoy polémicamente, corre por nuestro mundo. Nos referimos a que para Valera la cuestión religiosa es un problema pura y exclusivamente individual, que pertenece a la más íntima subjetividad del individuo. Lo podemos comprobar cuando habla de las relaciones entre política y religión en su estudio de Donoso Cortés, por ejemplo (43).

Y podemos añadir que también aquí incurre en contradicciones. Pues don Juan, reconociendo, como vemos, la autonomía y sustantividad de las creencias religiosas, en otros lugares no lo hace. Y mezcla y funde las dos cosas. Con lo cual ha puesto de relieve el carácter ideológico que puede tener la religión, y que rechaza aquí este carácter, en otros lugares lo adopta él. Y ello es fruto también de las presiones de tipo social y político a que se veía sometido. Véase la contradicción, por ejemplo, en sus *Meditaciones utópicas sobre la educación humana* (44), en las cuales, sobre señalar que no hay sociedad sin religión, declara necesaria la no separación de Iglesia y Estado.

Sin embargo, esta declaración que hemos visto es la expresión de su catolicismo liberal.

(41) *Epistolario de Valera a Menéndez Pelayo*, op. cit., p. 408.
(42) *Epistolario de Valera a Menéndez Pelayo*, op. cit., p. 551.
(43) O. C., T. II, p. 1382. El tema está bien estudiado en el citado trabajo de Francisco Pérez Gutiérrez.
(44) O. C., T. III, especialmente p. 1401. Véase otro ejemplo también en O. C., T. III, páginas 802 y 804. Aún más evidente la contradicción, en O. C., T. III, p. 1239 (*Revolución y libertad religiosa* y *Elogio de Cánovas del Castillo*, respectivamente).

Con todo, lo que más nos interesa es eso: la opinión de que para Valera la religión es un problema exclusivamente individual, propio de la intimidad más pura del ser humano.

Según el sentido de lo que hemos visto antes, este texto de don Juan es una contradicción más, pero que pone de manifiesto de un lado cuál es el verdadero sentir de nuestro autor en esta materia, y de otro qué factores le obligan a decir cosas que de ningún modo siente.

En Valera hay que distinguir, entonces, entre su posición personal frente al problema religioso, de un lado, y de otro, su posición pública ante el mismo. En este segundo plano, hay que aceptar también una distinción que procede de una separación entre el terreno de la política, de un lado, y de la cultura, de otro. En función de todo esto, Valera, personalmente agnóstico, racionalista, como político se expresa católico-liberal. Como hombre que vive en el marco cultural que le proporciona la historia de España, católico a secas.

Vemos así cómo se va desarrollando el abanico de ideas de Valera en torno a la cuestión religiosa. Es preciso abrir una brecha entre los distintos planos en que se sitúa a lo largo de su vida, entre las situaciones mentales y sociales en que se ve envuetlo, para de esta manera dejar que éstos vayan adquiriendo sus perfiles.

De esta manera penetramos poco a poco la verdad del pensamiento de Juan Valera. No se pueden cruzar y entremezclar estos niveles. Si se hace así, aparece un todo enormemente difuso y contradictorio, un puro absurdo. Gracias a la separación entre estos niveles vamos aquilatando la verdad. Así es como conocemos a don Juan. El torbellino de ideas que expresa en sus discursos, en sus ensayos periodísticos, en sus libros de reflexión, en sus novelas, aparece mucho más claro en su epistolario. Sólo en él puede Valera hablar con claridad, sólo allí dice la verdad respecto a sí mismo.

Y por eso, a la luz de su epistolario, en el cual se marcan tan bien las lindes de sus ideas en la cuestión religiosa, no podemos admitir como verdaderos los resultados de algunos de los trabajos que se han hecho a propósito de este asunto, porque, como vemos, el propio Valera los contradice. Cuando dice de sí mismo, en 1887 (45): «Jamás hice yo la pamema de afectar que soy creyente. Soy muy escéptico: ni lo niego, ni me jacto.» No podemos creer a quien presenta a Valera como ortodoxísimo católico. Así no podemos creer a don Juan Zaragüeta cuando dice (46):

> «Así, pues, la metafísica de don Juan Valera termina con una afirmación de rotunda religiosidad.»

Continúa:

> «Esta nota de acentuada religiosidad es llevada en la filosofía de don Juan Valera hasta las alturas del misticismo.»

La fe de Valera, en relación con su filosofía, adquiere matizaciones que nos llevarán a otro tipo de consideraciones. Pero el fondo permanece idéntico, la realidad última es la misma.

(45) J. Domínguez Bordona, op. cit., p. 434.
(46) Juan Zaragüeta: D. Juan Valera, filósofo, en «Revista de filosofía», XV (1956), pp. 510-1. Ya veremos en su lugar la fe de Valera en relación con su filosofía. Veremos que las cosas no han cambiado.

Igualmente, tampoco participamos de la opinión de Jaime de Echanove (47):

«No creo que jamás dudase Valera seriametne de la fe.»

También el conde de las Navas (48), en nuestra opinión, se equivoca. Y más aún, en una posición de mistificación extrema de la realidad religiosa de Valera, se encuentra el estudio de fray Juan Bautista Gomis (49).

Tampoco acertó a descubrir el fondo, a pesar de hallarse próximo a él, Bernardo Ruiz Cano. La ligereza en el análisis o la presión de los prejuicios, o lo que sea, hacen que este autor se obceque en llevar a Valera a un terreno en el que nunca estuvo. Pues después de señalar las contra-dicciones que aparecen, se decide a evitarlas de forma demasiado ligera, y aun artificiosa, inclinándose precisamente por lo que no es (50):

> «Valera no fue ciertamente ningún modelo de moral cristiana (...). Pero de eso hasta saltar a las lindes de la incredubilidad e irreligiosidad, monta la inconsecuencia en demasía.»
> «Pero no es Valera el volteriano que muchos rasgadores de vestiduras quisieron anatemizar. Tiene, en verdad, sus puntos flacos; pero son ellos, al parecer, sin malévola intención, finalmente, bordeados con la buena doctrina, escrupulosa e insistentemente rechazados como ajenos al pensamiento y mente de Valera, que, con sus otras delicadezas y bellezas, con su verdadera fe y sentimiento cris tiano lleva la tranquilidad al alma y el optimismo aun al artista literario más timorato, si el artista ese sabe de comprensión, de prudencia y de algo de bondad.»

Errores estos que se producen por el hecho de tomar lo contradictorio de Valera de una forma absoluta, es decir, sin tener en cuenta para nada las circunstancias fundamentalmente sociales que impulsan a don Juan a la contradicción. Pues su vida no es, como ninguna otra, un fenómeno abs-tracto (51).

Estuvo sometido a multitud de presiones. Unas son conscientes, y él mismo las reconoce, y otras inconscientes.

Pero sean como sean, se constituyen en causas de la contradictoriedad de Valera. Reconocerlas y analizarlas es lo que conduce a la verdad (52).

---

(47) Jaime DE ECHÁNOVE: *La fe de Juan Valera y Las ilusiones del Doctor Faustino*, en «Cuadernos Hispanoamericanos», LVI, núm. 168 (1963), pp. 556-7.

(48) CONDE DE LAS NAVAS: *Centenario de Valera*, en «B.R.A.E.», XI (1924), pp. 502-3.

(49) Fr. Juan BAUTISTA GOMIS: *Sentido católico de Juan Valera (1824-1905)*, en «Verdad y Vida», enero-marzo (1944), pp. 102-27.

(50) Bernardo RUIZ CANO: *D. Juan Valera en su vida y en su obra*, Jaén, 1935, p. 67, páginas 79-80. También, pp. 117-8.

(51) Tampoco nos parecen aceptables las opiniones de Emiliano Aguado (*Prólogo a Don Juan Valera*, Madrid, Fe, 1944, pp. 19-20).

(52) Son muchos los trabajos que tocan este tema en Valera. Entre los que lo tocan de forma más directa, las opiniones más acordes con la verdad pueden encontrarse en: Luis GONZÁLEZ LÓPEZ: *Las mujeres de don Juan Valera*, Madrid, Espasa-Calpe, 1934, pp. 77-9. Azorín: *De Valera a Miró*, Madrid, Afrodisio Aguado, 1959, pp. 17-51; Robert LOTT: *Language and Psychology in «Pepita Jiménez»*, Urbana, University of Illinois Press, 1970, p. 216. (Pone en este lugar el autor la religiosidad de Valera en función de su actividad política. En general, muestra cómo todo el misticismo de *Pepita Jiménez* tiene un desarrollo irónico.) También, César SILVA: *Don Juan Valera*, Valparaíso, Royal, 1914. También, Manuel AZAÑA: *Obras completas*, México, Oasis, 1966, T. I, pp. 932 y 1055. Y el magnífico estudio de Francisco Pérez Gutiérrez, arriba citado.

En resumen: estas anotaciones —no es ésta una monografía— sobre el problema de la cuestión religiosa en Valera, nos ponen de manifiesto algunos puntos que convenía aclarar para una comprensión adecuada de lo que va a ser su «filosofía perenne». Hemos visto cómo Valera, que es agnóstico, se expresa públicamente de dos maneras: una, como católico liberal en lo que se refiere a la política. Otra, como católico a secas, o, mejor, como paladín del catolicismo, en lo que se refiere a la cultura nacional. Quien no sienta la fe, bien puede defender estas dos posturas. Los terrenos están bien delimitados. Es Valera quien lo ve de este modo. Por lo demás las causas están claras: son siempre las circunstancias.

Decíamos anteriormente que convenía tener a la vista los dos planos que íbamos a analizar: el de lo sentido y el de lo expresado. Pues existe una conexión íntima entre ambos. Conexión que se manifiesta en varios sentidos, uno de los cuales ya lo hemos anotado: el hecho de que ambos planos se opongan indica el interés de Valera por expresar unos contenidos que se definen por ser de un lado de carácter ideológico, y de otro señalan la orientación de esta ideología. Habíamos dicho también que para obtener la conexión objetiva entre estos dos planos era preciso investigar la naturaleza de ambos. Hemos señalado hasta el momento la naturaleza de uno de los dos: el que corresponde al de la expresión. Es preciso, pues, internarse ahora en el otro, o sea, en el que tiene lugar en el campo de las vivencias religiosas de Valera, en el más íntimo, en el de sus creencias, en el de su agnosticismo.

CAPÍTULO II

EL AGNOSTICISMO DE VALERA. LA FILOSOFIA PERENNE

«Porque, créeme, el escéptico, por serlo, encuentra en todo lo que piensa contradicción y carencia sólo porque conoce la armonía de la belleza sin tachas, que nunca podrá ser pensada. Si desdeña el seco pan que la razón humana le ofrece con buena intención, es sólo porque en secreto se regala en la mesa de los dioses» (Hölderlin: «Hiperión», I, 2). Ya sabemos que no es este el caso de Valera. Hemos visto que más bien es este otro del personaje de Tolstoi, aunque no de forma tan tajante: «No creía ni en Dios ni en el diablo; sin embargo, se preocupaba mucho de la suerte del clero, y tenía empeño en conservar la iglesia parroquial en sus propiedades» (*Ana Karenina*, III, 16).

Ya tendremos ocasión de explicarlo en más hondos y variados sentidos.

Bástenos, de momento, señalar el carácter ideológico en que se expresa la problemática de lo religioso en Valera. Pues según veíamos en el apartado anterior, don Juan reconoce la independencia de dos terrenos, política y religión, que él mismo, en otras ocasiones, directa o indirectamente había mezclado.

Dos factores debemos tener en cuenta a la hora de analizar la naturaleza del agnosticismo de Valera: uno de ellos es el conjunto de peculiaridades psicológicas. Sin embargo, este factor tiene escasa importancia para nuestro estudio, independientemente de la pertinencia que tenga en la realidad como determinante de la problemática religiosa de don Juan. No tratamos de definir su psicología, sino su pensamiento. Aunque una y otra cosa se den en estrecha relación, nos importa, de momento, señalar cuál es la base intelectual que sustenta el escepticismo de Valera, en primer lugar. Y, en segundo lugar, y en vista del primero, la naturaleza de su escepticismo.

Sobre esta cuestión que sirve de clave, de idea que fundamenta todo el pensamiento valeresco, giran y se entremezclan multitud de temas. Política, estética, filosofía, historia, religión, literatura... aparecen en abigarrado torbellino en su obra. Es difícil ir deslindando cada tema, y es difícil ordenar las conexiones que intrínsecamente se establecen entre unos y otros. Pero esta constelación de ideas puede establecerse de forma clara poniendo de manifiesto la clave sobre la cual se asienta.

No obstante la escasa importancia para nuestro estudio de las motivaciones psicológicas como factores determinantes del agnosticismo de Valera, sí debemos tener en cuenta el papel que ejercen dichas motivaciones psicológicas en la orientación de la naturaleza de éste.

El escepticismo de Valera es auténtico: es decir, que ni afirma ni niega. Esto lo dice él en multitud de sitios. Lo interesante es que este escepticismo suyo recibe por parte de nuestro autor una orientación optimista. Ello se debe al carácter en general bien avenido con la vida de Valera. Es ésta la tónica general de su vida y su obra. Ello le lleva en ocasiones a confesar cierta tendencia suya a afirmar las verdades de las que duda. Todo esto nos lo confirma en sus epistolarios. Así, por ejemplo, en carta desde Washington a su primo José Alcalá Galiano, nos dice (1):

«Llegaron a mi poder tus versos franceses, que he leído con deleite como leo toda obra tuya, por más que adolezcan de un terrible pesimismo, que yo no comparto o me esfuerzo en no compartir contigo y con los que sienten y piensan como tú; antes bien, procuro buscar en todos los hechos y en todos los seres el lado y aspecto por donde aparecen más claros, alegres y luminosos.

Hará más de año y medio que empecé a escribir, en forma de cartas, al desatinado Campoamor, un librejo que había de titularse *Metafísica a la ligera,* en el cual pensaba afirmarme ahincadamente en mi optimismo. El librejo quedó a medio escribir con mi venida aquí, pero ahora pienso continuarle con fe y con brío, porque en esta peparación a la muerte, que llaman filosofía, persevero pensando con más seriedad mientras más avanzo en años; y me lleva a tales cavilaciones el más vehemente prurito de no irme desesperando, ni disgustando de la vida, cuando la abandone, si no satisfecho de ella, aunque sin grave dolor ni miedo de dejarla.»

En otro lugar, y a Alarcón, expone la autenticidad de su escepticismo, y la tendencia a afirmar verdades que consuelan (2):

«Mi escepticismo es verdadero, esto es, que no niega, aunque no afirma tampoco; por donde allá en el centro del alma creo a veces mil cosas que algo me consuelan. No cuento, pues, sólo con el tiempo, colaborador de la muerte. Este traería muy lenta y melancólica consolación.»

A la muerte de su hijo Carlos, el dolor le hace decir, sin embargo, cosas que son insólitas en don Juan. Así, a Salvador Valera le dice (3):

«No hay filosofía, ni religión, ni tiquis-miquis de ningún género que de esto me consuele.

El mundo es malo, la vida es peor, todos los países son insufribles, y, sin embargo, nadie tiene ganas de morir. ¿Cómo se explica esto? O por el horror o por alguna sospecha de que, si hay otra vida, ha de ser más jorobante y desesperada que esta que vivimos. Y cuando yo digo esto, que tengo posición y algunos ochavos, ¿qué dirán los que no tienen sino miseria?

Años ha que todos mis esfuerzos metafísicos se encaminan a ser optimistas: pero a veces el pesimismo se apodera de mí, sin poderlo yo remediar. En fin, procura pasarlo lo menos mal posible y no desesperarte ni aburrirte mucho, hasta que nos llegue la muerte, que ya que no deseamos, no debemos temer tampoco.»

(1) *Correspondencia,* op. cit., p. 102.
(2) *Correspondencia,* op. cit., p. 113.
(3) *Correspondencia,* op. cit., p. 119.

A su mujer, y a propósito de lo mismo, le dice (4):

«Ya sabes tú que yo no hago gala de incredulidad; pero no te niego que soy escéptico: pero mi escepticismo no niega, duda sólo: y más inclinado me siento a creer en que hay otra vida que a negarlo. Siempre he pensado y meditado mucho sobre esto. Creer en otra vida inmortal es la más poderosa consolación. Procura creer en ella. Yo, mientras más ahondo y reflexiono, menos irracional hallo la creencia. Hay tan enorme distancia entre el animal más inteligente, y el ser humano más estúpido, que no acierto a atribuirla al material organismo, y tengo que poner para explicármelo otro elemento distinto e imperecedero en nuestra esencia íntima.

Si existe este elemento, lo demás es llano. Yo he leído muchos libros de filosofía: he aplicado a estas cosas con ahínco mi libre examen y toda la sutileza de mi discurso: y jamás he negado, y siempre me he afirmado la existencia de Dios, y su bondad y su justicia. Dado todo esto, es evidente que nuestro Carlitos vive y que no es desdichado.

Yo no puedo creer ni en espiritismo, ni en apariciones, ni en comunicación de alma con alma, mientras que sea por medio de los groseros sentidos: pero esto no niega la comunicación cuando el espíritu nuestro se vea libre también de su cuerpo. Además, aun con cuerpo y en vida, yo soy algo místico. Dios está en todo, y más aún en el fondo del alma humana. Allí se le halla, y, si allí se halla, allí se puede hallar también cuanto amamos, buscándolo con profunda concentración.»

Este texto es, de forma sintética y fácil, un curso completo de la epistemología que Valera piensa, y que explica a su mujer. He ahí por qué lo hemos copiado entero.

En otro lugar expresa la naturaleza de su optimismo: es una defensa contra el miedo y la desesperación (5):

«A menudo se me antoja que mi optimismo es un arma de que me valgo para no caer en el más hondo abatimiento: como la canción que canta el medroso para no morirse de miedo.»

El origen de este temor y esta desesperación es, sin duda, la muerte; que, de otro lado, se constituye en móvil de su anhelo de gloria literaria (6):

«El mismo recelo de que ya no ha de durarme la vida me inspira mayor afán de escribir, a ver si logro no morir del todo.»

Como vemos, salvo pequeños baches en que Valera cae, y en los cuales se deja hundir, la tónica dominante en la vida y la obra de Valera es el optimismo. Así lo confiesa en muchas partes. Lo normal es encontrar confesiones como ésta que dirige a Menéndez Pelayo (7):

«Ni la vida, ni el mundo, ni Dios me parecen mal. Todo lo creo bueno y hermoso, hasta donde es posible. Sigo optimista, y todo mal, todo disgusto, todo dolor mío, o me parece cosa de poca importancia, de que es ridículo e injusto quejarse, o castigo de alguna

(5) *Correspondencia*, op. cit., p. 142.
(6) *Correspondencia*, op. cit., p. 141.
(7) *Epistolario de Valera a Menéndez Pelayo*, op. cit., p. 171.
(4) *Correspondencia*, op. cit., pp. 120-1.

tontería, pecado, error o imprudencia. En suma, estoy bien avenido con todo, y sólo de mí me quejo.»

Optimismo que, repetimos, es el factor determinante de la orientación afirmadora de su escepticismo. Así, dice a Menéndez Pelayo a propósito de su escrito sobre *El budismo esotérico* (8):

«En seguida habrá usted comprendido que el tal budismo va a servirme de ocasión, pretexto y adorno para discurrir como racionalista, pero como racionalista juicioso, *escéptico* y amigo de la fe y la imaginación, sobre lo natural y sobrenatural y sobre lo milagroso, así en el arte como en la vida.

Digo *escéptico*, y subrayo para que usted entienda que hablo del buen escepticismo que no niega las cosas, y menos aún su posibilidad, sin buenas y poderosas razones, y dista infinito del furor negativo de los *positivistas* y *materialistas...*»

En último término, Valera trata de salvar su vida de la angustia. Los fundamentos del escepticismo de Valera son los mismos que los de Leopardi, por ejemplo, el poeta que él mismo descubrió. En España, Unamuno. La argumentación de Valera y Unamuno, en último término, es la misma. Pero la diferencia entre uno y otro es que Unamuno, por ejemplo, asume de forma consecuente su escepticismo, en tanto que Valera, que se halla «bien avenido con todo», no necesita asumirlo. Leopardi, cuya vida fue un maremágnum de desdichas, expresa también de una forma angustiada su escepticismo, que se convierte así en su desesperación. Por el contrario, Valera sabe hacer de su escepticismo una tabla de salvación para no pasarlo del todo mal en esta vida: con frecuencia se convierte en manga ancha y holgura de conciencia. Es un escepticismo cómodo, fácil, que en ocasiones le sirve de disculpa (9).

No es esto, sin embargo, lo que más interesa. Estos hechos que reseñamos tienen en sí importancia sustantiva en cuanto que expresan una característica psicológica de Valera. Pero lo que apela de una manera más profunda a lo que aún tiene vigencia para nosotros es lo que atañe al pensamiento que expresa Valera. En este sentido, hemos de remitirnos al texto que citamos antes, en el cual exponía a su mujer de una manera fácil y sintética toda su epistemología. La peculiaridad psicológica de Valera tiene valor en cuanto que sirve de sustrato a la realidad, más significativa, del pensamiento.

Es preciso ahora, pues, intentar despejar la clave del escepticismo de Valera en el plano más relevante de las ideas. Y llegados a este punto, hemos de señalar que Valera ha extraído la idea clave de su pensamiento de Kant. Esta idea es la base y el fundamento más hondo y esencial de todo cuanto va a constituir el mundo de sus ideas en torno a la religión, la filosofía, el arte, y, consecuentemente, a su literatura. Es decir, es la clave de su concepción del mundo, concepción que va a quedar plasmada en todos sus escritos, y, de una manera más vigorosa, para nosotros, en sus novelas. La manera de hacer literatura de Valera se explica por esta idea (10).

(8) *Epistolario de Valera a Menéndez Pelayo*, op. cit., p. 373.
(9) Véase César BARJA: *Libros y autores modernos*, Nueva York, Las Américas Publishing Co., 1964, p. 237.
(10) En el plano de la sistemática del pensamiento de Valera, es decir, intrínsecamente. Es preciso estudiar luego extrínsecamente, desde fuera, esta idea para explicarla.

Veamos entonces, cuál es, en qué sentido se desarrolla y cómo va a constituirse en fundamento de su concepción del mundo.

El escepticismo de Valera tiene sus raíces en Kant. Ya desde joven lee con atención su filosofía. En su epistolario encontramos que Valera no sólo lee a Kant, sino que va perfilando su pensamiento según el sistema kantiano. El sistema de Valera es parecido al de Kant. Dice Valera (11):

> «No obstante, yo he logrado formarme ya cierto sistema, muy parecido al de Kant, el que me sirve de base en los estudios que hago.»

Sin embargo, este kantismo de Valera es muy peculiar. Interesa resaltar que Valera toma de Kant sólo algunas ideas, y que no son siempre éstas precisamente las más importantes del sistema kantiano. Es preciso estudiar qué ideas toma de Kant, cómo las toma y cuáles rechaza.

Y hemos de decir, en este sentido, que Valera acepta los resultados del criticismo kantiano producto de la orientación fenoménica de su epistemología. Valera acepta los resultados de la *Crítica de la Razón Pura*, y de ellos hace el fundamento de todo su ideario. Lo que Valera considera como el resultado más importante de la investigación kantiana es la incognoscibilidad de la cosa en sí.

Así, nuestro autor confiesa, de manera muy directa, haber aceptado los presupuestos básicos de la epistemología kantiana. Dice de esta manera (12):

> «Yo no puedo aceptar ni las ideas innatas de Descartes ni las nociones necesarias y la virtud representativa de las mónadas de Leibniz. Admito, sí, las formas del entendimiento, las doce categorías de Kant, el tiempo y el espacio y la conciencia del yo como condición o elemento subjetivo de las percepciones y de los juicios.»

Veremos más adelante que este kantismo de Valera es más esencial que literal, sobre todo en lo referente al número y calidad de las categorías. Pues en otro lugar, cuando las enumera, no son precisamente las kantianas.

Lo importante es que don Juan manifiesta admitir, en su conjunto, la epistemología kantiana. Aunque luego haga de su capa un sayo y salga, como veremos, por donde menos uno se lo espera.

Y es que Valera no hace filosofía. El no es filósofo. Sin embargo, gustaba mucho de lecturas filosóficas. Pero no es sólo el simple placer por esas lecturas lo que le lleva a ellas. Aunque Valera diga (13):

> «Yo soy un mero aficionado, un *dilettante* de la filosofía.»
> «Aunque los sistemas me parezcan absurdos, veo en ellos tales esfuerzos de imaginación, que me maravillan.»

No es la mera contemplación estética de la sistemática filosófica lo que le atrae. Recordemos que Valera pensaba que era preciso tener ideas claras en filosofía para tenerlas en política, es decir, para dar un sentido a su actividad en la vida, para buscarse una orientación en la misma (14).

Valera no era un filósofo, y mucho se cuidó de hacer filosofía. En pri-

---

(11) O. C., T. II, p. 36 (*Correspondencia*, 3 de mayo de 1850).
(12) O. C., T. III, p. 1442 (*Filosofía del Arte*, lección segunda).
(13) O. C., T. II, pp. 1528-1530 (*El racionalismo armónico*).
(14) O. C., T. III, p. 36 (*Correspondencia*, 3 de mayo de 1850).

mer lugar, no creía en ella. Pero sí busca en ella las ideas que le den la posibilidad de una orientación en la realidad que había de vivir.

Estas ideas es lo que él llama, con términos de Leibniz, «filosofía perenne». La filosofía perenne para Valera no es un sistema filosófico. Más bien es un antisistema que tiene la virtud, por eso mismo, de la posibilidad de la verdad. Es un conjunto de ideas, vagas y nebulosas, que yacen en la conciencia de todos los seres humanos, y que es preciso cierto esfuerzo de introspección para alcanzarlas. Es decir: busca Valera un universal humano dentro de su propia conciencia.

Esta filosofía perenne tiene como fundamento la incredulidad por parte de don Juan en sistemas concretos. Valera, que no cree en metafísicas, busca ese conjunto de ideas que le proporcionen una orientación segura en el mundo que le ha tocado vivir. La filosofía perenne es algo que está por encima de los sistemas. Dice Valera en su diálogo sobre *El Racionalismo Armónico* (15):

«Ya he dicho que no acierto a convencerme, sino a medias, de ninguna filosofía. A falta de este completo convencimiento, se me va el alma tras de aquella filosofía que más hermosa me parece. Esto no obsta para que ande yo siempre deseoso de que me convenzan, a fin de abrazar una filosofía, no por lo poético, sino por lo verdadero. Entre tanto la misma vaguedad que ustedes censuran en Hegel me enamora y me parece comodísima. Cuando el maestro ha dicho "Nadie me ha entendido", los discípulos tienen derecho de interpretar al maestro cada cual a su gusto. Entiéndase, con todo, que el gusto mío no es un capricho; el gusto mío está subordinado a mis pocas reglas de filosofía perenne.

Filodoxo: Ya que la filosofía perenne de usted sirve de criterio para reprobar o aprobar a Hegel y a todo ¿por qué no lo expone usted y suprimiremos los demás sistemas?

Filaletes: Porque en el punto en que yo expusiera y convirtiera en sistema mi filosofía perenne, dejaría de ser ya perenne filosofía, y sería un nuevo sistema filosófico; y como yo disto mucho de poseer la fantasía poderosa de Hegel y su inmenso saber, y carezco de la calma y paciencia de su Krause de ustedes, mi sistema no valdría un pito; pero mientras no es sistema, ni yo lo expongo, ni propiamente es mío, por que no quiero hacerlo mío, mi filosofía perenne está por cima de las filosofías de Hegel y de Krause, y puede y debe decidir entre ambas.

Filodoxo: ¿Cómo no expone usted su sistema? ¿Pues no asegura que nos está dando ciertos atisbos de su filosofía perenne?

Filaletes: Ciertos atisbos, sí; pero no la filosofía, no el sistema, que no tengo. ¡Pues es floja la diferencia y chica la distancia que hay entre la filosofía, entre el sistema y los atisbos! Al fallar sobre la *Iliada* o sobre el *Quijote*, doy ciertos atisbos de un *Quijate* y de una *Iliada* superiores que hay en el centro de mi alma, por modo inefable, inenarrable e incomunicable.

Si yo acertase a ordenar y a informar este *Quijote* y esta *Iliada* ideales, sería más poeta que Cervantes y Homero; pero como yo no acierto, me quedo convertido en un pobrecillo crítico. Pues lo mismo digo de las filosofías de Hegel y de Krause, comparadas con mi filosofía perenne, inenarrable, incomunicable e informe.

(15) O. C., T. II, pp. 1542-3. Filaletes, evidentemente, es Valera.

Filodoxo: No sé si dar a usted el parabién o el pésame por esa filosofía de que está embarazado, sin llegar jamás a un feliz alumbramiento.

Filaletes: No merece la cosa parabién, ni pésame tampoco, ya que el mal es general. Harto sabido es el proverbio: 'mal de muchos, etcétera". Si no fuese tan dificultoso el parto derecho de las ideas filosóficas, no hubiera dicho Sócrates, a fin de encarecer su habilidad en las discusiones, que seguía el oficio de su madre, Fenareta la matrona. Dios quiera, como se lo pido, que el método de Krause haga conmigo esta obra de caridad y me saque de mi cuidado. Pero sea como sea, en virtud de una filosofía nonnata, informe, confusa y en embrión, cada uno de los que filosofan censura, despedaza y destruye todos los sistemas filosóficos que le han precedido. Después, sobre aquellas ruinas, y aprovechando los escombros amontonados, compone su propio sistema, que suele resultar peor que los anteriores. Es evidente, por tanto, que la filosofía superior y triunfadora con la que ha vencido y roto los anteriores sistemas, se le quede allá dentro, y lo que arroja y da a luz es un flaco, ruin y desfigurado trasunto de la gran filosofía perenne.»

El texto es muy extenso, pero resume magníficamente dos cosas: en primer lugar, la pcsición escéptica de Valera respecto a los sistemas filosóficos —que ya habíamos anotado en el apartado anterior—; y en segundo lugar, la base de este escepticismo, que se halla en la naturaleza misma de su filosofía perenne, cuyo origen se sitúa en la epistemología kantiana. La metafísica para Valera es una pura obra de arte, una especie de poema, que, por tanto, no puede quedar invalidada por los datos de la experiencia. Hay algo que está por encima de toda ciencia y de toda filosofía: ese algo es el fundamento de la vida humana en todas sus manifestaciones. Son verdades eternas (16).

«Todo ello está fundado en principios eternos de verdad, de bondad y de belleza que no crecen ni decaen, ni se derogan, que son independientes, anteriores y superiores a la experiencia.»

Si hemos traído a colación todo esto, estos textos, es porque de una forma decisiva definen el concepto valeresco de filosofía perenne. Ya veremos luego, en su lugar, el sentido que posee esta idea de Valera, y cómo se desarrolla en el campo de su estética, que es el que más nos interesa.

La base de este conjunto de ideas no está, para Valera, en la razón ni en el conocimiento científico. Como hemos señalado, Valera participa de la idea kantiana de la incognoscibilidad de las esencias. Para Valera, como para Kant, desconocemos la existencia de Dios, desconocemos la inmortalidad del alma y desconocemos la libertad. La cosa en sí, las realidades numénicas, caen fuera de nuestra capacidad de conocimiento, pues están al margen de toda experiencia posible.

Así, dice Valera (17):

«... alma o espíritu, sustancia, en suma, que ha tenido mil nombres y *de cuya esencia convengo en que no se sabe nada.*»

(16) O. C., T. II, p. 1543 *(El racionalismo armónico).*
(17) O. C., T. III, p. 230 *(El perfeccionismo absoluto).*

Es éste un tema que aparece tratado en Valera en mil lugares distintos y con ocasión de asuntos muy diferentes. Pero donde adquiere un tratamiento más preciso es cuando nos habla de las relaciones entre filosofía y fe, y entre ciencia y fe. Es aquí también donde se ve mejor qué ideas de Kant ha tomado, y con qué fin: o sea, qué Kant es el que ha elegido Valera, y cómo le ha entendido.

Pues si bien es aquí donde Valera manifiesta de una forma más clara que esas verdades eternas que constituyen su filosofía perenne son racionalmente y científicamente incognoscibles, también aparece una matización esencial: explica cómo, en virtud de eso mismo, es indestructible la fe en ellas.

Así, toda afirmación de Valera en este sentido se compone de dos partes: en la primera, niega la posibilidad del conocimiento de las realidades numénicas; en la segunda, afirma la posibilidad de la fe en ellas. Si la ciencia no llega a Dios para afirmarlo, por ejemplo, tampoco llega a El para negarlo. Veamos (18):

> «Aun suponiendo que las cosas todas fueran abarcadas por la ciencia, siempre faltaría la intensidad del conocimiento. Aun dando por seguro que el saber de observación fuera ya tan extenso que todo lo comprendiese, todavía, al menos yo lo veo así, de nada de esto, ni de nosotros mismos, conoceríamos sino atributos y calidades, cuya suma no alcanzaríamos, y, aun alcanzada, no nos daría la impenetrable íntima y misteriosa esencia de ser alguno.
>
> Por otra parte, la ciencia fundamental y los resultados de la experiencia no veo yo, a no valerme de sofismas, que se ajusten y compenetren, formando un todo de saber armónico. Y aunque este todo lo fuera, sería superficial y bastante vacío, sin atesorar en sí la profundidad arcana de cada objeto, sin concertar lo que corre y se desenvuelve con lo que permanece y está; sin descubrir el punto en que lo uno y lo eterno produce, crea, lanza de sí o desenvuelve en sí lo múltiple, lo vario y lo transitorio; sin poner en consonancia esta eterna contradicción, que abruma a la razón humana, desde el día en que filosofó por vez primera.
>
> Claro está que las ciencias experimentales ni resuelven esta contradicción, ni pueden obligar al espíritu a que abata el vuelo y no suba a perderse en ella.
>
> En cuanto a los metafísicos, no condeno yo la pretensión de resolver y explicar esas dudas: mas no creo que las hayan explicado y resuelto.»

Y a continuación Valera añade que se siente más inclinado a creer a los idealistas que a los materialistas: es decir, confía más, aunque sin llegar a creerlo, en que es posible llegar de alguna manera a conocer aquello que, por definición, es incognoscible (19):

> «Yo, vacilando, me inclino a creer que están más cerca de explicarlo todo los que ponen cierta idealidad entre el ser y el conocer, entre el pensamiento humano y el pensamiento divino; los que convierten la lógica en ontología o metafísica. Estos se me figura a veces que van por el buen camino; pero, al decir que van por él, disto mucho de sostener que han llegado.»

(18) O. C., T. II, pp. 1523-4 (El racionalismo armónico).
(19) Véase O. C., T. II, p. 1524 (El racionalismo armónico).

El kantismo de Valera es más esencial que literal. Valera lo que hace es seguir un esquema general. Acepta los resultados de la *Crítica de la Razón Pura,* pero de una manera general y vaga. Valera nunca entró a discutir o a meditar en torno a las argumentaciones particulares de Kant. Acepta en su generalidad más amplia sus resultados. Y asume un esquema, un paradigma, que Valera modifica a su antojo en sus particularidades, pero dejando intactas sus líneas generales. Por eso lo más relevante de todo cuanto llevamos dicho es que la base del agnosticismo de Valera se halla en la orientación fenoménica de su epistemología, que ha recibido de Kant. El concepto de categoría en Valera es el mismo que en Kant. Pero cambia el número y calidad de éstas. Lo que sí mantiene Valera es su carácter apriorístico. Después de enumerar en su criterio cuántas y cuáles son, dice (20):

> «Ahora bien: yo digo que ni el espacio, ni el tiempo infinito, ni el número, ni la sustancia, ni la causa, ni la fuerza, ni ninguna de esas nociones, son producidas en mí por la percepción del grano de arena, ni por el conocimiento sensible de todo el Universo. La percepción de lo sensible ocasiona, a lo más, pero no engendra, tales nociones, las cuales, al menos en germen, están antes en mi alma.»

En este sentido es como hemos de concebir y definir el kantismo de Valera. Tratamos con ello de decir que el agnosticismo de Valera tiene una motivación kantiana, y que, por tanto, no se trata de un escepticismo visceral, no razonado. Buena prueba de ello, por paradójico que parezca, es la valoración negativa que Valera hace de Kant, y que estudiaremos en su momento. Nuestra opinión es que Valera sigue un esquema análogo al de Kant. Aunque nunca se confesó kantiano. Hemos visto cómo dice que su sistema es sólo «muy parecido al de Kant». No se trata de un kantismo literal. Esto es fácil comprobarlo. Pero una prueba de que Kant pesó mucho a la hora de decidir su agnosticismo, es que las argumentaciones de Valera en torno a la defensa de la fe son también kantianas. Por otra parte, otra buena prueba de ello es el concepto de categoría que acabamos de examinar: sobre todo si aún conserva la misma función que en Kant: la de poner el mundo. En efecto: gracias al sistema de las categorías, el mundo, el universo percibido, se revela en Kant como autoproducido. Gracias a ello pensaba Kant en una sistemática del mundo. En Valera, también se produce esto. Podemos leerlo en estas mismas páginas de los diálogos sobre *El Racionalismo Armónico* (21):

> «La ciencia primero, la doctrina de la ciencia, la lógica real, la ontología, la metafísica o como quiera llamarse, consistirá entonces en el desenvolvimiento de nociones de que hemos hablado, y que se llaman *categorías.* Las categorías serán el fundamento del pensar y de las cosas, el principio enérgico que obra así en la mente para crear las ideas, como en el Universo para crearlo. El desenvolvimiento de las categorías, engendrará en el mundo las cosas reales, en el alma engendrará el conocimiento de esas cosas.»

La raíz más kantiana de Valera está en esta expresión razonada de su agnosticismo en torno a los problemas de la fe y de la razón. La base agnóstica del tratamiento de estos temas es de origen kantiano. Insistiremos

---

(20) Véase O. C., T. II, pp. 1525-6 *(El racionalismo armónico).*
(21) O. C., T. II, p. 1526 *(El racionalismo armónico).*

aún en ello. Pero también lo es incluso el desarrollo posterior de su sistema, aun creyendo el propio Valera que iba ya en contra de la filosofía crítica, sobre todo en lo referente a la razón práctica. Pero incluso aquí, como tendremos oportunidad de ver, sigue Valera un esquema kantiano, un desarrollo kantiano, aunque con conceptos distintos. Así, se da la paradoja de que Valera, que va contra Kant en las inconsecuencias que él cree encontrar entre la *Crítica de la Razón Pura* y la *Crítica de la Razón Práctica*, incurre él mismo en ese tipo de contradicciones. Aunque en otro sentido.

Se trata, pues, de un kantismo más esencial que literal. Lo que importa resaltar de todo esto es que el agnosticismo, el escepticismo de Valera, tiene su origen en la *Crítica de la Razón Pura*. Y que a la luz de los resultados de esta obra enjuicia los conceptos y el valor de la ciencia, la razón y la fe. Desde esta perspectiva delimita la realidad y el alcance de cada uno de ellos. Así, le parece a Valera lo más lógico empezar por donde Kant: todo sistema debe empezar por el estudio de la posibilidad del conocimiento. Y este estudio es la metafísica desde el momento en que es posible el conocimiento a priori (22):

«Antes de construir un sistema, una metafísica sintética, que lo explique todo, es menester estudiar los medios de conocer, formarse idea de los instrumentos de que hemos de servirnos, hacer el análisis y la crítica de las facultades del alma, y buscar en el alma misma las verdades primeras, a fin de que, al valerse de ellas, sean piedra angular y base sólida e inquebrantable de un edificio imperecedero.

Sin un aparato dialéctico y sin un estudio psicológico del ser que conoce, todo sistema que se edifique, a no servirle de cimiento una revelación exterior sobrenatural, estará edificado en el aire. ¿De dónde saca usted los primeros principios, si no los saca de su propia mente? ¿Ni cómo dar valor a la legitimidad de estos principios y al método en cuya virtud se infiere de ellos la ciencia y se desenvuelve todo su rico contenido, sin estudiar la mente humana, donde para nosotros tiene su raíz, por más que no sean de allí y hayan sido puestos allí inmediatamente, esto es, sin pasar por los sentidos, por la inteligencia soberana?»

En éstos y otros textos Valera acude a ideas kantianas. No es su escepticismo por un estilo del de Pirro, o del de Montaigne, sino que procede de la filosofía crítica. Valera acepta sin reservas las limitaciones de la razón, y en función de eso valora las posibilidades y el alcance de toda construcción científica. Pues bien: es en este sentido en el que se orienta el kantismo de Valera.

¿Para qué toma Valera a Kant? Hemos visto cómo dice Valera que él posee una filosofía perenne, que se halla por encima de toda construcción sistemática. También, que se halla por encima de toda investigación empírica. Veíamos cómo esta filosofía perenne consiste para Valera en los principios eternos y universales que están impresos en la naturaleza humana, y que conforman la humanidad de cada individuo sobre la tierra. También, que hay ciertas verdades incognoscibles, como son Dios, la libertad y la inmortalidad del alma. Dejemos a un lado, de momento, la relación existente entre una y otra afirmaciones de Valera, para centrarnos en esta última.

(22) O. C., T. II, p. 1589 *(Metafísica a la ligera).*

Es indudable que una afirmación como esta última, o sea, la incognosbilidad de la existencia de Dios, de la libertad, y de la inmortalidad del alma —que es parte constituyente de la fe religiosa de Valera, o sea de su escepticismo—, debió intranquilizar sumamente el ánimo de don Juan. De hecho, significaba situarse en el mismo plano que Leopardi, como señalamos antes. Valera, sin embargo, en modo alguno asumió su escepticismo en el mismo sentido que el poeta italiano. Valera no se entrega al lamento. Valera acepta olímpicamente esta realidad, y decide sobre ella. Contra esto no se lucha. Se acepta: es la actitud más razonable. Don Juan ha comprendido la verdad de algo que le resulta obvio; y sobre las realidades es sobre lo que hay que decidir. No hay en él impulsos prometeicos. Por eso es preciso tomar una determinación sobre la base de lo real. Pero si lo real es que ni Dios, ni la libertad, ni la inmortalidad del alma son demostrables por razón ni por ciencia alguna, también es verdad lo contrario: ni ciencia ni razón alguna podrán jamás probar la no existencia de Dios, ni de la libertad, ni de la inmortalidad del alma. Y tan pronto como Valera ve este resquicio, se lanza sobre él para convertirlo en la base de su pensamiento epistemológico, ético y estético.

Si la filosofía perenne tiene un sentido, éste lo ha adquirido por un hecho tan ineluctable como el anteriormente descrito.

La desesperación y el desconsuelo no son la manera de don Juan. Antes bien: todo su esfuerzo intelectual es una búsqueda de estos consuelos para la vida. La duda no es para Valera una agonía, una lucha, sino una tabla de salvación. Poco trabajo cuesta dudar, mientras la vida esté bien avenida con uno, y uno con la vida.

Así, pues, es por aquí por donde Valera desarrolla su concepto y valoración de la ciencia.

Don Juan sentía terror, más que por la ciencia, por el valor que en aquella época, en el último tercio del siglo XIX, se le daba, sobre todo por determinados sectores políticos e ideológicos que estudiaremos en su lugar. Este terror procedía de la conversión de la ciencia en el órgano único y total de todas las verdades humanas y divinas. Y don Juan, que ve que no hay medio alguno de afirmar esas verdades, pues nuestro conocimiento sólo lo es si es científico, tiende a restar, o mejor, a poner, en virtud de lo anterior, a la ciencia en su lugar. Y ya que ha delimitado el valor de las afirmaciones de la razón, pugna por poner a salvo de la razón todo aquello que realmente está fuera de ella. O sea: se trata de separar dos mundos: el de los fenómenos, que es el que está le tejas para abajo, y el noúmeno, que es lo que está de tejas para arriba. Es establecer la dualidad del mundo: el de lo real lo conocido, y el de lo ideal, lo incognoscible.

Así, Valera se desvive por delimitar nuestras facultades y sus campos. Y dice (23):

«La filosofía no tiene por objeto lo sobrenatural, que se refiere a la fe, sino la naturaleza, esto es, las ideas que naturalmente vienen al alma, en cuyo conocimiento o estudio no hay más que el entendimiento humano que sirva.»

En otro lugar (*El budismo esotérico*) dice Valera (24):

(23) O. C., T. III, p. 639 *(Refutación a Castelar)*.
(24) O. C., T. III, p. 650.

4

«La ciencia empírica y de observación externa no bastará acaso a demostrarnos la existencia de Dios y la inmortalidad del alma; pero tampoco nos traerá jamás pruebas de que Dios no existe y de que el alma es resultado del organismo y con él acaba.»

Así, en otra parte, expone de forma muy clara esta idea suya de que, si no hay ciencia que afirme, tampoco la hay que niegue, y citando a Kant dice (25):

«Supuesto lo antedicho, no nos quedará sino la ciencia que ustedes llaman positivista: la ciencia que se funda en el empirismo, en las observaciones que hacemos valiéndonos de los sentidos.

Quiero conceder, por último, que sólo con esta ciencia, sin nada de metafísica que con ella se combine, no llegaremos jamás a una legítima demostración de la existencia de Dios: que todos los que han querido dar dicha demostración, cristianos y deístas, fray Luis de Granada, Newton, Voltaire, Flammarión, todos se han equivocado, según Kant lo prueba.

Nos quedamos, pues, con el positivismo escueto: con las seis ciencias de la Enciclopedia de Comte y de Littré. Pero si por ellas no podemos llegar a lo sobrenatural para afirmarlo, ¿por qué ni cómo hemos de llegar para negarlo?»

Textos como éste pueden encontrarse por centenares en las obras de Valera. Están extendidos por todas partes, y surgen con ocasión de mil sucesos y comentarios.

Véase que la orientación de tales palabras de Valera se dirige contra la filosofía positivista del siglo XIX, y que la base de estos ataques al positivismo está en Kant.

Y así como Valera escinde el mundo en dos, el de lo conocido y el de lo incognoscible, así escinde también las facultades humanas. Pues al mundo de lo real corresponden las facultades que constituyen la ciencia: los sentidos y el entendimiento; y al mundo de la realidad ignota, la facultad de la fe (26):

«Ya se ve que Littré, en sus momentos más lúcidos, se declara neutral: ni afirma ni niega. Pone lo sobrenatural fuera de nuestro alcance, por cima de nuestro raciocinio. Pero, ¿no habrá otras facultades de nuestra alma por cuya virtud se pueda llegar a él?

Yo creo que este positivismo *agnóstico* deja abierta la puerta a la imaginación, a la fe, a la intuición amorosa del alma afectiva, a quién sabe a qué otras facultades y potencias, para tender al vuelo y explayarse por ese infinito inexplorado, y apartar de él la desesperada calificación de incognoscible.

¿Quién sabe si en el extremo del positivismo agnóstico, o dígase del agnosticismo, no está ya cuajándose y brotando un misticismo flamante?»

Y ya aquí podemos ver, sobre lo dicho anteriormente, que hay dos nuevos matices que aparecen en el pensamiento valeresco: matices que quedarán para otro lugar, pero que señalamos ahora: de un lado, la similitud,

(25) O. C., T. III, p. 342 *(Nueva religión)*.
(26) O. C., T. III, pp. 330-1 *(Nueva religión)*.

cuando no la identidad, que tienen para Valera los conceptos de fe y de imaginación. Y de otro lado, que en el agnosticismo ve la posibilidad de un nuevo misticismo: el que él, con pleno carácter de ideológico, ejecuta en dos sentidos: uno, en el orden ético, a través de su filosofía perenne, y otro en el orden estético, con sus ideas sobre el arte y la belleza. En su lugar los veremos.

Por ahora, bástenos con señalar que el concepto de ciencia en Valera aparece siempre en relación con este otro: el de la fe. Y que se esfuerza, ya que no por conciliarlos —de momento—, tampoco por no excluirlos. Se trata de delimitar los campos. En este afán por negar el poder que otros afirman que tiene la ciencia, nos dice (27):

> «Con vigilante obsesión nos rodea el misterio. Lo sobrenatural y lo incomprensible nos penetran y poseen. Cuanto hemos explorado en la Tierra y en el cielo, nada es en comparación de lo que no se explorará nunca. Y más clara y patente que en las profundidades etéreas se nos revela lo infinito en el abismo del alma. Aunque lo afirme el vate desesperado y ateo, es falso, por fortuna (28), que conocemos ya *el indigno misterio* y que la ciencia achica nuestra idea del Universo y del hombre, en vez de agrandarla.»

Véase que aquí se está refiriendo Valera ya al mundo natural, incluso; y que nos dice que en absoluto es perfectamente cognoscible por la ciencia. En este afán por situarla fuera de toda área de interés religioso, Valera con ello pretende poner a salvo la libertad, poniendo en duda la posibilidad de un total conocimiento de los seres naturales, de una realidad que entonces era entendida como mecanicista.

Textos como éste aparecen también por centenares en la obra de Valera. En algunos de ellos es ya, sin perder su fondo, puro humorismo (29):

> «Lo que se opone, pues, a lo natural es lo artificial. Lo que tira a deshuir el canto poético del mundo es el espíritu de la industria, no el de la ciencia, ni el de la religión, ni el de la filosofía.
>
> Mil veces lo tengo dicho, y nunca dejo de pensarlo: los más ladinos y sutiles sabios experimentales no descubrirán jamás el secreto de la vida; siempre escapará a sus análisis químicos la fuerza misteriosa que une, traba y combina los átomos y crea los individuos; el amor, la conciencia, el pensamiento, la causa de moverse, de crear orgánicamente, de sentir y de representar en uno de los demás seres, no quedarán jamás en el fondo de las retortas ni saldrá por la piqueta de los alambiques. ¿Qué red delicadísima inventará el sabio para pescar ondinas, cazar silfos o sacar a los infatigables gnomos de las entrañas de la tierra? La única razón que tendrá para negar su existencia será que no logra recogerlos; que se sustraen a la inspección de sus groseros sentidos.»

La ciencia, según Valera, ni siquiera es capaz de penetrar en los más íntimos arcanos de la Naturaleza. Interesa señalar que en medio de tanto humorismo Valera anota algo bastante razonable: no es la ciencia en sí quien se sale de sus límites —el encanto poético del mundo—; sino el espíritu de industria.

(27) O. C., T. III, p. 955 *(El centenario)*.
(28) Leopardi.
(29) O. C., T. III, p. 1342 *(La primavera)*.

Es evidente, según ha quedado expuesto, que don Juan trata de salvar todo un mundo de ideas consoladoras, tanto frente a la ciencia como frente a aquellos que pretenden hacer de ella también una nueva religión. Con la crítica kantiana puesta de escudo, Valera arremete contra el positivismo y su concepto de la ciencia. Estas arremetidas toman infinitos objetivos y matices, pero la tónica general es la que queda expuesta. Según los momentos, y según las ocasiones, toca Valera la tecla que más le conviene para decir, casi siempre, lo mismo.

Ha quedado claro, pues, que el empleo que hace Valera de Kant es principalmente defensivo: Valera tiene interés en combatir a los positivistas de entonces —ya veremos por qué—, y lo hace con las armas que le proporciona la *Crítica de la Razón Pura.*

Sin embargo, no hemos terminado con el estudio de las relaciones entre Kant y Valera.

Un tema omnipresente en este capítulo es y ha de ser el de la filosofía perenne de Valera. La filosofía perenne nos la define de una forma más precisa y concreta en un artículo suyo que publicó en 1863 titulado *Cartas trascendentales acerca del fundamento filosófico de los partidos políticos en España.* Dice don Juan, hablando de que toda política tiene un sólo fundamento filosófico: el de la filosofía perenne (30):

«Pero esta filosofía no puede ni debe ser la de tal o cual maestro, sino la filosofía perenne: la base de la ley moral; algo de inconcuso y superior a toda disputa; algo de axiomático y de evidente que ilumina la experiencia, que la hace fecunda, y que además sirve de punto de apoyo a todos nuestros raciocinios y deducciones (...). Por lo mismo que creo que la política es a la sociedad lo que a los individuos la moral, en una esfera más grande, y por lo mismo que creo colocada y cimentada la moral sobre firmísimas e indestructibles bases, no quiero ni puedo consentir en subordinarla a un sistema filosófico, el cual puede pasar de moda, como el eclecticismo de Cousin, dejando en el aire nuestra moral y nuestra política.

En cuanto la política es verdadera ciencia deductiva, depende, pues, en mi sentir, de una filosofía perenne, esto es, de ciertas máximas y principios absolutos que están en el alma humana, que se ofrecen y presentan a ella de tal suerte y con tal certidumbre, que el alma no puede menos de aceptarlos sin vacilar, sin que se les suministre prueba.»

Es decir, la filosofía perenne es el conjunto de principios que se hallan en el alma, y que constituyen la esencia espiritual del ser humano. Estos principios son universales y eternos, y han sido impresos en el alma por Dios. Según Valera, este conjunto de principios se identifica con la ley moral (31).

«La ley moral, impresa *ab initio* en el alma humana como por un estilo milagroso y celeste, y no nacida y desarrollada en ella con el andar de los tiempos, es la primera norma y guía que deben seguir

(30) O. C., T. II, p. 1474 *(Cartas trascendentales acerca del fundamento filosófico de los partidos políticos en España).* Obsérvese que el término de «filosofía perenne» para don Juan significa tanto el conjunto de ideas eternas que residen en el fondo del alma humana como el medio de alcanzar este conjunto de ideas. Ya veremos que la «intuición» es también «filosofía perenne». En otro sentido, también denomina la ley moral.
(31) O. C., T. II, p. 1422 *(La doctrina del progreso).*

y a que deben ajustarse así las sociedades como el individuo. No creo que en esta ley moral pueda caber corrección o mejora.»

Es indudable, a la luz de lo que dice nuestro autor, que esta filosofía perenne es obra de la fe, obra del amor. Pues está constituida por el conjunto de las verdades que por simple razón son inalcanzables, que caen fuera del alcance de los conceptos de la ciencia. En conjunto son la ley moral, algo que yace en nuestro interior como eterna aspiración al bien. Recordemos aquí, ahora mismo, el sabor kantiano de este concepto de ley moral. Aunque aquí no se puede hablar ya de kantismo en Valera. La *Crítica de la Razón Práctica* la rechazó de plano Valera. Pues vemos cómo para don Juan la ley moral es ya una pura cuestión de fe, de creencias propias, de la subjetividad más elemental y primitiva. En efecto (32):

> «Seamos positivistas con lealtad. Sostengamos que nada se sabe sino aquello que por medio de los sentidos, ayudados de instrumentos que nos los aguzan, conocemos el mundo material. Declaremos con desenfado que más allá no hay ciencia. Pero después de hecha tan insolente declaración, todavía tendremos que dejar al creyente que afirme por fe todo lo que entiende que le fue revelado, mientras que la tal revelación no se oponga a la ciencia experimental, sin seguir alguna religión positiva, tiene imaginación y ama lo suprasensible, que fantasee también lo que mejor le parezca.»

En otro lugar señala el carácter totalmente ajeno de ciencia y fe. Son dos facultades que unas veces concurren, otras no, y que de ningún modo se confunden (33):

> «La creencia y la ciencia son dos cosas muy diferentes, que responden a diversas facultades, potencias, virtudes o energías del alma humana, a saber: la fe y la razón, el pensamiento y el sentimiento, el alma discursiva y el alma afectiva.»

Esto nos introduce en un terreno nuevo, en el sentido de que damos un nuevo paso en el peculiar desarrollo que va teniendo la filosofía de Valera. Pues vemos que don Juan, a partir del agnosticismo que le sirve de base, va a pasar seguidamente a afirmar las verdades que su epistemología orientada hacia los fenómenos le niega. Y vemos también que este paso, este salto, esta inflexión de su pensamiento es posible por el sentido defensivo con que utiliza estos conceptos, extraídos de la filosofía crítica de Kant. Así, las verdades que no pueden ser afirmadas por la razón, pueden serlo por la fe.

En virtud de esto, Valera va a sostener la cognoscibilidad de este mundo de las esencias gracias a la intuición, la facultad del alma afectiva. Conocemos por la fe, el amor, la imaginación.

Según ésto, podemos adelantar ya tres cuestiones que, de improviso, se nos presentan. Una de ellas es que Valera «filosóficamente», va a afirmar una facultad que no siente: la de la fe. La segunda, ya señalada anteriormente, es la identidad que representan para Valera fe e imaginación, religión y arte. Y en tercer lugar, que Valera da un salto fuera de toda lógica, y que, conscientemente, ingresa en el irracionalismo.

(32) O. C., T. III, p. 647 *(El budismo esotérico)*.
(33) O. C., T. II, p. 1457. *(Sobre la enseñanza de la filosofía en las Universidades)*.

A esto ha llegado paso a paso a través de su concepto de la filosofía perenne. Pues, en buena medida, ésta no es más que pura y simple «sentido-comunología».

Veamos: si Dios, la libertad y la inmortalidad del alma no son demostrables científicamente, si no podemos llegar a ellos con los medios ordinarios del conocer, es posible que por otros medios sí podamos llegar a ellos. Puesto que entre las facultades del alma se halla este otro medio, es preciso utilizarlo. Valera, pues, da por supuestas dos cosas: que el mundo es dúplice, y que el ser humano, en sus posibilidades de conocimiento, también lo es. Basta con separar tajantemente estas dos esferas para que todo sea posible. Valera hace esa escisión.

Y esto para Valera era sentido común. En cierto modo, piensa que el agnosticismo lógicamente es impecable, pero psicológicamente imposible. Esta es la base de su idea. Y en función de esto, así la desarrolla. Es puro sentido común. Como su filosofía perenne: es también sentido común, un universal humano, una lógica pura y sencilla, elemental, y sin más aparato dialéctico que la buena inteligencia de cada cual (34):

> «¿Hay una filosofía perenne, como pretendía Leibniz? ¿Hay una metafísica en que todos están de acuerdo, aunque lo nieguen? Sí y no. Yo creo que hay una metafísica natural y verdadera en que todos convienen: una metafísica llana y de sentido común. Será incompleta, tímida y apocada metafísica, pero la hay. La dificultad está en separarla de la falsa, o sea de todos aquellos teoremas y afirmaciones que el espíritu de partido, la dialéctica sofística y la manía de ser originales nos lleva a adoptar a menudo.»

La renuncia a la lógica por parte de Valera en lo referente a estas indagaciones suyas acerca de Dios..., y su apelación al sentido común lo podemos comprobar en muchos lugares de su obra, y con ocasión de varios temas. Por ahora bástenos señalar, primero, una confesión suya en su epistolario, y en segundo lugar, cómo va implícito en su valoración de Kant.

No es breve el texto de su carta. Se dirige a su primo José Alcalá Galiano, y dice (35):

> «Consiste esto, en gran parte, en que yo tengo un espíritu más escéptico que tú, y tú un espíritu más intrépidamente dogmático que el mío.
>
> ¿Puede haber negación sin afirmación? ¿Hay dogma más atrevido e insolente que el de suponer que todo es materia, sin que nadie sepa qué es materia? ¿Puede darse hipótesis más vana e inútil que la de negar la inteligencia al principio, y suponer que todo brota y sale al acaso, incluso la inteligencia? Como de nada no sale nada, como de lo menos no cabe en mi cabeza que salga lo más, y como, por el contrario, es llano que de lo más, de lo completo, de lo total y de lo perfecto, salga lo menos, lo incompleto, lo particular y lo imperfecto, yo no puedo arrancar de mi entendimiento que hay algo de donde sale todo, incluso la conciencia y el entendimiento y la ley y el orden, y este algo, que es todo, se llama Dios, en quien todos estamos, sin quien nada somos, porque es suyo el ser que tenemos y nuestra mente en reflejo de su mente suprema.

(34) O. C., T. II, p. 1590 (*Metafísica a la ligera*).
(35) *Correspondencia*, op. cit., pp. 146-9 (10 de junio de 1887).

Concedo que una vez puesto, imaginado, creído este Dios, ocurren un cúmulo de contradicciones y dificultades que en balde me esfuerzo por conciliar y allanar. Tanto me ofende, a veces, el no resolverlas y conciliarlas, que me enojo y quito el Dios que he puesto; pero entonces las contradicciones, las tinieblas, los misterios, los milagros y los absurdos tienen que ser mucho mayores. Vuelvo, pues, a poner a Dios, aunque no sea más sino para explicarme menos mal las cosas. Y te confieso que me río de Büchner y de Noleschott y de todos los materialistas, que se dan por satisfechos con sus pobres explicaciones. Mil veces lo he dicho y te lo repito: no hay mitología más disparatada, no hay religión positiva más contraria al sentido común que la metafísica ateísta.

Conozco que el mal moral y físico no es fácil de compaginar con la existencia de Dios, a quien no podemos concebir sino, como dice la doctrina cristiana del padre Ripalda, como un Señor infinitamente bueno y todopoderoso. Si es tan bueno, y si todo lo puede, decimos, ¿por qué nos muele, nos aflige y nos joroba tanto? ¿Qué sé yo? Confieso que no estoy en el secreto. Suprimamos a Dios de nuevo. ¿Y qué resulta? Resulta que el pesimismo queda, sin razón... bastante para que quede. ¿Qué valor tienen nuestros dolores, nuestros crímenes, nuestros remordimientos, si somos un organismo fatal? ¿Por qué nos hemos de dar tanta importancia? Si nos fastidiamos en vez de deleitarnos, si podemos en vez de gozar, ¿por qué dar tanta importancia a nuestro ser y a nuestra vida? ¿Hay nada más difícil que matarse? Con láudano, de ocho mil modos, puede uno matarse sin dolor. Y cuando a uno no le duele ya nada, ¿qué le importa el dolor de los otros? La caridad, la comprensión, la filantropía, nada se explica y tiene razón de ser sin Dios, si somos el resultado fortuito de una agrupación de átomos. Para mí, amor, ley, deber, derecho, amistad, etc., todo se funda en Dios, y sin Dios no se funda. Es más: y para que veas cuán diferentes modos de razonar tiene la gente. Dicen algunos, casi todos los materialistas, que Dios se opone a la ciencia, ya que todo depende de la voluntad de Dios para el que cree en El. Yo razono al revés: para mí no tiene la ciencia fundamento, si le quitamos a Dios, cuya voluntad y cuya sabiduría son la ley indefectible. El sol saldrá mañana porque Dios quiere, y por eso precisamente es seguro que saldrá: porque su voluntad no es caprichosa, sino puro entendimiento en su base. Quita a Dios y no hay razón para que el sol salga mañana. No hay más razón sino de probabilidades. Como la casualidad ha hecho que salga el sol durante siglos, es probable que siga saliendo. No hay ni puede haber más razón. ¿Qué valor indefectible y absoluto, ni en nosotros, ni fuera de nosotros, hemos de dar, sin Dios, sin un ser absoluto, a ninguna verdad absoluta? ¿Kepler inventó sus leyes o las dio? Y si no las dio Kepler, ¿quién las ha dado? ¿Quién estableció la extraña concordancia entre la verdad ideal matemática pura, en nuestra mente, y la ley, que a ella se ajusta, y que, sin conciencia, ciega, fatalmente, indefectiblemente, obedece la materia? Para mí, cuanto inventan los sabios para explicar sin Dios las cosas, hace más indispensable la intervención de Dios, si las cosas han de explicarse.

Un Dios que agarra tierra y hace bichos y les pone pies para que anden, y ojos para que vean, y alas para que vuelen, y órganos genitales para que se multipliquen, es, a no dudarlo, un personaje muy hábil: pero, a mi ver, este Dios se queda tamañito si le comparo a otro Dios que pone en las cosas un prurito invencible de ser y de vivir, y les imprime movimiento y vigor adecuado al prurito, y cuando las cosas anhelan ver, echan ojos, y cuando anhelan andar, echan pies, y cuando anhelan volar, echan alas... Piénsalo bien, reflexiónalo, y verás que nada de esto puede ser, sin una inteligencia inicial, sin una providencia constante, y sin una omnipotencia benigna. Todo lo malo que nos sucede es probablemente transitorio. Nos duele más porque no estamos en el secreto, y además porque nos damos demasiada importancia.

(...)

A mí no se me cae aún el juicio, pero se me caen los dientes y las muelas; padezco del estómago..., tengo mujer e hijos que necesitan doble dinero del que puedo darles: mi casa es un perpetuo rabiadero; no sé a veces por dónde echar, y me dan ganas de echarme por un tajo, etc. Pero aquí ocurre un dilema, a mi ver, indestructible: o hay Dios o no lo hay. Si no lo hay todos esos males no valen un pitoche. Mis chicos y mi mujer y yo somos unos bicharracos nacidos y criados por combinación de algunos cuerpos simples; el pensar es fósforo y lo demás. Todos los males que se me ocurren son fantasmagoría que debe hacerme reír: no merecen cariño ni compasión ni los prójimos míos, ni yo mismo. Y si los nervios no me dejaban en paz, y me hacen ser sensible y muelle y llorón, debo vencerlos o debo matarme. Risa, pues, o suicidio. Si, por el contrario, creo en Dios, aunque no descrea de todos esos males presentes, como no puedo menos de entender que Dios es el Señor infinitamente bueno, sabio y poderoso del padre Ripalda, doy por evidente que ya lo remediará todo como y cuando menos se piense. Y aun sospecho que todo ese mal, que yo veo, nace de mi egoísmo sobrado, y de mi corta paciencia, y de mi perversa índole. Porque ésta es otra. Yo, por más examen de conciencia y estudio interior que hago en mí, no atino a quitarme de encima la libertad con que he hecho las cosas y la responsabilidad de haberlas hecho. Hasta de las tonterías me creo y creo responsable a cada quisque. La tontería que no esté en nuestra mano es la del que no atina a hacer buenos versos o a componer un drama o a resolver un problema de álgebra: pero para lo que le conviene, nadie es tonto de tontería ineluctable.»

La cita es extensísima, pero sin desperdicio. Pues aquí ha quedado plasmado de forma sencilla y eficaz todo el proceso de las ideas en don Juan. En ella vemos que apela al buen sentido común, tanto con base en criterios morales como en criterios cosmológicos. Puro sentido común: pues bien sabe Valera que todas sus argumentaciones, en pura lógica, han quedado pulverizadas en la Dialéctica Trascendental de Kant.

Por eso, y despechado, dice Valera de Kant: (36):

«Con el mismo derecho con que decía Kant lo que se le antojaba, digo yo lo que se me antoja y me atrevo a no dejarme convencer por Kant.»

Salida ésta que es muy poco lógica. Pero Valera guardó siempre, como ya dijimos una vez, una especial inquina a Kant. Y que se debe a que don Juan ha visto destruida en su criticismo la certidumbre en todo aquello que constituye un consuelo para la vida: el ver garantizada la pervivencia de su ser personal más allá de la muerte.

Por eso, Valera reprochará a Kant lo que en la idea de Valera era una inconsecuencia inexcusable en el sistema crítico: su pretensión de que la razón pura en su uso práctico redescubre esas verdades que para la razón pura en su uso teotérico aparecen como inalcanzables. Ya hemos visto cómo para Valera existe una dualidad en el mundo. Hay dos esferas que

---

(36) O. C., T. II, p. 1546 (El racionalinmo armónico).

no se cruzan, que no se tocan ni siquiera. Son las esferas de la fe y la ciencia. La ley moral pertenece a una de ellas. A ella se llega por 'a fe, cuya base está en la vida afectiva de los hombres, en su subjetividad más elemental. Para Kant, sin embargo, no hay más que una y sola razón, aunque con dos usos diferentes. La misma razón pura tiene un uso teórico y un uso práctico. Para Valera la razón sólo tiene un solo uso, el teórico. Más allá de ésta, no hay razón posible. A lo más, como hemos visto, «sentidocomunología». Por eso acusa a Kant de realizar una farsa lógica, de no querer aceptar él mismo los propios resultados de su criticismo. Aunque, y como dijimos páginas atrás, Valera, habiéndolos aceptado, también recuse sus consecuencias. La misma incoherencia que ve en Kant es lo que él mismo practica.

Así, la valoración que Valera hace de Kant es profundamente negativa. Valera ataca las inconsecuencias de Kant, y con ello defiende su filosofía del sentido común, su filosofía perenne.

La metafísica, como hemos visto, es un escudo contra las pretensiones dogmáticas del positivismo. Dice Valera a Campoamor en su *Metafísica a la ligera* (37):

> «La ciencia primera está por cima, en salvo, de todo ataque empírico: sólo puede ser negada y destruida por otra ciencia primera.»

Y tras añadir que la metafísica más absurda es más consoladora que la negación más impecable de ésta, dice (38):

> «La metafísica, hasta la más escéptica y crítica, en vez de demoler, pone freno a la manía demoledora del saber empírico, y, sobre todo, eleva el alma a lo ideal, aunque lo deje como ideal vacío y sin realidad objetiva.»

Valera ataca a Kant por el desconsuelo que cree ver en el resultado de su criticismo. Es preferible el sentido común, que presupone todo aquello que el aparato lógico del agnosticismo deja fuera de nuestro alcance. Teme Valera los lamentos de Leopardi, las luchas de Unamuno. El punto débil de Kant para Valera está en ese salto del uso teórico al uso práctico de la razón, salto que, en el sentir de Valera, es totalmente poético e ilógico. Veamos (39):

> «Mil veces, al llegar a este extremo desconsolador, confieso a usted que me he arrepentido de haberme puesto a filosofar, y he pensado en adoptar una de estas dos resoluciones: o bien crear yo mismo un sistema, que me dé Dios real y mundo correspondiente al concepto que tengo del mundo, o bien dejar de filosofar y especular, y consagrarme por completo a la vida práctica.
>
> La primera resolución tiene grandes inconvenientes. Yo carezco de la habilidad, de la inspiración y de la paciencia de Kant. Su candor también me hace falta. Tengo, sí, el buen corazón de Kant; pero no se mueve a consolar a mi criado, del cual recelo muchísimo, y quédese esto para *inter nos*, que no se atormenta con las negaciones kantianas, ni con ningunas. Sobre la realidad del mundo exterior, ya sabe él a qué atenerse, diga Kant lo que diga, y en lo tocante a lo

(37) O. C., T. II, p. 1595 (*Metafísica a la ligera*).
(38) O. C., T. II, p. 1597 (*Metafísica a la ligera*).
(39) O. C., T. II, pp. 1600-1 (*Metafísica a la ligera*).

Absoluto, o no pensó en él jamás, o lo considera un estorbo. Yo, no obstante, a fin de dar a Dios la existencia que en la *Crítica de la razón pura casi* le quita, adoptaría los argumentos de la *Crítica de la razón práctica*, si no fuera porque se me ha puesto en la cabeza, como trataré de probar más tarde, que, si valen las razones de la primera *Crítica* para negar, no sirven para invalidarlas las razones de la segunda.

Lo mejor es abtenerse de ser kantiano. ¿A qué propósito afirmar la existencia de Dios con pruebas que luego pareciesen ineficaces, teniendo que declararlo así por amor a la verdad? Bueno y santo es este amor; pero en el caso propuesto sería cruel: sería todo lo contrario de aquella piedad del predicador, el cual, viendo cuánto lloraba su auditorio al referir él un martirio, se compadeció y dijo: "No lloréis: esto sucedió hace mucho tiempo, y tal vez sea mentira".»

El predicador alivió el dolor de sus oyentes, poniendo en duda lo que antes había afirmado; pero si yo negase los argumentos de la *Crítica de la razón práctica*, después de haberlos dado por valederos, haría muy mala obra a los corazones piadosos.

Repito, pues, que lo mejor es no aceptar ni los argumentos de la primera *Crítica* ni los de la segunda. Tal vez serían estas *Críticas* los dos libros que el célebre duque de S*** contaba que había hojeado en su mocedad, y como viese que el uno decía lo contrario de lo que decía el otro, los tiró ambos, y no volvió a leer libro alguno en su vida, empleándola toda en allegar muchísimo dinero.

La verdad es que hasta podríamos aceptar no pocas de las negaciones de la primera *Crítica*, convirtiéndonos luego a un positivismo piadoso. ¿Por qué no decir de esta manera?: "Con mi razón no llego a saber de Dios; pero creo en El por fe; y, puesto que la razón no me enseña nada, no quiero metafisiquear en adelante, y me entrego a la vida activa y a las ciencias de la observación y experimentales. Para lo usual y ordınario es inútil, y aun nocivo, tanto tiquismiquis, tanto quebradero de cabeza".»

Salto, pues, que Valera critica a Kant. Pero que él mismo, con su sentido común realiza.

Poco más adelante, Valera carga contra Kant con el argumento de que si el imperativo categórico, la ley moral, pide un Dios, no menos lo piden la existencia de las categorías, por ejemplo ,o la existencia del conocimiento matemático, de los juicios sintéticos a priori (40):

«Lo que no alcanzo a ver es por qué niega Kant valor objetivo a toda ley de la razón pura, y no se lo niega a la ley moral. Yo sería, o más escéptico o menos escéptico que Kant, pero no tanto como él; porque, si la existencia de la ley moral, que se me impone y me obliga a reconocer que no debo hacer daño a nadie y que debo dar a cada uno lo que es suyo, infiero la existencia de Dios, que ha dictado la ley, la existencia de mi libre albedrío, responsable de su cumplimiento, y la existencia del prójimo, a quien la ley se refiere, ¿por qué no se ha de inferir también la existencia de Dios de otra ley, no menos imperativa y más clara, si cabe que me obliga y fuerza a creer que dos y tres son cinco? Y como dos, tres y cinco son términos abstractos y universales, que aplico a cuantas cosas se pueden sumar y ser cinco, tres o dos, ¿por qué no he de creer también en la existencia de estas cosas y en la sumisión de ellas, en cuanto son cantidad que están en mi alma?»

(40) O. C., T. II, p. 1603 *(Metafísica a la ligera)*.

Aunque Valera, que siente especial inquina por Kant, no deja, por ello, de admirarlo sinceramente. Buena prueba de lo que venimos diciendo respecto de que la filosofía perenne de Valera tiene su base más sólida en el agnosticismo kantiano, está en la idea de Valera de que Kant, a pesar de su *Crítica de la Razón Pura,* ha puesto al salvo la metafísica (41):

Aunque vuelve a cargar en sus acusaciones a Kant. El argumento es siempre el mismo: las inconsecuencias que encuentra entre el uso teórico y práctico de la razón pura (42):

> «Y, sin embargo, a pesar de tanta admiración, no puedo ser kantiano, ni puedo creer en la utilidad, y menos aún en la necesidad de que nadie me convenza de que vivo y de que soy *una cosa en mí,* y de que mis enemigos y parientes, y los objetos que veo y toco, huelo o gusto, son también *cosas en sí,* y de que hay mundo, y de que estoy en Madrid, capital de España, y de que escribo esto en 1890.
>
> Por último, lo que más se me atraganta o se me indigesta es la salida que tuvo Kant, después de dejarnos sin alma, sin mundo y sin Dios, y de compadecerse de su criado Lampe, a quien afligía la carencia de aquellas *cosas en sí,* de inventar otra razón, no pura, sino práctica, para devolvernos el alma y el Dios que nos había quitado, todo por obra y gracia del *imperativo* categórico. Por cierto que yo no niego la moral; pero harto más categórico y más imperativo es la fuerza que me obliga a reconocer los axiomas y teoremas matemáticos, los primeros principios y hasta el testimonio de mis sentidos, y el consenso universal y otros criterios de verdad. Y si no basta todo esto para afirmar el mundo, y la Humanidad, y mi propia persona y la causa primera, no comprendo por qué la ley moral ha de tener tal privilegio. Convertidos ya Dios, el mundo y todo en ilusión, en vanos ideales, la ley moral será vana creación ideal también, ella de por sí, y aún más vana por el objeto a que se aplica, ya que, no estando seguros de que haya mundo, ni prójimos, ni libertad, ni yo responsable, ni nada, lo mismo da robar, matar, adulterar y maldecir, que bendecir, acariciar, favorecer y estimar a las visiones o fantasmas de nuestra mente o de lo que sea, pues de nuestra mente tampoco estamos seguros» (43).

Ya veremos luego con más detalle los criterios de Valera sobre el argumento cosmológico y el de la ley moral. Que quedan revalorizados por el sentido común.

Vemos también qué valor tiene Kant para Valera: de un lado es un escudo contra las pretensiones dogmáticas del positivismo. Frente a los dogmas, levanta un positivismo agnóstico, como el que confesaba a Menéndez Pelayo en *El budismo esotérico,* arriba citado. De otro lado, rechaza las investigaciones de Kant con base en el sentido común, en la imposibilidad psicológica del agnosticismo kantiano según entendía Valera. Es preciso no perder de vista esta doble concepción.

---

(41) Véase O. C., T. II, p. 1687 *(Notas* a *La metafísica y la poesía).*
(42) O. C., T. II, p. 1687 *(Notas).*
(43) Es el entender de Kant que tiene Valera. Que es también el de Menéndez Pelayo, y aún el de Unamuno. Sin embargo, son formas de entender muy diferentes a las de Cassirer *(Kant, vida y doctrina,* México, F.C.E., 1974; *El problema del conocimiento,* vol. II, México, F.C.E., 1974, pp. 539-713), De Georgy Lukacs *(Historia y conciencia de clase,* Barcelona, Grijalbo, 1975, pp. 154-164; *Prolegómenos a una estética marxista,* Barcelona, Grijalbo, 1969, páginas 17-36), O. Heidegger *(Kant y el problema de la metafísica,* México, F.C.E., 1973; *La pregunta por la cosa,* Buenos Aires, Losada, 1975) o H. J. Paton *(Kant's Metaphysik of Experience: A Commentary on the First Half of the Kritik der reinen Vernunft,* 2 vols., Londres, 1952, 2.ª edición).

Asimismo, vemos que Valera teme el profundo desconsuelo que puede introducir el escepticismo en su vida, y moviliza todas sus energías en favor de ese sentido común salvador. Pues Valera, que no creía, nos confiesa en un lugar de su obra que desearía que volviera la fe a su alma (44):

> «Y aunque soy hombre de poca fe y de menos virtud, pervertido y viciado, como otros muchos, por los malos libros de filosofía que ahora corren de mano en mano, deseo y espero que la fe vuelva a mi alma.»

Obsérvese que es una de las pocas confesiones de Valera, por otra parte en un contexto no exento de guasa, acerca de su incredulidad al gran público.

Indudablemente, el espectáculo triste de Leopardi, que tan bien conocía Valera, fue un acicate hacia esta búsqueda (45):

> «En vez de quejarme con Leopardi, propendo a decir con Lessing que lo divertido no es hallar la verdad, sino buscarla, y que si Dios me pusiese en una mano la verdad, y en la otra el poético anhelo y la amena tarea de ir en busca, me quedaría con lo segundo; y sólo que yo añado y doy por cierto que Dios nos ha dado lo segundo, sin otorgarnos lo primero.»

Vemos, pues, en resumen, que Valera, procurándose un consuelo, rechaza a Kant, adopta «la filosofía de su criado» y se pone del lado del sentido común. Y todo ello sin olvidar que Kant es prácticamente la única arma de que dispone contra el aborrecido positivismo. Aquí están, en resumen, todas las relaciones entre Valera y Kant.

Sentido común, al fin y al cabo. Y en virtud de él, sigue construyendo Valera sus ideas.

Las relaciones entre Valera y Kant fueron importantísimas. Es evidente que Valera parte de sus ideas de una aceptación de Kant y de un rechazo de él. Apuntábamos antes que, por paradójico que fuera, este rechazo de Kant no dejaba de llevar implícito una aceptación de él. Ya hemos visto en qué ideas y cómo se realiza.

Es preciso ver ahora qué derroteros van a tomar las ideas de Valera, su filosofía, en función de que ésta, y a partir de Kant, adoptará por base el sentido común.

Decíamos anteriormente que había que estudiar y valorar los argumentos cosmológicos y éticos que exhibe Valera para, ya que no probar, sí al menos fundamentar una exigencia en torno a la existencia de Dios, la inmortalidad del alma y la libertad. Pues aquí ya dentro de su «sentidocomunología», intenta Valera dar una respuesta.

El nuevo paso que da Valera, que calificábamos de irracional, consiste en eso: revalorizar, por medio del sentido común, los argumentos cosmológicos y éticos. Es, de alguna manera, dar un fundamento objetivo a la filosofía de su criado, el que no se atormenta ni con lo absoluto ni con las negaciones kantianas.

Hay dos áreas en torno a las cuales centra Valera su pensamiento: la interioridad del hombre, de un lado, y la contemplación del mundo externo,

(44) O. C., T. II, p. 1409 (La doctrina del progreso).
(45) O. C., T. II, p. 1607 (Metafísica a la ligera).

de otro. Ambos nos llevan, por puro sentido común, a la necesidad de un Dios, según Valera.

La primera de estas áeras nos introduce, según Valera, en el estudio del alma humana. Aquí encuentra su asiento la argumentación ética. La ley moral, la filosofía perenne, que se halla en el mundo del alma humana, pide un Dios que la ponga allí.

Esto aparentemente puede recordar el concepto de ley moral y de imperativo categórico kantiano. Pero no lo es por lo que ya dijimos antes: en Kant hay una sola razón pura, aunque con dos usos: teórico y práctico. En Valera la razón acaba en el uso teórico. Todo lo demás es puro sentido común. Todo esto, «grosso modo», es así, tal y como se deja ver en Valera.

Según lo que decíamos antes, dice Valera (46):

> «En una palabra, el principio de todo saber está en la conciencia. Si hay una fuente de verdad en la conciencia brota y en la conciencia mana.»

O sea: Valera, por sentido común, va a entrar en el mundo de la psicología introspectiva, es decir, en el mundo de la mística. Y con ello se inserta, por propia voluntad, en el terreno de la vieja tradición española, de Santa Teresa y San Juan de la Cruz, de un lado, y de otro, en cierta analogía con lo que llamaba la moderna mística de la filosofía alemana, del idealismo clásico alemán, representado en España por los krausistas. Valera no es krausista. Más bien, se burla de ellos, aunque les defiende de los ataques de los rancios tomistas españoles como de los positivistas dogmáticos. Se sitúa, como tendremos oportunidad de probar, en una posición ecléctica entre los tres grandes del idealismo clásico alemán, Fichte, Schelling y Hegel, aunque con preferencias por el segundo. También está próximo a la posición de idealistas románticos italianos como Gioberti.

Defendía la filosofía idealista alemana y a los krausistas argumentando que son similares sus conceptos a los de muchos místicos del Siglo de Oro. Véase, si no, sus *Diálogos sobre el racionalismo armónico* y *La enseñanza de la filosofía en las Universidades*. Valera se pone entre todos ellos, y toma de aquí y de allá, según su buen entender.

No es que don Juan se meta a místico: lo que hace es elaborar una filosofía mística. Es su filosofía perenne, y según el sentido común.

Decíamos que es el alma la fuente de todo conocer. En ella está la ley moral, de un lado; de otro, las leyes del conocimiento, las categorías.

Quedémonos, por ahora, en el estudio de la ley moral en Valera. De él saca argumentos para probar la justificación de la existencia de Dios. Ya hemos visto páginas atrás algunos textos en los cuales expresa sus ideas en torno a esta acuestión. (Recuérdese también la extensa carta a su primo José Alcalá Galiano, de fecha 10-junio-1887, ya citada).

Pero es, sin embargo, en su artículo titulado *Nueva* religión donde expone de una forma más clara, matizada y decisiva sus ideas en torno a este problema. En este artículo trata de probar Valera que no es posible una moral atea.

Así, dice (47):

(46) O. C., T. II, p. 1620 *(Metafísica a la ligera)*.
(47) O. C., T. III, p. 316.

«Resulta, pues, que el altruismo es falso, que no se da dialécticamente, que sólo puede amarse uno a sí mismo sobre todas las cosas, como no sea a Dios a quien ame. En mi sentir, uno puede amar más que a sí mismo, no sólo a Dios, sino a todas sus criaturas, cuando las ama por amor de Dios, pero sin estar este amor de Dios, uno se ama a sí mismo más que a nadie.
(...)
Pero sostengo que entonces, con inconsecuencia dichosa y bella, amo a los demás seres por amor de Dios, sin saberlo, y negando a Dios, y no viendo el lazo misterioso que le une con los demás seres, y que es Dios y no puede ser sino Dios.
(...)
Ya ve usted que yo vengo a parar a una conclusión contraria a la de usted. Quita usted a Dios como base de la moral, y yo concluyo, por todos los caminos que tomo, por no hallar moral sin el concepto de Dios, que le sirve de base. Y no por los premios y castigos con que la moral se sanciona, lo cual es sofisma de todos los ateístas al uso, sino porque Dios es el objeto y el fin y la razón del amor, cuando el amor no hace que nos amemos sobre todas las cosas. Dios es el centro de todo bien, el foco de la caridad, la luz y el fuego, que enciende e ilumina los corazones. Si usted lo apaga, nos quedamos fríos y a oscuras.»

Obsérvese que lo que ya Valera trata de defender tanto contra agnósticos como positivistas, contra todos, es la ortodoxia cristiana católica.

Recordemos ahora lo que decíamos en el capítulo primero, y apuntemos la contradicción siguiente: Valera, que se confiesa íntimamente escéptico en su fe religiosa, defiende la moral y la religiosidad cristiana católica. Por medio del sentido común, de la ciencia humana más elemental e inmediata, lucha por la justificación de la doctrina en su más pura ortodoxia. Cuestión que por nuestra parte será motivo de reflexiones posteriores (48).

Hay algo que Valera no acierta a explicarse: el mal moral y físico. Es un misterio. Pero que no invalida la fe en Dios (49):

«Aunque yo no lo aplauda, me explico el pesimismo tétrico que no acierta a conciliar la bondad y el poder infinitos de Dios por el mal moral y físico que hay en el mundo, y niega a Dios, prefiriendo la negación a la blasfemia; pero, si el mal es transitorio y ha de venir al cabo a resolverse en bien, resulta la plena justificación de Dios y el cumplido acuerdo de su bondad y de su poder infinitos con la perfección y excelencia de su obra, la cual aparece sin mancha, en la plenitud del tiempo, así en cada singular criatura, como en el conjunto o totalidad de la creación entera.»

Así, añade Valera que es posible que el pesimista sea ateo. Pero es absurdo que el optimista lo sea.

La evidencia, el sentido común, es el secreto de toda comprensión, ya que no la lógica. Es, en definitiva, como decíamos, la defensa de la moral católica frente a cualquier otro tipo de moral. La moral, según Valera, necesita un fundamento en la divinidad. Al mismo tiempo que, como hemos visto, el ser moral del hombre exige la existencia de un Dios. Para Valera,

(48) La más calurosa defensa que hace Valera del catolicismo, tal y como se desprende de algunos de los textos antes citados, hace referencia al poder civilizador y atemperador de las costumbres de la moral católica. Aquí es donde pone mayor énfasis nuestro autor.
(49) O. C., T. III, p. 317 (Nueva religión).

la moral no es un proceso subjetivo en la perspectiva de la humanidad. El hombre y su conducta no son un proceso autónomo. En la defensa de los conceptos católicos, más o menos ortodoxos, concibe al ser humano, en tanto que ser moral, como heterónomo: existe un Dios que ordena el proceso ético; proceso que adquiere, así, objetividad. La universalidad y eternidad de las normas éticas se deben a Dios, quiéranlo o no los ateos. Toda moral, por el hecho mismo de serlo, es cristiana. No hay moral sin Dios.

De ahí que existan diferencias esenciales entre la moral que propugna el cristianismo y la moral de los positivistas, por humanitaria y filantrópica que sea. Así, dice Valera (50):

«La diferencia, con todo, entre la moral cristiana y la moral de usted y de los positivistas no está en los preceptos y consejos, sino en la base en que éstos se fundan. La moral cristiana tiene base sólida y bastante para sostener todo el edificio. La moral de usted está en el aire, o al menos fundada sobre terreno movedizo, inseguro e insuficiente. Usted, como Littré, funda la moral en razones empíricas y mezquinas. Esto en cuanto al principio. En cuanto al fin, yo hallo que ustedes los positivistas degradan y malean la moral, sometiéndola a lo útil colectivo, y buscándole un fin práctico fuera de ella misma.

(...)

En cambio, cuando la moral pone en ella misma su fin y no convierte en instrumento providencial consciente a cada individuo, la máxima del fin justifica los medios queda condenada y aparece en su lugar la hermosa máxima que dice: *Fiat justitia et ruat coelum*. No vale la distinción entre el egoísmo y el altruísmo. No es para nosotros la utilidad, más o menos general, la medida de las acciones. El hombre bueno o justo hace lo que debe suceda lo que suceda, aunque el Universo se hunda.»

En otra parte de este mismo artículo, expone por vía de evidencia, la necesidad de un Dios, tanto con argumentos morales como cosmológicos. Puesto que hay moral, y puesto que hay un orden en el mundo, puesto que la realidad toda está sometida a leyes, según el concepto del mundo de los propios positivistas, tiene que existir un origen de esta moral y de estas leyes. Son los argumentos más utilizados por Valera, y que en el siguiente texto aparecen juntos (51):

«Si el mundo es un valle de lágrimas sin esperanza en otra vida mejor; si todos los seres padecen; si la injusticia triunfa; si el orden físico y el orden moral no existen y si no hay más que desorden, como no hemos de suponer un poder infinito que se complazca en el dolor y en la miseria ni tampoco hemos de fingir para soberano ordenador del mundo un ser benigno, pero sin fuerza y sin saber que basten a remediar lo malo, o, mejor dicho, a no haberlo hecho, parece legítima consecuencia la negación de Dios. Lo falso está en las premisas, prescindiendo ahora de lo misterioso e inexplicable de que los seres obedezcan a ciertas leyes, aunque sean inicuas, sin que haya legislador que dé esas leyes; de que salga la conciencia de lo que no tiene conciencia, y de que brote un prurito certero y una voluntad eficaz de ser, sin persona donde la raíz de este prurito y de esta voluntad resida.»

(50) O. C., T. III, p. 321 *(Nueva religión)*.
(51) O. C., T. III, p. 334 *(Nueva religión)*.

La conclusión de Valera es clara (52):

Y a su vez, como hemos visto, su recíproca: la moral es exigencia de religión. Y la última palabra, en torno a este problema, parece dejarla en el siguiente texto (53):

«Lo que es yo, por más que medito, no veo posible la moral sin religión o metafísica que le sirva de base.»

«Sin Dios, así el mundo moral, como el mundo físico, quedaría para nosotros sin fundamento; la diferencia entre lo justo y lo injusto, lo bueno y lo malo, lo honesto y lo torpe se borraría; la alta dignidad y excelencia del humano linaje no tendría razón de ser, y la nobilísima noción de deberes y derechos, de autoridad y de libertad, perdería todo apoyo y sostén, a no buscarlo en la honrada inconsecuencia de algún filósofo cándido, o en los vanos y enmarañados sofismas de algún ergotista incomprensible.»

En lo que se refiere al argumento de tipo cosmológico que presenta, esquemáticamente es el mismo que el referente al moral. El mundo y sus leyes exigen un Dios. Dice Valera (54):

«Los astros gravitan y giran en la ingente amplitud de los cielos, y los átomos se repelen o se atraen, se agrupan o se combinan siguiendo siempre ciertas leyes. Mi razón las descubre o puede descubrirlas; pero tiene el pleno convencimiento de que no las impone. ¿Qué razón las impone, pues? ¿Esta dicha razón es la materia por modo inconsciente y difuso? Tal afirmación dije ya que rayaría en delirio. Luego esta razón está en Dios: es la razón divina, y la razón divina es la divina voluntad a la vez. El orden natural de las cosas es la ley eterna: el inmutable mandato del Omnipotente.»

Idea ésta, también, que es puro sentido común. Como la siguiente que expone, también, en su *Metafísica a la ligera* (55). Dice aquí Valera que el lenguaje y la razón es evidente que están en el hombre, pero que

«preexistían en otra mente superior, en un yo externo, en un absoluto sin principio ni fin, en una razón universal, que han dado en llamar impersonal algunos, como si la razón no implicase la idea de una persona, sustancia de dicha calidad, sujeto de dicho atributo.

Vea usted por dónde y cómo, amigo don Ramón, si es que yo no me engaño, después de ver que es casi imposible salir del yo sin dar pasos en falso y sin andar a tientas, nos encontramos dentro del mismo yo con algo que no es yo, sino que es lo absoluto.»

Recordemos una vez más que Valera sabe que todos estos argumentos son puro sentido común: es decir, fe. Es una actitud elemental, espontánea, por así decirlo del alma humana (56):

«Así, pues, de las tres ideas de la verdad (al menos matemática), de la bondad y de la belleza, que están en el alma, inferimos la existencia de lo *Absoluto* y del Universo fuera de nosotros; pero en este

(52) O. C., T. III, p. 339 *(Nueva religión)*.
(53) O. C., T. III, p. 763 *(Revista política)*.
(54) O. C., T. II, pp. 1623-4 *(Metafísica a la ligera)*.
(55) O. C., T. II, pp. 1610-1 *(Metafísica a la ligera)*.
(56) O. C., T. II, p. 1607.

inferior no hay, en mi sentir todo el vigor científico que conviene, sino mucha fe y de lo que llamamos *sentido común.*»

En las páginas siguientes de este trabajo de Valera, dedicado a Campoamor, desarrolla las ideas apuntadas en estos textos. Y, sobre todo, las dedica a afirmar aún más en torno al problema de la existencia de Dios. Dice, así, que todo primer principio, toda idea primigenia en el alma, tiene su origen en Dios (57):

> «Todo primer principio, toda afirmación imperativa, no ha sido creación del alma, ni está inmanente en el alma, porque es superior y mayor que el alma; luego ha venido al alma de un modo inmediato, de algo que llamamos lo absoluto o que llamamos Dios.»

La vía que Valera prefiere para poder delimitar el concepto de Dios es esta última: la del análisis introspectivo del alma humana. En la vía que, como ya dijimos antes, aprendió en los místicos, tanto españoles como alemanes, ortodoxos o no. Es éste el camino que más poéticas sugerencias produce a Valera, que adora estos senderos del idealismo.

Aunque el estudio del alma no lleva directamente al conocimiento de Dios —esto para don Juan sólo lo puede hacer el amor, la mística—, sí es posible hacerlo por medio de un rodeo: el alma humana refleja a Dios, es un espejo de la divinidad. Es la idea que expone en el texto siguiente (58). Lo copiamos, a pesar de ser muy extenso:

> «Así, por medio de lo verdadero, estudiando en el alma la idea de lo verdadero, el alma se eleva a Dios, pero no se eleva para verla cara a cara. No puede dar el alma demostración de él *a priori*, porque para ello sería menester suponer alguna causa o principio superior a Dios; pero puede conocerle *a posteriori* con el análisis, por sus obras o efectos.
>
> Los primeros principios son la *luz que ilumina a todo hombre que viene a este mundo;* pero aunque esa luz esté en nosotros, no se infiere que la veamos de un modo directo y en su esencia, sino en el reflejo y esplendor con que nos ilumina las cosas.
>
> Si esta luz está en todo, en el alma humana está más y mejor que en todo; pero ni aun en el alma humana la vemos en sí, sino como se ve en un espejo una imagen.
>
> De aquí que al crear el concepto de Dios en nuestra alma, magnificando su imagen, lo que copiamos para formar el concepto de Dios es ese reflejo de Dios que nos ilumina el alma.
>
> Si no, ¿de dónde habíamos de sacar perfecciones de que carecemos?
>
> (...)
>
> En resolución: Dios está sin duda en el alma; pero el alma no le ve ni le comprende, sino por sus efectos y sus obras. El alma llega a Él por inducción, pero valiéndose de medios, de luces y de razones que tienen ya algo de lo infinito y de lo absoluto, y no son tan *escalera de mano* como supone usted. Ellas, a mi ver, están en el alma antes de la experiencia y conocimiento de las cosas particulares, y no vienen al alma por abstracción, ni por negación, sino inmediatamente de Dios mismo.

(57) O. C., T. II, p. 1618 *(Metafísica a la ligera).*
(58) O. C., T. II, pp. 1618-9 *(Metafísica a la ligera).*

El ser, como fundamento de las categorías, será concepto vacío, será lo indeterminado a par que lo determinado noble; pero la virtud, que pone los términos y que no los tiene, es ya lo infinito, positivo y real. Hay, pues, por cima del ser vacío y abstracto, otro ser realísimo que da ser a los seres sobre la materia prima una energía informante; sobre la sustancia única, un poder, que dándole diversos atributos, constituye toda esencia infinita.

El tiempo y el espacio podrán tener o no realidad objetiva; serán acaso meras formas de sentir; pero, aunque sea contra el parecer de los escolásticos, no veo que hayan venido a mi alma, por abstracción de los cuerpos, el espacio, y por abstracción de las mudanzas el tiempo, ni que su *infinitud* nazca por negación, suprimiendo límites en lo corpóreo y variedad en los sucesos. Antes entiendo que negar los límites es negar la negación, y que lo infinito del tiempo y del espacio es afirmativo y no negativo, y no algo que sale de lo finito y de su percepción y concepto en el alma. Lo infinito del tiempo y del espacio, es, pues, en el alma, parte de la luz que ilumina a todo hombre: es un reflejo de la inmensidad y eternidad divinas.

De esta suerte entiendo yo que va el alma formando, dentro de sí, concepto de Dios. Cierto que de cada afirmación brota un cúmulo de dificultades; pero, en cambio, de toda negación de lo divino, brota lo absurdo.»

He aquí cómo queda descrita la posibilidad del conocimiento de Dios. El único medio directo es la llama mística. El otro medio posible es, en último término, sentido común.

Por lo demás, el término del proceso por el cual el hombre llega a tener una idea de Dios, es esencialmente antropomórfica, según Valera (59):

«Afirmada así la existencia de Dios, la mente humana trata de formar concepto que con Dios se adecúe; pero en nada de cuanto percibe en los cielos y en la tierra halla calidades por donde pueda elevarse hasta concepto tan sublime. Para afirmar entonces algo de Dios, a más de que es, tiene que buscar el alma en su propio centro, la sombra, la imagen, el trasunto del ser divino.

El alma es lo que más se parece a Dios de todo aquello que el alma conoce. Luego el alma crea a su Dios, magnificando hasta lo infinito todas las prendas, facultades y virtudes que ve en sí misma. Quita traba y límite a su voluntad, y la dilata por toda la inmensidad de su deseo; aleja de su inteligencia la oscuridad y la duda, y libra y exime a su bondad de temor y de egoísmo. Así forja el alma un ser humano ideal y lo adora como a un Dios. No puede ir más allá por medio de la contemplación afirmativa.»

En definitiva: por varios caminos llevan la fe y el sentido común al alma humana al conocimiento de Dios. A Dios se le encuentra en la naturaleza, en los seres que componen el mundo, en el orden de éste, en el cosmos, de un lado. Y de otro, la presencia de la ley moral, por una parte, y el estudio de la propia alma, como un espejo que refleja la infinidad del Ser Supremo, por otra.

Pruebas que tienen toda su validez en este solo y puro hecho: la evidencia.

Repetimos una vez más que Valera sabía, y admitía en la lógica que

(59) O. C., T. II, p. 1624 (*Metafísica a la ligera*).

todas estas pruebas quedaron reducidas a puros paralogismos de la razón en la Dialéctica Trascendental de Kant. Pero se resiste a admitirlo. Ya hemos visto la valoración que hace de Kant. Y con el sentido común, Valera se defiende de Kant. Así, cuando dice de forma tajante (60):

> «Kant podrá deshuir en la *Crítica de la Razón Pura* todas las pruebas de la existencia de Dios, pero jamás me quitará esa evidencia.»

Por otra parte, es sumamente curioso algo que ya apuntábamos páginas atrás. Valera, que rechaza a Kant, y al cual acusa de sofista inconsecuente al hacer de la ley moral una prueba de la existencia de Dios, sigue en último término un esquema kantiano. Pero no la literalidad de Kant. También habíamos señalado el diferente concepto que tienen de la ley moral Kant y Valera: pero hay un momento en que Valera asimila su propio sistema al de Kant. Y dice así (61):

> «pero, al deshuir Kant toda certidumbre metafísica, se refugió en el sentimiento, oyó en el fondo de su conciencia la voz imperiosa del deber, se reconoció libre y responsable de sus acciones, y dedujo que había fuera de él un ser que le imponía ese deber, y que en él mismo había un principio inmortal que libremente lo aceptaba o se resistía a cumplirlo.»

Pues, en el fondo, es esto mismo lo que hace Valera en su filosofía. Aunque no en la vida.

En resumen: hemos visto hasta el momento a un Valera más metido a teólogo que a literato. Pero es preciso proceder así. Ello se debe a que el problema epistemológico en Valera se plantea en íntima relación con el religioso. Por otra parte, y al examinar, así, la fe, las creencias religiosas de don Juan, podemos ver mejor el sentido que tienen sus reflexiones y los resultados de éstas.

Por ahora, bástenos con lo que hasta aquí hemos apuntado en torno a la cuestión religiosa en don Juan y sus fundamentos filosóficos. Importa señalar que el agnosticismo de Valera tiene su raíz en Kant, y que no es motivo, para don Juan, de profundas turbaciones. Por su carácter bien avenido con la vida, sabe darle un giro optimista. Es lo que él llamaba «la filosofía de su criado», el que no se atormenta con las negaciones kantianas ni con el problema de lo Absoluto.

Kant, como hemos visto, es para Valera un aliado y un enemigo. Le sirve de defensa, de un lado, contra el positivismo dogmático, aunque, a pesar de su propio escepticismo, y sin temor a incurrir en contradicciones, le rechaza por el desconsuelo que cree encontrar en los resultados de su criticismo, al ver que pulveriza toda pretensión de la posibilidad de un conocimiento firme y seguro de Dios, la libertad y la inmortalidad del alma.

Así, contra Kant, Valera argumenta con la fe y el sentido común, y a sabiendas de todo cuanto dice lógicamente no vale nada. Pues Kant lo ha demostrado. Y por apelación a la evidencia, Valera lo afirma. Da un salto don Juan al terreno de la intuición, de la fe. Y aquí lo que importa es que nuestro autor, en el plano de los conceptos, va a defender algo que en su

(60) O. C., T. III, p. 1442 *(Filosofía del arte).*
(61) O. C., T. II, p. 789 *(La poesía española en Francia).*

corazón no siente. Ya vimos cómo se confiesa escéptico. Defiende la fe sin tener fe alguna. Por vía de sentido común, de evidencia, en último término de fe, intenta revalorizar las pruebas de la existencia de Dios, como la cosmológica, y de una manera muy especial, la que tiene por base la ley moral.

Y éste es, de forma muy general, el esquema que, según hemos visto, desarrolla. Así son los fundamentos de su filosofía perenne.

Sobre todo hay que recalcar la contrariedad que aparece entre lo que Valera siente y lo que Valera dice. Pues aquí es donde de una manera clara y precisa podemos ver lo que es ideológico en Valera. El plano de lo vivido y el plano de lo expresado están en franca contradicción. Lo vimos en el análisis de su fe, de su religiosidad, y vemos que sigue existiendo en el plano de sus conceptos. Valera acepta a Kant. Es la base de su escepticismo. Acepta su epistemología. Sin embargo, luego sale contra Kant, en defensa de una fe que no siente. El segundo término de esta oposición entre lo vivido y lo expresado es siempre ideológico. Y son estos conceptos la base del desarrollo de su pensamiento. Sobre ellos ha fundado su filosofía perenne. Estamos sobre las claves de su ideario. A partir de aquí se levanta el conjunto de sus ideas sobre historia, religión, política, arte..., etc.

Ya hemos visto algunas de sus ideas. Lo esencial para nosotros ha sido el tratamiento de la cuestión religiosa. No nos interesan de un modo directos sus ideas acerca de la historia, ni de la política, ni siquiera de la filosofía. Nuestro objetivo siguiente son sus ideas estéticas. Pero para ello necesitamos echar mano de algunas de las ideas políticas, históricas, filosóricas... elaboradas por don Juan. Nos importa dejar claro que estas ideas vienen a cuento de un modo oblicuo. No nos importan en su sustantividad. Sólo que el abanico de ideas de don Juan no está desarticulado. Se nos presenta, eso sí, en forma de torbellino. Pero unas ideas se implican en otras, y la pertinencia de una idea concurre a la pertinencia de otras muchas. El pensar humano es así.

Los problemas de ciencia, fe, arte y moral aparecen en Valera íntimamente implicados. Definir su concepto de arte exige antes definir su concepto de la fe, que, a su vez, no puede definirse sin tener presentes el de ciencia y el de moral. Ya hemos visto cómo son y por qué es preciso proceder de esta manera. A partir del estudio del agnosticismo de Valera nos hemos visto impelidos a adelantar ideas para una definición de estos conceptos en nuestro autor.

Aun sreá preciso volver sobre algunos de ellos a la hora de precisar sus ideas estéticas.

Hemos puesto de relieve hasta el momento las ideas filosóficas de Valera que hemos creído más cardinales en función del desarrollo de su pensamiento literario. Hemos acudido a lo más esencial, y no con vistas a realizar un análisis sustantivo de su filosofía. Nos basta, pues, con las notas expresadas hasta ahora. Así, pues, por lo demás remitimos al prácticamente único estudio asequible que hay de su pensamiento filosófico, el de don Juan Zaragüeta (62). Participamos de la mayora de las opiniones

(62) Juan Zaragüeta: *Don Juan Valera, filósofo*, en «Revista de Filosofía», XV (1956), páginas 489-518. No nos ha sido posible conseguir los siguientes trabajos: Qualia, C. B.: *The Platonism of Valera*, Texas Technological College; Rundorff, D. E.: *The Philosophical Trends of Valera*, Doctoral dissertation, Minnesota, 1958; Tayle, N. H.: *Valera's Philosophy of Instincts as Expressed in El Comendador Mendoza*, University of Toronto. Inaccesibles también para Manuel Bermejo Marcos: véase «Bibliografía», en *Don Juan Valera, crítico literario*, Madrid,

expresadas en su trabajo. Aunque a nuestro entender, el peso que ejerció Kant en la filosofa de Valera es muy importante, y no lo señala este autor. Buena prueba de ello es que todo el pensar de Valera, como hemos visto, se dirige contra su criticismo, aunque en principio, y con otros móviles, lo acepte. Valera se mueve en torno a Kant constantemente, para aceptarlo o para rechazarlo. Y esto es preciso recalcarlo y no perderlo nunca de vista. Don Juan Zaragüeta apenas dice nada de esto.

Sí lo señala, en cambio, don Enrique Tierno Galván, en un inteligente estudio sobre don Juan Valera (63). Aunque lo que viene a decirnos es algo que ya señalábamos antes: Valera entendió a Kant de una forma muy particular. Y, Valera, su propio sistema, lo asimila al de Kant; es, según palabras de Valera, «muy parecido al de Kant». Para Tierno Galván eso es prueba de lo poco y mal que estudió Valera a Kant y a la filosofía.

«Tan superficial es (en temas filosóficos) que no merece la pena discutir técnicamente sus ocurrencias. A veces parece que defiende tesis platónicas; otras neoplatónicas. En ocasiones el lector imagina que está repitiendo las lucubraciones del padre Arteaga. Se llega a pensar dándole vueltas al tema, que se trata de un lector, poco atento, de Natorp y por último, y esto es lo más cierto a mi juicio, que ha barajado algunos conceptos conseguidos merced a rápidas lecturas de aficionado hasta *convencerse de que estaba razonando de acuerdo con los principios de la filosofa de Kant* (64). Valera da por bueno que tener una idea previa, intuitiva y clara, del esquema de la obra literaria equivale al apriorismo kantiano.»

Creemos que el profesor Tierno Galván exagera un poco al hablar de la ligereza de los estudios filosóficos de Valera: pues, de un lado, el propio don Juan dice que no es un filósofo. No hay, pues, que acusarle de no serlo. Y, de otro, Valera entendió a Kant como se le solía entender en la España de entonces (65). No es éste el lugar para discutir si entendió o no entendió bien a Kant. La preocupación de Valera es religiosa, y de Kant toma lo que tiene mayor trascendencia de su sistema para este problema. De otro lado, ya hemos dicho que no nos importa lo que objetivamente sea Kant, sino que Valera, subjetivamente, asimila su sistema al de Kant. Si Valera tiene una inquietud religiosa, lo que ha hecho es convertir a Kant en teólogo. Y esto es lo que ha entendido de Kant. Sin embargo, parece justo lo que dice el profesor Tierno de nuestro autor en la última parte de su texto: «Valera da por bueno que tener una idea previa intuitiva y clara del esquema de la obra literaria equivale al apriorismo kantiano.»

Podemos comprobar que Valera parece deducir del sistema kantiano este tipo de apriorismo. Sin embargo, conviene matizar que aquí no es don Juan tan explícito como el profesor Tierno Galván lo cree. Pues más bien, y según vemos en sus textos en los que habla en este sentido, parece que el apriorismo de los esquemas artísticos los presupone Valera más como una derivación propia a partir de Kant, que una afirmación de Kant. Valera parte de Kant, como hemos visto, de la aceptación de su epistemología; y después hace don Juan sus deducciones, más o menos vinculantes (66).

Gredos, 1968. También inaccesible, HOWE, Williams: *An Intellectual Biography of Juan Valera from 1847 to 1868*, Unpublished Ph. D. diss., Harvard University, 1970.

(63) *Don Juan Valera, o el buen sentido*, en «Idealismo y pragmatismo en el siglo XIX español», Madrid, Tecnos, 1977, pp. 95-129.

(64) El subrayado es nuestro. P. 109.

(65) Coincide con Menéndez Pelayo, e incluso con Unamuno y García Morente, en lo más esencial.

(66) Véanse las lecciones acerca de su *Filosofía del Arte*, en O. C., T. III, pp. 1439-46; y también, y de un modo especial, su artículo *Belleza*, en O. C., T. III, pp. 1458-63.

Lo que sí hay que dar por cierto, y esto es lo más importante, que la influencia de Kant en Valera se da en su agnosticismo.

Por lo demás, Luis Vidart se limita a poner a Valera entre el número de los eclécticos (67).

Y el obispo Ceferino González, en la segunda edición de su *Historia de la Filosofía* corrige, a la luz de los escritos de Valera hasta 1886, su opinión de que don Juan era clasificable entre las filas del racionalismo (68). Si bien en la primera edición de su *Historia de la Filosofía* ya había señalado dos cosas con respecto a Valera: la primera, una cierta ambigüedad en el pensamiento de don Juan, que no le permite ser un racionalista coherente; y en segundo lugar, y esto es notable, su criticismo escéptico. Aunque Ceferino González no supo, en el primer caso, asimilar de una manera clara esa ambigüedad a lo que, en realidad, es contradictoriedad.

Por su parte también Manuel Azaña y Gómez Marín notan, aunque sólo alusivamente, esta influencia de Kant en la filosofía de Valera que acabamos de estudiar. El primero tan sólo hace referencia «a su criticismo», pero como término que es equivalente de escepticismo en lo referente a los sistemas filosóficos y la filosofía de escuela. No dice más. Sin embargo, el segundo sí alude a Kant como influencia en Valera, pero sólo como mera alusión. No se detiene a estudiar ni qué tomó don Juan de él ni cómo lo entendió, restándole, además, la importancia al estudio de esta cuestión (69).

Ya hemos visto nosotros cuán importante es, y en qué sentidos se desarrolla.

(67) *La filosofía española*, Madrid, Imprenta Europea, 1866, pp. 141-3.
(68) *Historia de la filosofía*, Madrid, Agustín Jubera, 1886, T. IV, p. 452.
(69) Véase J. A. GÓMEZ MARÍN: *Valera y las contradicciones del maderantismo español*, en «Aproximaciones al realismo español», Madrid, Castellote, 1975, p. 24. Manuel AZAÑA: *La novela de Pepita Jiménez*, en «Ensayos sobre Valera», Madrid, Alianza, 1971, p. 237.

CAPÍTULO III

EL TRANSITO A LA ESTETICA

Habiendo visto ya que Valera justifica, tanto contra escépticos —siéndolo él mismo—, como contra positivistas dogmáticos, la fe, y cómo la justifica, vamos a abordar ahora el problema de qué tipo de fe es ésa.

Sin duda alguna, es éste el primer paso de cuantos hemos de dar para desenvolver con cierto orden el hilo argumental de don Juan Valera en materia estética.

Pues Valera que, con ser contradictorio, mantiene no obstante ciertos niveles de coherencia, no puede defender una fe en el sentido tradicional del término. La que va a defender se define, como ya adelantamos en el apartado anterior, por ser una fe esencialmente estética.

Podemos comprobarlo, por ejemplo, estudiando las argumentaciones de Valera contra el concepto positivista de ciencia.

Recordemos que decía que tras todo positivismo agnóstico, temperado, prudente, se encubría un flamante misticismo. Siguiendo su esquema sobre el problema de la ciencia y de la fe, estudiado en el apartado anterior, ese misticismo se caracteriza por su orientación estética. De este modo, en Valera aparece implicado aquí el problema nuclear de la filosofía del arte.

La ciencia tiene sus límites. Más allá de éstos comienza la fe y la imaginación, la religión y el arte. Pero hay un punto en que todo arte se convierte en algo eminentemente religioso, y toda religión en algo esencialmente artístico. Valera incurre aquí en un intelectualismo, en virtud del cual pueden llegar a identificarse las dos expresiones, la artística y la religiosa. Más allá de la razón y la ciencia todo es confuso. Pero religión y arte van más allá de la razón. Y con esto le basta: don Juan no necesita discernir entre religión y arte, entre fe e imaginación, aunque en alguna ocasión lo haga. Tanto da, en principio, lo uno como lo otro, pues ambos se caracterizan por una sola cosa: el no ser razón. Y esto es lo que constituye la esencia de los dos.

Podemos verlo en cualquiera de las argumentaciones de Valera contra el positivismo. Y aparece de una forma muy clara en el siguiente texto, que copiamos entero a pesar de su extensión (1):

«La ignorancia de muchas leyes naturales, el escaso conocimiento que tenían los hombres en otras épocas de todo este Universo visible, eran, sin duda, causa de mayor superstición, pero no de mayor fe. Los fenómenos que hoy explicamos racionalmente por obra de

(1) O. C., T. III, p. 785 (Revolución y libertad religiosa).

las causas segundas, en virtud de ciertas leyes, ora descubiertas por la observación y la experiencia, ora fundadas, además, en principios matemáticos, o no se explicaban entonces, o se explicaban por medios sobrenaturales o milagrosos. Pero, al explicar hoy estos fenómenos al dejar que obren las causas segundas para producirlos, ¿tenemos derecho para prescindir de la intervención divina, para negar que es inmanente la presencia de Dios en las cosas todas, para obligar a Dios a que se retire más allá de los límites de cuanto abarca, descubre y explica menos que a medias nuestra observación y nuestra ciencia? El más vano de todos los sabios, el más engreído de todos los positivistas no se atreverá a sostener, si lo medita con calma, semejante proposición. Reconocerá que, con los datos de su experiencia y con los esfuerzos de su mente hechos sobre estos datos, logra sólo explicar algunos fenómenos, pero el conjunto de las cosas y su armonía y su fin, y el sistema en que se enlazan, quedan para él desconocidos e ignorados. Lo que puede hacer y hace el positivista es declarar incompetente a su razón para decidir esas cuestiones, negar la posibilidad de descubrir científicamente esas verdades sublimes, poner a la metafísica fuera de los dominios científicos y obligarla a que se refugie en la fe; pero esto no es negar ni destruir la fe, sino acrecentar su imperio y su dominio. Ni tiene derecho tampoco el positivista para hacer que Dios se retire a espacios remotos e inexplorados, dejándole libre y vacío cuanto piensa que está al alcance de su observación. Cerca de él, en él mismo, en el ambiente que le rodea, y no sólo más allá de las más remotas estrellas, reside y vive y se sustrae a su investigación y es inaccesible a su razón, a sus sentidos y a todos sus recursos empíricos, la esencia íntima, la sustancia, al ser de quien sólo conoce algunos accidentes y atributos por medio de los sentidos. Apenas se puede afirmar que tenga idea exacta de esos mismos accidentes en sí, sino de la impresión, de la sensación que en él ocasionan; y de esta suerte bien puede sostenerse que lo misterioso está en el sabio y en torno del sabio, y bajo cualquier objeto, cuyo peso, figura y dimensiones conoce, cuyos elementos analiza y vuelve acaso a componer de nuevo, y cuyas calidades determina. Así es como la ciencia no sólo no destruye la fe, sino que no puede destruir ni amenguar, a no ser casi imperceptiblemente, de un modo apenas apreciable, el campo de la imaginación y la poesía.

Y no hay que bajar al profundo centro de la Tierra, ni hay que subir al último cielo para que la *imaginación cree y la poesía se explaye* (2). La ciencia y la experiencia no le han acotado terreno alguno, no le han cerrado ningún recinto, no le han vedado ningún objeto, haciéndolo completamente propio y exclusivo de ellas. En lo íntimo de las cosas todas hay siempre un impenetrable misterio. Allí no llega el saber; allí sólo llega el creer o el imaginar.»

En otro lugar insiste (2):

«La fe y la imaginación siguen, pues, teniendo un campo infinito por donde esparcirse y desde donde traer el mundo real, revistiéndolo de forma sensible, por medio de la palabra, genios, ninfas y divinidades; en suma: nuestras más puras concepciones de la ideal belleza.»

Vemos, pues, que Valera asocia ambas facultades precisamente porque su común esencia es el encontrarse las dos más allá de toda razón y de toda ciencia.

(2) Subrayado nuestro.
(3) O. C., T. III, p. 939 *(Discurso en los juegos florales de Segovia).*

El primer texto tiene un especial sabor kantiano. Aunque, por otra parte, parece aludir a la posibilidad de un argumento teleológico que tendría su origen en Schelling. Efectivamente; los científicos pueden conocer datos y hechos que, sobre ser puras sensaciones, y no cosas en sí, además no constituyen la armonía del Universo. La armonía de los seres es objeto de la imaginación: nunca la comprenderá la ciencia.

Textos como éstos pueden encontrarse por centenares en la obra de Valera. Por otra parte, los esquemas son idénticos. Cuando, según veíamos, Valera defiende la fe de los ataques del positivismo dogmático, está defendiendo el arte también. Y viceversa. La defensa de una lleva implícita la defensa de la otra.

Y en este punto don Juan cree, aunque de manera confusa, situarse en el terreno del idealismo objetivo de Schelling. Si bien la interpretación de este dato debe hacerse con suma cautela, pues Valera, que nunca se creyó ningún sistema filosófico, tampoco iba a creerse el de Schelling. Sin embargo, defiende con más o menos calor cualquier tipo de misticismo, ya sea éste católico ortodoxo o panteísta. Ya hemos visto qué pasos da para defender la fe, la intuición.

Para Schelling la intuición intelectual es un punto de partida. Pero para Valera es el segundo paso de los dos que hay que dar en el camino del conocimiento. Valera asimila a Schelling al misticismo, y lo pone en analogía con nuestros místicos del Siglo de Oro. Y aunque esto lo hace en parte para alejar el espectro de «panteísmo diabólico» con que era calificada en general la filosofía del idealismo clásico alemán por los sectores clericales de entonces, bien es verdad que cree poder hallar una analogía lo bastante segura como para situarlo en compañía de nuestros místicos. Había que defender la filosofía clásica alemana con el recurso de que no estaba muy lejos de la tradición mística española, pero esto había que hacerlo con fundamento.

Y de este modo Valera, que se coloca al lado de los místicos españoles, se pone también junto a Schelling. Así, dice (4):

> «He notado, por otra parte, que casi todos nuestros místicos convienen en un punto en que se tocan con Schelling, según lo que usted ha explicado; es a saber: en que por cima de la razón o del discurso, que entiende por imágenes y por conceptos, hay en nosotros una facultad que llaman entendimiento supremo, *ápex de la razón* y vista sencilla de inteligencia, la cual ve y conoce y entiende sin necesidad de conceptos ni de imágenes.»

Vemos que alude al problema de la intuición. Es aquí donde ve la analogía, pues asimila su concepto de la fe al de la intuición intelectual de Schelling. Intuición que, por otra parte, encuentra también en Gioberti y Emerson (5):

> «Y, por último, muy por cima del alma racional está lo que apellidó Gioberti *sobreinteligencia*; Emerson, *sobrealma*, y los místicos, centro, abismo, ápice de la mente, donde ya el alma da todos estos fenómenos, que ha ido recogiendo, clasificando, agrupando y, en cierto modo, creando un fundamento o *substractum*, que llama mundo.»

(4) O. C., T. II, p. 1536 *(El racionalismo armónico)*.
(5) O. C., T. II, p. 1600 *(Metafísica a la ligera)*.

Razón ésta por la cual sintió siempre particular afecto por estos dos filósofos, Schelling y Gioberti. En cierto modo se sentía muy afín a ellos. Esta afinidad la volvemos a comprobar cuando habla de Goethe. Suele decirse que Schelling es el correlato filosófico de Goethe. Pues bien: en el estudio que nuestro autor hace de Goethe, parece como si intentase componer su autorretrato intelectual (6). Cuando se expresa en torno a sus ideas religiosas y estéticas, está exponiendo don Juan de alguna manera las suyas propias. Nuestra opinión es que la influencia de Goethe en Valera fue importante, sobre todo en el terreno de las ideas estéticas. Dirá así, por ejemplo, de Goethe (7):

«Sin fe viva en nada sobrenatural, fijo y concreto, no es fácil que se eleve Goethe a superiores esferas a no ser por el ordenado empuje del entendimiento discursivo. Tal vez no percibe la unidad soberana; tal vez no es hondo en él el sentimiento moral; tal vez las más nobles cuerdas faltan a su lira. Escritores mucho más pobres de ingenio tienen acentos más penetrantes y tocan y hieren mejor el alma humana. Pero Goethe se adelanta a los demás poetas de su época, y aun a no pocos de las pasadas, porque todo lo comprende y de todo se vale hábilmente para su poesía. Sus últimas creaciones parecen el resultado de ochenta años de observación y de estudio. Hechos inconexos, doctrinas, experimentos y especulaciones; todo se baraja y se agrupa con cierto orden en torno de una idea capital: la equivalencia de los tiempos, la afirmación de que las desventajas de una época existen sólo para los espíritus débiles y enfermizos, la negación de que nuestra edad sea la edad de la razón por contraposición a la edad de la fe y el convencimiento de que la fe y la razón viven en perpetuo sincronismo; de que la poesía y la prosa de la vida se compenetran y funden; de que el mundo es joven y la Humanidad casi niña, y de que los patriarcas, videntes y profetas se entienden con nosotros a través de las edades, y nos saludan y nos alargan la mano, y nos animan a tener confianza y a escribir nuevas Biblias y a unir la tierra con el cielo.»

En este sentido, recordemos que el arriba citado «argumento teleológico» acerca de la armonía de los seres, y su sola captación por medio de la poesía, de la intuición estética, está extraído de las concepciones acerca de la Naturaleza de Goethe y Schelling.

Especialmente Goethe es un verdadero modelo vital e intelectual para Valera. Si a alguien quería parecerse, es al genial Goethe.

O sea: don Juan defiende una filosofía de la fe, de la fe artística, que asimila fundamentalmente a Schelling, Goethe y Gioberti.

Independientemente de lo que hayan sido estos escritores, don Juan nos dice, aunque de modo indirecto, que su pensamiento es análogo al de aquéllos. Y también, análogo a las ideas de los místicos españoles del Siglo de Oro.

Confirma esta analogía el carácter de la intuición o fe que defiende: como hemos visto, y como veremos aún más, es de carácter estético. Para Schelling el arte es el órgano del conocimiento. Para Valera, según se desprende de sus textos, también.

Valera, pues, según su interpretación de Schelling, defiende la evidencia de una intuición que capta la realidad poéticamente como totalidad. Así

(6) *Sobre el «Fausto», de Goethe,* O. C., T. II, pp. 525-47.
(7) O. C., T. II, p. 530.

parece desprenderse de lo que escribe en su lección segunda sobre *La filosofía del arte* (8).

Veíamos antes, también, que la fe que defiende Valera se define por tener una marcada orientación estética, en el sentido de que la fe religiosa y la imaginación artística marchan al unísono, e incluso llegan a identificarse en virtud de su esencia: consisten en una intuición, algo que está más allá de toda razón y toda ciencia.

El objeto del arte, como el de la religión, es la búsqueda de la esencia de los seres, que es incognoscible. Por encima de la cortedad de la razón se levantan la religión y el arte. Es esto algo que repite constantemente Valera (9).

La orientación estética de su fe la podemos observar en lo indiscriminadamente que utiliza los conceptos de fe religiosa y de arte. En algunos lugares, que veremos, hace alguna distinción, si bien poco esencial, entre los dos conceptos. Lo esencial es que tanto uno como otro sirven para lo mismo, y casi con los mismos medios. Véase un ejemplo (10):

> «Si, por desgracia, predominase el escepticismo entre los hombres, si acabase toda fe y si por medio de la ciencia llegasen a ser clasificadas prosaicamente las cosas todas y a perded en apariencia su misterioso encanto, siempre quedaría dentro de esas mismas cosas una sustancia ignorada, llena de oscuridad y de milagros, de la que sólo percibimos algunos accidentes por medio de los sentidos, y de cuyo ser sabríamos sólo lo que de aquellas percepciones pudiera deducir e idear el entendimiento, con arreglo a sus leyes.»

La poesía es el medio de acercarse a este terreno misterioso, y de este modo es también lo que sirve, como la fe religiosa, para ahuyentar el espectro del escepticismo (11). La poesía es

> «medio de acercarse a lo eterno y a lo absoluto, por una de sus manifestaciones y por uno de sus resplandores: la hermosura.»

Véase, pues, cómo para él la poesía y el arte tienen una función religiosa. Y cómo también la religión es algo, recíprocamente, estético. Pues en el fondo se tratan de lo mismo (12). También sus efectos son idénticos: ambos conducen al amor, al optimismo y son una tabla de salvación contra los males que acarrea el escepticismo.

Por otra parte, ya dijimos antes que Valera hace una distinción entre religión y arte: pero es inesencial. Se diferencian en la pura externidad que recubre la función de la fe: en virtud de la cual, el arte antecede a la religión. Es una propedéutica para la mística religiosa, en palabras de Valera. Ello se debe a que la distancia entre el momento artístico y el momento religioso en la captación de lo Absoluto es puramente cuantitativa (13).

Sin embargo, aquí Valera es bastante confuso, como en todas sus reflexiones filosóficas. Pues cuando parece aproximarse a posiciones que re-

(8) O. C., T. III, especialmente en pp. 1440-3.
(9) Véase, por ejemplo, en O. C., T. II, p. 17, p. 18 y p. 1416 *(El romanticismo en España)*.
(10) O. C., T. III, p. 1063 *(La poesía popular y la lengua castellana)*.
(11) O. C., T. III, p. 1063.
(12) O. C., T. III, p. 1090 *(La libertad en el arte)*.
(13) O. C., T. III, p. 1445 *(Filosofía del arte)*.

cuerdan las de Hegel, la diferencia entre arte y religión, sobre ser cuantitativa, es también cualitativa. Cuando decide expresarse en términos de
Hegel, constituyen el arte y la religión dos momentos distintos: la misma
fe adopta un revestimiento instrumental distinto: la religión es un momento
subjetivo, y el arte es el momento objetivo en el desenvolvimiento de la
idea.

Esta diferenciación tiene lugar cuando Valera pone en relación los conceptos de verdad, belleza y bondad, que se constituyen en el núcleo de su
filosofía perenne. Entonces decide nuestro autor a veces ser hegeliano y
distinguir tres momentos lógicos según el proceso de la idea. En otros casos,
que suelen ser la mayoría, incurre en el intelectualismo quasi-milagroso de
considerar los tres en íntima unidad.

De cualquier modo, esto no es esencial en Valera, y tampoco lo es para
nosotros. Nos interesa porque... esta unidad es lo que va a sustentar la
autonomía del arte con respecto a los dos conceptos restantes: la sabiduría
y la moral. Dice Valera (14):

> «Busca el poeta lo bello, y al encontrar lo bello, encuentra la
> verdad y la bondad, que en la esencia de lo bello están sustancial-
> mente. El hombre virtuoso hace una buena acción, y en esta acción
> hay hermosura; porque el triunfo de la ley moral es hermosísimo.
> El sabio descubre una nueva verdad, y esta verdad ha de ser infali-
> blemente buena y hermosa. La verdad, la bondad y la hermosura son
> accidente de la misma sustancia. Si pudiéramos conocer esta sustan-
> cia y elevarnos a ella inmediatamente, no habría necesidad ni de
> ciencia, ni de virtud, ni de poesía: las tres se confundirían en una
> sola, y nosotros, en la sustancia infinita.»

Así pues, como toda obra bella implica su bondad y su autenticidad intrínsecamente, es innecesario, e incluso contraproducente, sostener artifi-
cialmente un arte al servicio de determinados ideales éticos. Es en este
punto donde se fundamenta la autonomía del arte. Así, explica el proceso
de la autonomía de estos tres conceptos Valera (15):

> «Por el contrario, no bien la ciencia, la moral y el arte alcanzan
> cierta elevación, dejan de prestarse auxilio, se hacen independientes,
> ponen y buscan su fin en ellos mismos, y adquieren, digámoslo así,
> una inutilidad sublime. Dejan de ser serviles y son liberales. La cien-
> cia entonces busca y tal vez halla, la verdad, meditando desinteresa-
> damente y tratando de descubrir los más hondos arcanos, sin el
> menor propósito de que el descubrimiento valga luego para nada
> que no sea la satisfacción misma que de poseer la verdad se origina.
> De igual suerte la moral elevada, si no prescinde, echa a un lado y
> pone como en segundo término todas las ventajas que pueda oca-
> sionar o causar el ejercerla, y tiene por único, o al menos principal
> objeto, la satisfacción semidivina de obrar el bien con la más com-
> pleta independencia de toda mira interesada, así en esta vida como
> en la otra, así para el individuo como para la colectividad de cuantos
> son los seres humanos. Y la poesía, por último, deja ya de atender
> a lo útil: no teje, ni guisa, ni edifica viviendas; ni trata siquiera de
> moralizar ni de enseñar verdades, sino que poniendo en ella misma
> su fin, aunque nada desecha y se valga de todo, tanto de lo creado
> cuanto de lo increado, tanto de lo real cuanto de lo ideal, como ele-

(14) O. C., T. II, pp. 18-9 (El romanticismo en España).
(15) O. C., T. II, p. 918 (La moral en el arte).

mentos y materia de lo que produce, no tira a producir sino la belleza y no anhela a infundir en los ánimos más el puro y desinteresado sentimiento que nace de verla y de admirarla. Esto es lo que se llama el arte por el arte.»

Es decir: al nivel de la realidad artísticamente creada, el arte es autónomo. No se somete ni a moraleja ni a ciencia alguna. Es el arte por el arte, la idea pura de lo artístico. Aunque finalmente estos tres conceptos, por su idéntica esencia, concurran en la unidad superior de lo absoluto. Sigue Valera (16):

«Ha de entenderse, con todo, que los tres separados caminos por donde va el espíritu humano no siguen en divergencia constante y separándose siempre hasta lo infinito, sino que al cabo convergen y vienen a coincidir en un centro o foco único de perfección absoluta, donde la verdad, el bien y la belleza carecen de distinción sustantiva, y son calidades, potencias y atributos de un solo sujeto. Por donde, considerada la ciencia en lo sumo de su elevación, es igualmente buena y hermosa, y la moral es la misma verdad y la misma poesía, así como la poesía no puede menos de ser entonces el celestial y purísimo resplandor de la verdad y del bien absolutos. Mirada, pues, la poesía desde su punto más elevado, basta decir que es poesía para afirmar implícitamente que es verdadera y buena, así como toda alta moral y toda ciencia superior y profunda son poéticas en el mayor grado.
(...)
De idéntica manera toda poesía perfecta, hasta donde la perfección cabe en lo humano, es verdadera y moral, contiene verdad y bien, está en plena concordancia con la moral y con la ciencia. Y a mi ver, dicha concordancia aparecerá con tanta mayor claridad y brillantez cuanto menor sea el propósito del poeta de sostener una tesis, de dar lecciones de moral o de enseñar científicamente esto o aquello.»

Veremos en su momento que éste es uno de los postulados fundamentales de la estética valeresca frente a la estética positivista. De ahí la importancia de señalar su origen vinculante con el núcleo de la filosofía de Valera.

La tríada que es el centro de la filosofía perenne de nuestro autor, que constituye lo Absoluto, como ya hemos expuesto páginas atrás, se capta por medio de la intuición, de la fe.

En este punto del desarrollo de los conceptos de Valera nace la idea para nosotros más relevante de toda su estética: vamos a ver cómo el término de la cadena de conceptos de su filosofía del arte va a dar en una estética del subjetivismo: el concepto de mímesis de la realidad que se desprende de ésta es subjetivista.

Pues a partir de lo que acabamos de exponer, y que tiene su fundamento en el camino hacia el irracionalismo que Valera ha elegido, el proceso va a seguir los pasos del misticismo. Valera va a oscilar entre dos extremos: la afirmación del mundo objetivo, de un lado, y la afirmación de la subjetividad como realidad única y total, del otro. Por el primer camino pudo llegar a Hegel. Sin embargo, su instintiva desconfianza en todo sistema filosófico, y su temor a incurrir en el compromiso por una idea, le llevan

(16) O. C., T. II, p. 918 (La moral en el arte).

a repugnar esta solución. Valera no se hace hegeliano. Y tras algunas vacilaciones, y mucha confusión, viene a dar en el subjetivismo. Ello se debe a que su aceptación de la epistemología kantiana es lo que más pesó. Para Valera la afirmación de la presencia de las categorías en el entendimiento humano significó concebir el mundo como una producción del espíritu. Si bien esto aparece en cierto modo mitigado por un intento, fallido, de inyectarle algo que quería parecerse a la dialéctica.

Lo veremos al estudiar los conceptos de belleza y de arte de Valera.

La naturaleza del arte para don Juan es de carácter místico. Después de lo que hemos estudiado acerca de su epistemología, y conociendo los esquemas de don Juan, es lógico que así aparezca.

Es importante señalar la relevancia que concede Valera a las facultades afectivas en el proceso de la creación artística. El arte es la manifestación sensible de la idea. El alma humana capta esta idea por medio de la fe, de la intuición. El alma se siente movida por el amor a esta idea para captarla. Esto, no es otra cosa que lo Absoluto, o sea, Dios. Véase, pues, cómo se desarrolla el misticismo estético en Valera. Pues la belleza, objeto supremo del arte, es algo esencialmente amoroso (17):

> «Acaso en su voluntad (la del artista), en el amor, que es *apetito de belleza*, reside el resorte, la fuerza, el principio del arte, que nos hace buscar lo bello en sí, lo bello ideal, realizándolo algo en las bellezas particulares.»

La fuerza elemental que mueve el alma hacia la belleza ideal es el amor. Esta belleza ideal es algo que yace en el corazón de todos los hombres. Se halla en el fondo del corazón humano en forma de leyes ideales, principios congénitos de la mente.

La belleza para don Juan es algo esencialmente indefinible. Así se deduce de su estudio *La libertad en el arte* (18). A lo sumo, todo lo que puede decirse de la belleza es que consiste, de alguna manera, en (19):

> «un sentimiento común de los hombres superiores, en el que asienten los demás, viniendo a corroborarse por la aprobación y el acuerdo de muchas generaciones a veces, y viniendo a sustentarse, más que en demostración, en fe o en creencia.»

Y añade luego (20):

> «La hermosura no se demuestra, se siente, y sólo el que la crea en sí la siente fuera de sí.»

Gracias a lo cual, a que es un sentimiento sumamente vago, carece de normas y reglas que lo determinen (21):

Con este concepto de belleza, pues, Valera defiende toda libertad artística, sin más fuero que el buen gusto y el sentido común. No entremos,

(17) O. C., T. III, p. 1089.
(18) O. C., T. III, pp. 1088-96.
(19) O. C., T. III, p. 1090.
(20) O. C., T. III, p. 1090.
(21) O. C., T. III, p. 1091.

sin embargo, a ver cómo debe operar el artista ante esta belleza, cómo debe materializarla, dada su esencia.

Sin embargo, a pesar de que la belleza es indefinible, existe algo, una ley, que reside en el alma humana y que es capaz de discernir, en el mundo natural, entre lo bello y lo feo (22):

> «Lo cierto es que el criterio con el que se juzga de las cosas de arte se funda en el sentimiento más que en los principios. Las reglas, los preceptos, sirven, sin duda, para las cosas que son de sentido común, que están por bajo del arte, mas no para el arte mismo.»

> «La belleza absoluta no se comprende y, por tanto, no se define. Se concibe, sí, y esto basta para afirmar su existencia. Por otra parte, yo no podría, a no suponer su existencia, bien sea de modo hipotético, explicarme una serie de hechos indudables. Luego la belleza absoluta debe existir, y su existencia puede, hasta cierto punto, demostrarse *a priori*.

> Aun partiendo de los principios mismos de que ha partido el filósofo más escéptico; aun diciendo con Hume que no hay más que *cosas de hecho y relación de ideas*, siempre tendremos que confesar que la ley de esa relación es absoluta, viene al alma directamente y no por los sentidos, y en cierto modo preexiste en el alma. La belleza absoluta que en sí misma no comprendemos ni definimos es, pues, la ley que nos obliga a declarar bella una cosa que está de acuerdo con la idea de esa misma belleza absoluta, o a declararla fea cuando con ella no está de acuerdo.»

Texto éste en el cual Valera trata de probar que siendo la belleza un *a priori*, no puede demostrase sino *a posteriori*. Se trata, pues, del esquema valeresco sobre la demostración de la existencia de Dios.

En otro lugar insiste en este hecho: y analiza la teoría de los tipos ideales, que residen «in mente» antes de toda experiencia. Y que termina rechazando (23).

De todos modos, lo cierto es que (24)

> «a fin de elegir lo mejor y más perfecto de lo real y formar lo ideal con ella, debemos poseer un criterio, una regla que venga a ser, no idea innata de una cosa o de otra, sino forma congénita de la mente, por cuya virtud se concibe una belleza universal, de la que, siempre que las cosas participen más o menos, se dice que son bellas.»

Y tras rechazar las tesis de Kant en este punto (25), y tras repasar las diversas nociones que los filósofos han dado a lo largo de la historia sobre el problema aquí tratado, concluye (26):

> «No sabemos, pues, lo que es la belleza. El signo característico más seguro para reconocerla está no en su esencia, para nosotros desconocida, sino en el efecto capital que en nosotros produce. Este efecto es el amor puro, desinteresado, extraño o, mejor dicho, superior a todo anhelo o deseo de poseer el objeto bello y amado, cuya mera

---

(22) O. C., T. III, pp. 1446-7 *(Filosofía del arte)*.
(23) O. C., T. III, p. 1459. Véanse también O. C., T. III, pp. 1440-3 *(Filosofía del arte)*.
(24) O. C., T. III, p. 1460.
(25) Recordemos en este sentido lo que decía el profesor Tierno Galván con respecto a lo que Valera entendía por apriorismo kantiano, en op. cit. ,p. 109.
(26) O. C., T. III, p. 1462.

contemplación produce deleite, que puede subir hasta ser bienaventuranza.»

Es decir: la belleza se conoce por sus efectos, y éstos consisten en una sola cosa: *el amor platónico*. Y tras analizar la relación entre lo bueno y lo bello, aún avanza Valera en la determinación del concepto de belleza hasta el borde mismo de lo indeterminable. Y aquí tenemos que volver a recordar todo lo que decíamos en el apartado anterior: es algo divino, algo inalcanzable si no es por la fe (27)

> «Resultado de todo nuestro estudio dialéctico es esta definición de la belleza: belleza es el resplandor de la bondad intrínseca, cuya mera contemplación produce puro deleite y amor desinteresado; pero aun creyendo que esta definición es la menos mala, todavía declaramos ingenuamente que al darla no hacemos sino alejar la dificultad, llevar la incógnita a otro término y no despejarla. ¿Qué es esa bondad intrínseca que, prescindiendo de utilidad, provecho o conveniencia, hay en las cosas, en unas más y en otras menos, y que da alguna luz de sí en todas ellas para los ojos penetrantes de todo noble espíritu humano? A esto menester es contestar que no sabemos qué pueda responderse, si no decimos con sentimiento religioso que esa bondad intrínseca es el sello, es algo mismo de Dios, que el mismo Dios pone en las cosas, porque está en ellas y porque las crea.»

Recordemos también en este punto lo que decíamos al principio de este apartado sobre la identidad de fe y fantasía, pues vemos que para Valera son facultades sustancialmente idénticas. Una y otra vez lo repite.

Quedamos, pues, en que, si bien hay unas leyes en la mente, totalmente aprioristicas, que nos sirven para determinar las cosas bellas, no sabemos en cambio qué es belleza, como no sabemos qué es Dios, sino *a posteriori*, es decir, por sus efectos.

Es preciso ver, entonces, cuál es la naturaleza del arte, dado que es en la actividad artística donde se materializa la belleza. Ya veíamos que el arte tiene por móvil supremo el amor, y que la captación de la idea de la belleza es un proceso intuitivo.

Es preciso ver entonces cómo se desarrolla este proceso, y qué efectos tiene.

El arte, la creación artística, es el proceso mediante el cual se hace sensible la idea, según Valera.. Veamos cómo explica este proceso (28):

> «el arte tiene por objeto o, mejor diré, tiene por causa principal lo bello ya nuevamente inteligible, ya realizado en la Naturaleza. El alma, sin lo bello e inteligible que viene a ella inmediatamente, no comprendería lo bello sensible que viene a ella por los sentidos, ni se movería a imitarlo, esto es, o revestir su idea de un elemento fantástico y de una forma por medio de la cual puede aquélla, objetivándose, desprenderse del alma para ponerse en relación con las de los demás hombres y ganar vida inmortal e independientemente de la que la creó, encerrándose de un modo misterioso en un papel, en un mármol o en un lienzo.
>
> En lo bello, por tanto, pueden considerarse tres momentos de ser: uno, meramente inteligible, y entonces es objetivo —porque está

(27) O. C. T. III, p. 1463 *(Filosofía del arte)*.
(28) O. C., T. III, pp. 1440-1 *(Filosofía del arte)*.

en lo absoluto y no en nosotros—; otro, entendido o comprendido, y entonces puede juzgarse subjetivo; otro, por último, realizado en la Naturaleza o en el arte, o dígase objetivado en el Universo visible. Pero en los tres momentos, o aunque no admitamos más que aquel en que comprendemos lo bello y que nos parece como que forma parte de nuestra alma, siempre, si interrogamos detenidamente nuestra conciencia, ella nos dice que lo bello es independiente de nuestro ser, y que, si no es en otro ser, sino un modo, este modo emana de otro ser más alto que el hombre; por eso en la lección pasada definí lo bello: *el resplandor del ser*. Todas las bellezas del mundo y la belleza del alma humana, sin la cual no comprenderíamos la del mundo, están en él y en el alma humana por participación o como reflejo de la belleza divina.»

Y ya vemos en este texto, cómo Valera, en la búsqueda de una salida hacia la objetividad del hecho artístico, se aproxima al concepto de Hegel, más esencial que literalmente también; y también hay que señalar el carácter de misterioso que concede a este proceso. Pero, en virtud de esto último, y de la necesidad de afirmar el carácter personal del ser divino, y sobre todo, por la aceptación de la configuración categorial del entendimiento humano, que ya vimos no sólo en el apartado anterior, sino también al analizar su concepto de belleza páginas atrás, lógicamente Valera resuelve todo el proceso en una instancia mística: la belleza de los seres es reflejo de la belleza divina. La obra de arte no es más que una captación de lo divino en los seres naturales.

En la medida en que la forma sensible la adquiere la idea por medio de las imágenes que percibimos en el mundo natural, todo arte es imitación de la Naturaleza.

Lo misterioso de toda creación artística reside en que tanto las leyes de la Naturaleza, que son imitadas, por el arte, como los cánones de la imitación, están en último término en Dios. Resulta así no sólo misteriosa la creación artística, sino milagrosa (29):

«Las leyes del arte, como las leyes de la Naturaleza, estaban en Dios antes de ser conocidas del hombre; y no sólo estaban en Dios, sino que asimismo estaban en la Naturaleza y en el arte, y las cosas inanimadas y las inconscientes las cumplían, y los seres dotados de entendimiento las cumplían también, como por instinto, aunque apenas entendiéndolas aún, a no ser de un modo confuso.»

Es el arte, pues, un verdadero milagro. Es Dios quien decide todo el proceso de lo artístico en última instancia. En este sentido, es algo sobrenatural. Por eso dice en otra parte Valera (30):

«De esta suerte, el arte es sobrenatural y no lo es. El arte enmienda a la Naturaleza y no la enmienda. El arte es más que la Naturaleza y no es más. El espíritu no debe considerarse fuera de la Naturaleza; el espíritu la completa y le da vida. En los objetos naturales e inanimados no hay belleza cuando no hay el espíritu que les presta el hombre al contemplarlos, percibiendo allí el orden y la armonía.»

(29) O. C., T. II, p. 294
(30) O. C., T. III, p. 1063 (*La poesía popular y la lengua castellana*).

Y es éste el punto hasta el cual llega el desarrollo del proceso artístico. Este es ya el final. Es decir: como señalábamos antes, desemboca en el subjetivismo. Al introducir Valera la subjetividad del artista —es decir, el espíritu—, en la Naturaleza, trata de conformar un concepto de mímesis subjetivo. La Naturaleza, como dice nuestro autor, es transformada por el arte. La imitación de la Naturaleza que hace el arte es una imitación espiritual, idealista. Lo que el artista copia o imita es el reflejo de lo absoluto en lo real, es el «resplandor del ser», lo bello. En último término, lo que imita el artista es la presencia en forma de reflejo de la divinidad hecha sensible en cada ser sobre la tierra.

Se trata de dar cabida al subjetivismo: y esto se efectúa de la siguiente manera. En la medida en que los cánones, las leyes del entendimiento, las categorías del sujeto, formalizan la realidad exterior dándole la esencia, puesto que los seres reales en sí no los conocemos, el mundo se nos revela como producción del espíritu. Mundo que, en virtud de la existencia y la presencia de un Dios, que es preciso intuir, tiene las mismas leyes —que son categorizables por el entendimiento humano—, que el espíritu. Es decir: Dios, el ser ignoto que es preciso conocer por fe y amor, ha puesto en el mundo las leyes que lo gobiernan, y en el hombre los cánones que captan esas leyes, que las asimilan, y que así proceden a espiritualizar la realidad exterior, que es para Valera el acto mismo de dar forma, formalizar o categorizar, esa realidad. En ese acto de la formalización de la realidad exterior el espíritu le da esencia, espiritualiza a la realidad sensible, a la naturaleza.

Es Dios quien sostiene, pues, la naturaleza a través de la encarnación de su Espíritu en el hombre. Es el proceso de los tres momentos que quasi-hegelianamente señalaba Valera en el texto arriba citado. Pero que resulta fallido.

Pues en la medida que el hombre es partícipe del espíritu divino, y en la medida que el mundo recibe su esencia del hombre, y se diviniza a través del hombre, da cabida Valera al subjetivismo. La mímesis artística es un proceso de formalización de la realidad en el seno del espíritu humano. El artista capta la realidad: su alma contiene los cánones que deciden sobre lo bello y lo feo en la realidad exterior, y en virtud de éstos toma de los seres el halo mágico que la divinidad, a través del espíritu del artista, les da.

Así es el proceso que Valera describe, y que tiene como meta el subjetivismo estético. El objeto del arte es la belleza, y es el espíritu quien decide sobre ella. Es más: quien, en último término, la produce. Pues el mundo, con estar legislado, es un ente esencialmente pasivo, que adquiere objetividad sólo si el sujeto, por medio de sus categorías, sus cánones, sus formas en el entendimiento, se lo confiere.

Dominando toda la esencia del proceso productivo del arte está Dios, que es quien da ser tanto al objeto como al sujeto. Pues ambos están en El, y en cierto modo identificándose en El.

Vemos, pues, que Valera ha tomado a su aire conceptos de Kant, Schelling y Hegel y que ha hecho de sus pedazos el torbellino de ideas que es, en fin de cuentas, su filosofía perenne.

Así, el fin de todo este entramado conceptual no es otro que el de expresar una estética formalista y subjetivista, con bastante misticismo y mucho de milagrería, según la instancia profundamente irracionalista que le sirve de fundamento.

El salto que da Valera del agnosticismo al irracionalismo es lo que, en último término, da base a todo este conjunto de ideas.

Mas lo que por ahora importa señalar es lo injustificado de este salto, en la perspectiva de de las vivencias de don Juan. Volvemos a repetir una vez más que Valera era escéptico, vitalmente escéptico, y que en buena lógica no podía creerse lo que dijo. Su salto al misticismo era para él un salto en el vacío. Con el sentido común justificó eso y todo lo demás. Con el sentido común justificaba cualquier ingeniosa pirueta de la razón. Con el sentido común ha justificado, en último término, el subjetivismo en la teoría estética.

Buena prueba de ello la tenemos en que procediendo Valera paso a paso por el camino de la justificación del amor platónico, después no hace más que burlarse de él, en su vida y en su obra. Y procediendo asimismo paso a paso por el camino de la justificación de la mística, su vida no es otra cosa que una burla constante de todo misticismo. Y aun su obra.

Esto es importante, pues, como ya hemos dicho antes, pone de relieve el carácter ideológico de su expresión tanto en el plano religioso como en el estético. Lo vivido y lo expresado están en franca contradicción: y esto es muy significativo. Significa que Valera expresa una ideología, o sea que, para expresarnos en los términos más generales posibles, defiende un interés. Cuando la teoría se sustantiva, y deja de promover una práctica, cuando ya no sabe organizar y orientar una actividad que tenía que salir de la propia entraña de su objetividad, se llama ideología. Ya no responde a la necesidad de verificar en la actividad sus propios postulados. Responde, de una manera general, a un interés. Y entonces se convierte en justificación.

Esto es lo que ocurre con Valera y su doctrina del arte. Ya tendremos ocasión de comprobarlo.

Por lo demás, puede decirse que la mayoría de los errores que se han producido en los estudios y valoraciones que se han hecho sobre don Juan nacen de no reconocer esta duplicidad suya. Así, trabajos tan meritorios como los de Jean Krynen que, poniendo de relieve la identidad valeresca de fe religiosa y fe estética, y haciendo un fino análisis del complejo mundo de las ideas de Valera en torno a su concepto de arte, busca una base sentimental y psicológica para aquéllas, asimilándolas a su vida (31). Con lo cual se produce una mistificación de su personalidad, pues, como hemos señalado, los dos términos de su esteticismo, que son el misticismo y el amor platónico, quedan bastante mal parados en vida y obra. A la luz de *Asclepigenia* y de *Pepita Jiménez*, por no citar más que dos de las joyas que nos dejó Valera, no se pueden admitir sin extrañeza las conclusiones de Krynen.

Los análisis de Manuel Azaña (32) y Robert Lott (33) nos ponen en el camino del conocimiento de esta contradicción de Valera, aunque estos trabajos no busquen del todo resaltarlo, y aún menos interpretarlo.

Si nembargo, quien intuye ya con cierta relevancia el proceso contradictorio entre las ideas de don Juan y sus vivencias es el crítico italiano

(31) *L'esthetisme de Juan Valera*, en «Acta Salmanticensia», Universidad de Salamanca, T. II, núm. 2, 1946; *Juan Valera et la mystique espagnole*, en «Bulletin Hispanique», LXVI (1944), pp. 35-72.
(32) *«Asclepigenia» y la experiencia amatoria de don Juan Valera*, en «Plumas y palabras», Barcelona, Grijalbo, 1976, pp. 85-101.
(33) *Language and Pnychology in «Pepita Jiménez»*, op. cit.

P. Mazzei, con ocasión del estudio de sus poesías (34). Así, podemos leer (35):

«In Valera, c'era si una tendenza volontaria e involontaria all'idealismo, ma quella tendenza era ancora più volontà che instinto, era ancora più imitazione che convinzione, perchè la sua vita era una vera realizzazione del tipo classico dell'homo imperturbabile; c'era in lui molto ottimismo che voleva passare per scetticismo; c'era mancanza del senso eroico della vita; tutto calcoleva pazientemente, ne si lasciava mai prendere la mano del sentimento.»

«In filosofía errava ancora tra Kant, Hegel, Gioberti e il platonismo; in arte vagava incerto tra i postulati classici e le acquisite teorie estetiche romantiche, passando da i postulati dell'una a quelli dell'altra di quelle teorie con grande ed incosciente facilità. Così pure vagava incerto nella vita, sia nella morale teorica sia nella prattica; ora delirava per passioni ideali, ora si faceva cogliere molto in basso.»

En otro lugar concreta más (36):

«Il disaccordo tra intelletto e cuore, tra ideali filosofico-poetici, e vita pratica, cioè il fluttuare incerto tra l'ideale e il reale, senza posarsi nè nell'uno nè nell'altro, mostrano come ancora poco nutrita di convinzioni forti fosse l'anima sua, come ancor fiacca fosse la volontà: la sua poesia mostra al tempo stesso la crisi essere più d'intelletto che di coscienza, mentre il poeta vorrebbe farci apparire tutto il contrario: cossi la simulazione e l'incertezza formano la debolezza del suo carattere e della sua poesia.»

Pues bien: las ideas estéticas y religiosas de Valera se expresan en sus dos poesías: y ya vemos con qué verdad (37). Conociendo don Juan que la moda, al menos en poesía, era la de expresar desesperadamente anhelos vitales más allá de toda medida, según determinados tópicos románticos, los finge. Pero es el caso que Valera intelectualmente se sitúa en este medio ideológico: su estética, en algunos aspectos, es la más viva expresión en la España de entonces del idealismo clásico alemán. Ese idealismo quiere transcribirlo en su poesía. Valera se finge a sí mismo héroe prometeico. Pero esto es puro juego.

En definitiva: Valera no se cree lo que dice. Expresa ideas filosóficas, religiosas y estéticas que no se cree en absoluto. Es la vida en franca contradicción con las ideas. Eso tiene una finalidad, que ya veremos en su momento.

En este sentido es como debemos interpretar también las palabras de Clarín (38):

«La filosofía de Valera es una filosofía de adorno.»

Y las de Palacio Valdés (39):

(34) *La lírica di Don Juan Valera*, en «Bulletin Hispanique» XXVII (1925), pp. 131-63.
(35) La cita es de las páginas 133 y 134 de su trabajo. También, Pardo CANALÍS, en *Valera y la sátira*, en «Revistas de Ideas Estéticas», X (1952), núm. 40, p. 438, nota la contradicción en sus poesías.
(36) P. MAZZEI, op. cit., p. 136.
(37) También lo pudimos comprobar en sus cuentos, según hicimos en el que fue nuestro trabajo de licenciatura.
(38) *El libre examen y la literatura presente*, en «Solos de Clarín», Madrid, Alianza, 1971, página 73.
(39) *Semblanzas literarias*, en O. C., T. II, Madrid, Aguilar, 1965, p. 1180.

> «No se vislumbra un rayo de fe, de esa fe que engendra el heroísmo, el amor eterno y el despego de la vida. Sólo se ve una concepción clara y positiva de la existencia, un buen sentido inalterable, una realidad perfecta.»

Que por otra parte también nota Ortega y Gasset, cuando nos dice cómo entendía Valera la filosofía (40):

> «... la metafísica, entendiéndose la filosofía, no es sino una religión más clarificada y un lujo que sólo conviene que gasten los ricos.»

También nota en parte la contradicción don Ramón Pérez de Ayala, aunque de un modo evasivo: pues parece como si no se atreviera a desvelar la contradicción en su cortante realidad, y comete, también en parte, el error de Krynen, al asimilar las expresiones románticas de la filosofía de Valera a su vida, e introduciendo el dato, también mal interpretado, de su clasicismo como producto de una autocensura consciente debida a su sentid odel ridículo; lo notaría, según Pérez de Ayala, en el contacto con una sociedad en exceso papanata (41).

Opiniones éstas que importaba recoger por la relevancia de sus autores y por la autenticidad, total o parcial, de éstas.

Vemos, pues, que viene existiendo una contradicción entre lo que Valera dice y lo que siente, y que esto se produce en muchos temas (literatura, política, religión, filosofía...). De todo esto nos importa el hecho de que esta contradicción significa algo: desde el momento en que don Juan cuenta cosas que no siente, en que las ideas se sustantivizan en relación a la vida, éstas toman una función que es ajena a la individualidad más elemental de nuestro autor. Las ideas no son expresión de las vivencias, no son su formulación intelectual. Lo que don Juan siente pocas veces lo dice. Sus ideas no son ya una expresión racional de las vivencias (42).

Sin embargo, el mundo del pensamiento, de las ideas, no es ni mucho menos ajeno a la vida. Sólo que si en Valera el pensamiento no se encuentra radicado en su intimidad, en su vitalidad autoconsciente, hemos de buscar su raíz en otra parte. Hemos de buscar allí donde se origina el núcleo mismo de la contradictoriedad: en la presión social. Es, pues, la ideología lo que hay que investigar.

Por lo demás, en las páginas anteriores no hemos pretendido hacer una lista o un resumen de las ideas estéticas de Valera. Sólo hemos tratado de ver cómo tiene lugar el tránsito de epistemología a la estética. No nos importa, pues, la sustantividad de cada una de ellas, sino cómo se va desenvolviendo la cadena de sus conceptos sobre filosofía del arte, para ver dónde comienza, cómo se desarrolla y dónde acaba, sin entrar en los pormenores.

La razón es obvia: para esto último hay ya excelentes trabajos que sería

(40) *Una polémica*, en O. C., T. I., Madrid, Revista de Occidente, 1946, p. 162.
(41) *Don Juan Valera*, en «Divagaciones literarias», en O. C., T. IV, Madrid, Aguilar, 1969, página 915.
(42) Algunos motivos ya los vimos páginas atrás, en el propio Valera, en aquella carta a su sobrino Salvador Valera, de 27 de abril de 1864 en *Correspondencia*, op. cit., pp. 28-9. Azorín casi parafrasea sus palabras en *De Valera a Miró*, op. cit., pp. 35-6.

inútil repetir. Así, remitimos especialmente a los estudios en este sentido más completos: los de Edith Fishtine y Manuel Bermejo Marcos (43).

Tras lo que llevamos visto del pensamiento de Valera, y según la línea de desarrollo que hemos tomado, nos interesa, permaneciendo aún en el nivel intrínseco de las ideas, ver la confrontación que tiene lugar entre la estética valeresca y la positivista. Pues es en esta confrontación donde el desarrollo intrínseco de sus ideas toma de nuevo relevancia para explicarnos, tanto la función de su pensamiento estético como su peculiar manera de hacer literatura.

Aunque el pensamiento no haya intimado con el estilo, con la psicología, con la experiencia del individuo, aunque no haya sido expresión de la realidad de las vivencias, no por eso deja de estar radicado en la vida. Pues bien: es esta la razón por la cual hay que ir a la búsqueda de las motivaciones esenciales de éste.

Vamos a describir, pues, la dinámica de estas motivaciones.

---

(43) *Don Juan Valera, the critic*, Bryn Mawr, George Banta, 1933; *Don Juan Valera, crítico literario*, op. cit. Puede consultarse también MONTESINOS: *Valera o la ficción libre*, Madrid, Castalia, 1970. Es inmensa la bibliografía sobre Valera en este tema, pues en muchísimos trabajos aparecen consideraciones sobre sus ideas estéticas y sobre sus conceptos de arte, novela, poesía... Pero en la mayoría de los casos, trátanse de notas inorgánicas, que por lo común son tópicos de escaso valor tras los cuerpos sistemáticos de estos tres trabajos que dejamos citado.

CAPÍTULO IV

VALERA Y ZOLA: LA RAIZ DE UNA POLEMICA

Hemos visto que la estética de Valera no radica en su personalidad. Sus raíces, entonces, están en otra parte. Pues bien: podemos afirmar que están en su rechazo del positivismo. Su ideario estético se define por su antipositivismo. Por tanto, podemos decir que su origen es esencialmente polémico. Pues esta es la idea fundamental que mueve a Valera a pensar y escribir los conceptos que hemos dejado expuestos.

La naturaleza esencialmente dialéctica de estas motivaciones hemos podido comprobarla a lo largo de sus argumentaciones en torno a la fe y la ciencia, y en torno a la imaginación y el conocimiento empírico. Hemos visto que es el escepticismo el arma más importante de don Juan contra el concepto positivista de ciencia, y que Kant tiene un primer papel como alternativa defensiva en esta lucha por la defensa de ideas que Valera, repetimos, no sentía.

Valera rechaza el positivismo en filosofía, rechaza el realismo y el naturalismo, sin ir a más distinciones, en estética.

Dejemos de momento a un lado la problemática de si Valera es realista o idealista —léase romántico, en el criterio de muchos críticos— para centrarnos por ahora en el estudio de la relación, siempre dialéctica, de oposición, entre los conceptos de arte en Valera y en los positivistas.

De esta polémica nos interesan de un modo más concreto las ideas acerca de la novela en uno y otros, pues aquí yace buena parte del secreto de la literatura de Valera.

Ante todo, es preciso decir que este tema ha sido uno de los más estudiados de la obra de don Juan. Son muchos los trabajos que se han escrito a este propósito. Si bien apenas ninguno de ellos resalta su carácter dialéctico. Pues reconociendo y describiendo la polémica, no suelen señalar el carácter ideológico de ésta, perdiéndose, por tanto, su núcleo, lo más sustantivo y explicativo de ella.

Pero antes de entrar en el estudio de este proceso, conviene resaltar algunos detalles, los más esenciales, de los conceptos expresados por Valera a propósito de la novela (1).

(1) Véanse los ya citados trabajos de MONTESINOS: *Valera o la ficción libre*, op. cit.; Edith FISHTINE: *Don Juan Valera, the critic*, op. cit.; Manuel BERMEJO MARCOS: *Don Juan Valera, crítico literario*. También, Manuel OLGUÍN: *Juan Valera's Theory of Art for Art's sake*, en «The Modern Language Forum», XXXV (1950), pp. 24-3; Emilia DE ZULUETA: *Historia de la crítica española contemporánea*, Madrid, Gredos, 1966, pp. 47-66. También, las siguientes monografías sobre Valera y el naturalismo: Gifford DAVIS: *The Spanish Debate over Idealism and Realism before the Impact of Zola's Naturalism*, en «PMLA», LXXXIV (1969), pp. 1649-56.

Suelen señalar los críticos fundamentalmente dos: son los de que la novela, y el arte en general, no tienen otro fin que el de entretener, de un lado, y el de embellecer, de otro.

Ambos conceptos hunden sus raíces en el ideario estético que hemos desarrollado a lo largo del apartado anterior, aunque pocas veces se hayan señalado por parte de los críticos los puntos de inserción en la cadena de conceptos que desarrolla Valera en torno a la filosofía del arte. Esto, sin embargo, es importante señalarlo. Nada se entiende si se toman sus ideas estéticas a título de repertorio: para entenderlas es preciso verlas desde la idea clave que les sirve de fundamento.

El primero de ellos hace referencia a la autonomía del arte con respecto a todo aquello que, en el sentiro de Valera, le era ajeno: o sea, la moral, la política, la ciencia, la religión positiva... Ya vimos en el apartado anterior en qué punto surge el concepto de autonomía de la función artística. Sin embargo, importa mucho señalar que esta idea de Valera está en intensa relación con la segunda de ellas: el fin del arte es embellecer la realidad. Ambas son recíprocas: entiéndase con ello que tanto la una como la otra se implican.

Pues ambas se hallan contenidas en una sola e idéntica expresión sistemática: el origen de las dos reside en la estética del subjetivismo que ha desarrollado Valera.

Recordemos que para don Juan el mundo es tal en tanto que ha recibido el espíritu divino, o su esencia, por medio de las formas del entendimiento, de las categorías a priori que están en el espíritu humano. Y el arte tiene por objeto, recordémoslo, la captación del divino resplandor de los seres naturales, resplandor que es reflejo de Dios. Se trata de una mímesis de las esencias: de lo que el espíritu pone, de las *ideas*, de aquello que se ha formado en lo más recóndito del espíritu humano. La imitación de la Naturaleza es la imitación de las ideas, de las esencias, del producto inmediato del espíritu, de la Divinidad en el hombre.

Pues bien: de aquí se deducen dos cosas. La primera, que siendo lo bello la esencia misma de los seres, pues es espíritu, no hay más mímesis que la de lo bello. Y lo segundo, que siendo consustancialmente uno lo bello, lo verdadero y lo bueno, toda verdadera mímesis artística es por fuerza buena y verdadera.

Pero todo esto tiene lugar sólo y exclusivamente en el mundo de los conceptos. Se trata del «elevado nivel» de que nos habla Valera. Pues a un nivel más concreto, los caminos se separan hasta dar en la obra de arte concreta, la ciencia empírica y la moral positiva.

La obra de arte, por consiguiente, ha de aproximarse lo más posible a su ideal: a la creación pura, el arte puro, al arte por el arte.

La poesía, el arte, consiste, así, en embellecer la realidad: no tomarla tal cual es, sino transformarla en virtud de su concepto de la mímesis. Dice así Valera (2):

Manuel LLORIS: *Valera y el naturalismo*, en «Symposium», XXV (1971), pp. 27-38. Manuel OLGUÍN: *Valera's philosophical arguments against naturalism*, en «Modern Language Quarterly», XI (1950), pp. 164-8. Aubrey BELL: *Valera and the Classical Novel*, en «Contemporary Spanish Literature», New York, Alfred A. Knopf, 1925, pp. 44-8. Y la recientemente publicada monografía de Luis LÓPEZ JIMÉNEZ: *El Naturalismo y España. Valera frente a Zola*, Madrid, Alhambra, 1977.

(2) O. C., T. II, p. 917 *(La moral en el arte)*. El subrayado es nuestro.

«Claro está que en este significado amplia, poesía es toda operación por la cual *el hombre añade algo a lo natural para hacerlo más útil, más agradable o más hermoso.* Si la mente humana, si el espíritu no se incluyese como parte de la Naturaleza, bien podría decirse que toda obra del espíritu, transformando o modificando las cosas naturales, era obra sobrenatural, ya que sobre la Naturaleza venía a ponerse.»

El acto mismo de dar la esencia a los objetos naturales por medio de la forma, es ya un acto de transformación y de embellecimiento de la realidad. La poesía es forma (3):

«La belleza de la poesía, *que se confunde con la forma*, está en la armonía del metro, en la pureza de la dicción, en el bien concertado artificio de las palabras, de las frases y de los períodos.»

El proceso de subjetivación y, consecuentemente, de formalización embellecedora de lo real, queda definitivamente descrito en este párrafo, que hemos reservado para este lugar (4):

«En suma: la belleza, más o menos unida a una forma sensible, tiene que llegar a nosotros por medio de los sentidos mencionados, el oído y la vista. Ya en nosotros el objeto bello, la imaginación estética se apodera de él y se lo pinta interiormente, y lo ilumina con los rayos de la belleza absoluta y se le presenta a la voluntad para que lo ame, y al entendimiento para que lo juzgue y decida sobre él.

Mientras que el objeto bello no es más que sentido, la calidad de belleza puede ser considerada como subjetiva; puede parecernos un deleite, de que nosotros gozamos y de que tal vez no gocen otros a la vista del mismo objeto; pero en el instante en que el entendimiento dice «esto es bello», ya ponemos en el objeto mismo la calidad de belleza, independientemente de nuestra sensación y de nustro sentimiento; por tal arte, que aunque ni nosotros, ni ningún hombre de los que existen, existieron o han de existir, vea el objeto, el objeto no dejará de contener en sí la belleza que puso en él el artista al poner en él su pensamiento y al hacer de él como una rica emanación de su alma.»

Y concluye el proceso en relación con el problema de la forma. La idea debe de expresarse en una forma, si bien esto es algo tan misterioso que no se entiende más que sintiéndolo. La forma se convierte así en el corolario quizá más importante de toda la génesis del desarrollo artístico. Es su fondo mismo (5):

«Hay, pues, en la forma de la poesía un misterio que no todos entienden. Para entenderlo se han menester, aunque no en tanto grado como para creerlo, amor, imaginación y entendimiento. La mengua o falta de alguna de estas facultades puede hacer que uno no entienda ese misterio.»

Pues bien: el concepto de mímesis como formalización de lo real tiene

---

(3) O. C., T. III, p. 1450 *(Filosofía del arte)*. Subrayado nuestro. Véase también, O. C., T. II, página 134. Dice allí: «La forma, en una palabra, es el alma del poeta.»
(4) O. C., T. III, p. 1450 *(Filosofía del arte).*
(5) O. C., T. III *(Filosofía del arte)*, p. 1451. Véase también la descripción de este proceso en O. C., T. II, pp. 818-20 *(«El verbo de Dios», de Pedro Sala y Villaret).*

sentido de embellecimiento en tanto que queda garantizada la autonomía r-tística. Pues en la misma esencia que el espíritu humano otorga a los seres naturales que van en unidad indisoluble las tres ideas de lo bello, lo verdadero y lo bueno: que a la vez son el núcleo mismo de lo Absoluto.

En su desenvolvimiento pasan por tres momentos distintos. En el primero, en su concreción sensible, ciencia, arte y moral se vinculan por su utilidad. Luego, a un nivel más elevado se separan, para al final constituir las tres la unidad eterna y esencial de lo divino. Veámoslo (6):

«Tenemos, pues, *teoría, práctica y poesía*; y como derivación de las tres facultades, *ciencia, moral* y *arte*. En estas tres esferas de la actividad hay compenetración, cuando no nos elevamos a grande altura. Entonces casi se puede decir que lo útil es el fin y el punto de mira de las tres facultades que se prestan mutuo auxilio.

Por el contrario, no bien la ciencia, la moral y el arte alcanzan cierta elevación, dejan de prestarse auxilio, se hacen independientes, ponen y buscan su fin de ellos mismos, y adquieren, digámoslo así, una inutilidad sublime. Dejan de ser serviles y son liberales. La ciencia entonces busca y tal vez halla, la verdad, mediatando desinteresadamente y tratando de descubrir los más hondos arcanos, sin el menor propósito de que el descubrimiento valga luego para nada que no sea la satisfacción misma que de poseer la verdad se origina. De igual suerte la moral elevada, si no prescinde, echa a un lado y pone como en segundo término todas las ventajas que pueda ocasionar o causar el ejercerla, y tiene por único, o al menos por principal objeto la satisfacción semidivina de obrar el bien con la más completa independencia de toda mira interesada, así en esta vida como en la otra, así para el individuo como para la colectividad de cuantos son los seres humanos. Y la poesía, por último, deja ya de atender a lo útil: no teje, ni guisa, ni edifica viviendas; ni trata siquiera de moralizar ni de enseñar verdades, sino que poniendo en ella misma su fin, aunque nada deseche y se valga de todo, tanto de lo real como de lo ideal, como elementos y materia de lo que produce, no tira a producir sino la belleza y no anhela infundir en los ánimos más que el puro y desinteresado sentimiento que nace de verla y de admirarla. Esto es lo que se llama el arte por el arte..

Ha de entenderse, con todo, que los tres separados caminos por donde va el espíritu humano no siguen en divergencia constante y separándose siempre hasta lo infinito, sino que al cabo convergen y vienen a coincidir en un centro o foco único de perfección absoluta, donde la verdad, el bien y la belleza carecen de distinción sustantiva, y son calidades, potencias y atributos de un solo sujeto. Por donde, considerada la ciencia en lo sumo de su elección, es igualmente buena y hermosa, y la moral es la misma verdad y la misma poesía, así como la poesía no puede menos de ser entonces el celestial y purísimo resplandor de la verdad y del bien absolutos. Mirada, pues, la poesía desde su punto más elevado, basta decir que es poesía para afirmar implícitamente que es verdadera y buena, así como toda alta moral y toda ciencia superior y profunda son poéticas en el mayor grado.»

La conclusión, pues, está clara: llevando implícitamente el germen de toda bondad y toda verdad, es un error forzarla desde fuera a servirlas (7):

(6) O. C., T. II, pp. 917-8 *(La moral en el arte)*.
(7) O. C., T. II, p. 918 *(La moral en el arte)*. Véase, también, O. C., T. II, pp. 17-9 *(Del romanticismo en España y Espronceda)*. En general, textos como éste los hay infinitos en Valera.

«De idéntica manera toda poesía perfecta, hasta donde la perfección cabe en lo humano, es verdadera y moral, contiene verdad y bien, está en plena concordancia con la moral y con la ciencia. Y a mi ver, dicha concordancia aparecerá con tanta mayor claridad y brillantez cuanto menor sea el propósito del poeta de sostener una tesis, de dar lecciones de moral o de enseñar científicamente esto o aquello.»

No hay desacuerdo ni discrepancia alguna entre el verdadero arte y la moral (8):

«No hay, pues, ni puede haber discrepancia, a no ser superficial, entre la moral y la estética, entre el bien y la hermosura. Lo bueno y lo hermoso coinciden al llegar a cierta altura y se confunden en uno.»

O sea: vemos que las ideas de que todo arte es moral, y de que todo arte no tiene otro fin que el de embellecer la realidad, se implican, adquiriendo ambos sentido de esta manera. Doctrina ésta que también ha dejado Valera magníficamente expuesta, de modo sintético y bastante sistemático, permitiendo ver con claridad las conexiones entre los dos conceptos, en *Qué ha sido, qué es y qué debe ser el arte en el siglo* XIX (9). También en *Verdades poéticas* dice algunas cosas de interés, en este sentido (10). Aunque pueden encontrarse palabras suyas según las ideas que veníamos examinando en multitud de textos suyos.

Estos son, pues, los conceptos dominantes de Valera en torno a la novela. Y la razón es evidente: en la novela realista y naturalista ve Valera los dos peores enemigos del arte, según él lo entendía: la novela estaba sometida a la mímesis total de la realidad, y por tanto estaba al servicio de ideas de transformación social: en el concepto de Valera, era darle a la novela un fin fuera de sí misma: era hacerla, en su sentido más pedestre, novela moral.

No es nuestro objeto hacer aquí una descripción de la polémica entre Valera y Zola. Por otra parte, como hemos dicho, ya está hecha. Menos aún, dar por vencedor a ninguno de los dos.

Pero lo que sí nos interesa es señalar en qué puntos se concreta la polémica y el por qué.

Dejemos de momento la segunda cuestión para centrarnos en la primera. Y aquí hemos de decir que la confrontación, al menos por parte de Valera, se produce en los dos puntos arriba señalados: en el carácter de la mímesis novelesca, y en la finalidad que se le atribuya a ésta.

Pero Valera, así lo entendemos nosotros, y ya tendremos ocasión de probarlo, la mímesis novelesca lo es de esencias *porque* el concepto de mímesis de Zola lo es de hechos concretos. Valera dice que la intuición es tal sólo si lo es del divino resplandor de los seres naturales. Bien: esto es así *porque* para Zola la imitación de la realidad no es otra cosa que la

(8) O. C., T. II, p. 919 (*La moral en el arte*).
(9) O. C., T. II, pp. 215-9.
(10) O. C., T. II, pp. 814-7. Tienen también algún interés sus escritos: *Fines del arte fuera del arte*, en O. C., T. II, pp. 910-7, y *La irresponsabilidad de los poetas y la purificación de la poesía*, en O. C., T. II, pp. 1000-6.

trasposición literaria de los caracteres de la realidad científica y experimentalmente observada.

Para Valera, la observación es una pequeña parte del proceso de la creación artística. A la observación debe añadirse la fantasía. Recordemos el esquema de su filosofía perenne y lo entenderemos. Pues bien: para Zola, la observación es el requisito fundamental en el proceso de la creación artística.

Ya veíamos, cuando hablábamos de las relaciones entre Valera y Kant, que el uso más importante que nuestro autor hace de la filosofía crítica es de defensa contra el positivismo dogmático. Pues los positivistas, y entre su número Zola, defienden la posibilidad de un conocimiento total de la realidad. Posibilidad que negaba Valera. El mundo, la materia, tiene unas leyes rígidas, inflexibles, determinantes. Cada fenómeno de la realidad lleva en sí su explicación desde el momento en que está contenido en estas leyes. Gracias a la observación —la comparación y el análisis inductivo—, las conocemos hasta su más honda intimidad. El mundo es la materia y sus leyes. Para Valera, sin embargo, hay dos mundos: el de la necesidad, mundo físico, determinado, y científicamente cognoscible, y el de la libertad: el mundo del espíritu, que no se conoce nada más que por fe e imaginación, y cuya existencia se justifica con el sentido común. Para Zola, el fin supremo de la ciencia y de la novela experimental, que es científico como la química, por ejemplo, es destruir todo residuo de irracionalismo idealista: el que precisamente defendía Valera.

Zola, citando a Claude Bernard, no acepta la existencia de otro mundo más que el puramente material. Este mundo se conoce por la ciencia. A medida que el hombre avanza, y progresa, las actividades que realiza van tomando cada vez más carácter científico. Y llega el día en que las mismas artes se hacen ciencia: así, la novela. Ya sabemos cómo se expresa Valera. Veamos ahora cómo lo hace Zola (11).

> «Si el método experimental ha podido ser trasladado de la física y de la química a la fisiología y a la medicina, lo puede ser de la fisiología a la novela naturalista.»

Esto, para Zola, significa el progreso de la ciencia y del arte. Para Valera, en cambio, no hay progreso artístico posible. Pues las esencias son eternas. Aunque haya progreso en la ciencia, que es posible, no lo hay en el arte (12).

> «Hay progreso en la ciencia; pero en el arte no hay progreso.»

Así fundamenta Zola la novela experimental, la novela científica. Es posible en virtud de dos cosas: la primera, de que el mundo es absolutamente cognoscible; y la segunda, de que todo en el mundo, seres animados e inanimados, están sometidos a leyes (13):

> «Todo lo que puede decirse es que hay un determinismo absoluto para todos los fenómenos humanos.»

---

(11) Utilizamos la antología de textos de Emilio Zola publicada por Laureano Bonet con el título de *El naturalismo*, Barcelona, Península, 1972. La cita, en p. 38.
(12) O. C., T. II, p. 932 *(Del progreso en el arte de la palabra)*.
(13) *El naturalismo*, op. cit., p. 41.

En virtud del cual, es posible escribir una historia, una novela, con todo el rigor de la ciencia (14):

> «En él, el observador ofrece los hechos tal como los ha observado, marca el punto de partida, establece el terreno sólido sobre el que van a moverse los personajes y a desarrollarse los fenómenos. Después, aparece el experimentador e instituye la experiencia, quiero decir, hacer mover a los personajes en una historia particular para mostrar en ella que la sucesión de hechos será la que exige el determinismo de los fenómenos a estudiar.»

Es decir: una novela se proyecta y se ejecuta como una investigación empírica cualquiera.

Por otra parte, y de forma vinculante con respecto a lo que venimos diciendo, Dios mismo, para Zola, está al alcance de la ciencia: es una pregunta más que en su día tendrá contestación (15):

> «No se niega a Dios, se intenta llegar a El por medio del análisis del mundo. Si Dios está al final, lo veremos, la ciencia nos lo dirá.»

Y recordemos a este propósito el concepto de Dios y el concepto de ciencia que tenía Valera.

En fin: punto por punto, la oposición es total y absoluta. Entre ambas posturas, como vemos, existe incluso simetría.

Pero volviendo al problema arriba señalado, el que atañe al concepto de mímesis, veremos que la realidad sigue en iguales términos de oposición.

Para Zola la imitación consiste únicamente en observación de lo real tal cual es, sin fantasía que transforme embelleciéndolos los fenómenos a observar. La facultad única y total del alma humana consiste en copiar los fenómenos, lo empíricamente dado. Por eso dice Zola (16):

> «Nuestra diferencia con los idealistas reside únicamente en el hecho de que nosotros partimos de la observación y de la experiencia, mientras que ellos, de un absoluto. La ciencia es, pues, a decir verdad, poesía explicada; el sabio es un poeta que reemplaza las hipótesis de la imaginación por el estudio exacto de las cosas y de los hechos. En nuestra época, sólo es una cuestión de temperamento; unos tienen el cerebro construido de tal manera que consideran que es más liberal y más sano reemprender los antiguos sueños, ver el mundo con una locura cerebral, con la visión de sus nervios desequilibrados; otros estiman que, tanto para un individuo como para una nación, el único estado de grandeza y de salud posible es el de tocar las realidades con la mano, de basar nuestra inteligencia y nuestros asuntos humanos sobre el terreno sólido de lo verdadero. Aquéllos son poetas líricos, los románticos; éstos son los escritores naturalistas.»

Lo único que le es permitido poner al artista, al escritor, es el estilo. Todo lo demás no debe ser suyo, no debe ser subjetivo. La observación es el instrumento del novelista. Lo único que puede poner a su antojo es el estilo (17):

(14) *El naturalismo*, op. cit., p. 34.
(15) *El naturalismo*, op. cit., p. 90.
(16) *El naturalismo*, op. cit., p. 94.
(17) *El naturalismo*, op. cit., p. 99.

«Aquí, el escritor no es más que un hombre de ciencia. Su personalidad de artista se afirma seguidamente por el estilo. En esto consiste el arte.»

Recordemos, en cambio, cuán diferente es el concepto de arte, y de artista, de Valera. Para Zola la tarea del sabio y del artista es idéntica: observar (18):

«El naturalismo es la vuelta a la Naturaleza, es esta operación que los sabios realizaron el día en que decidieron partir del estudio de los cuerpos y de los fenómenos, de basarse en la experiencia, de proceder por medio del análisis. El naturalismo en las letras es, igualmente, el regreso a la naturaleza y al hombre, es la *observación directa, la anatomía exacta, la aceptación y la descripción exacta de lo que existe*. La tarea ha sido la misma, tanto para el escritor como para el sabio. Uno y otro tuvieron que reemplazar las abstracciones por realidades, las fórmulas empíricas por los análisis rigurosos. Así pues, no más personajes abstractos en las obras, no más inversiones falseadoras, no más absoluto, sino personajes reales, la verdadera historia de cada uno, la relación de la vida cotidiana. Se trata de empezarlo todo de nuevo, de conocer al hombre en las propias fuentes de su ser, antes de concluir a la manera de los idealistas que inventan tipos; a partir de aquel momento, los escritores sólo tenían que tomar el edificio de nuevo por su base, aportando la mayor cantidad de documentos posible, presentados en su orden lógico. Esto es el naturalismo que, si se quiere, proviene del primer cerebro presente, pero cuya evolución sin duda definitiva, tuvo lugar en el siglo pasado.»

Consecuentemente, y según Zola, la novela ya no se construye como antes. Tiempo atrás, cuando el hombre vivía entre mitos, cuando no se expresaba en términos de ciencia, cuando ignoraba la razón y su poderío, le importaba de la novela el relato, la trama. Ahora, en cambio, importa el aparato documental de ésta, es decir, la descripción (19):

«He dicho que la novela naturalista era simplemente una investigación sobre la naturaleza, los seres y las cosas. No dedica, pues, su interés a la ingeniosidad de una fábula bien inventada y desarrollada según ciertas reglas. La imaginación ya no se utiliza, la intriga importa poco al novelista, el cual no se inquieta ni por la exposición, ni por el nudo, ni por el desenlace; quiero decir que el novelista no interviene para quitar o añadir algo a la realidad, que no fabrica un armazón con todas las piezas según las necesidades de una idea preconcebida. Se parte de la idea de que la naturaleza es suficiente; hay que aceptarla tal cual es, sin modificarla ni recortarla; es suficientemente hermosa, suficientemente grande para llevar consigo un principio, un medio y un fin. En lugar de imaginar una aventura, en lugar de complicarla, de preparar golpes teatrales que, de escena en escena, la conduzcan a una conclusión final, se toma simplemente la historia de un ser o de un grupo de seres de la vida real, cuyos actos se registran con toda fidelidad. La obra se convierte en un proceso verbal y nada más; sólo tiene el mérito de la exacta observación, de la penetración más o menos profunda del análisis, del encadenamiento lógico de los hechos. Incluso en ocasiones no se relata una vida entera con un principio y su fin; se relata únicamente un frag

---

(18) *El naturalismo*, op. cit., pp. 113-4. Subrayado nuestro.
(19) *El naturalismo*, op. cit., pp. 120-1.

mento de existencia, algunos años de la vida de un hombre o de una mujer, una sola página de historia humana que ha tentado al novelista, de la misma manera que el estudio especial de un cuerpo puede tentar al químico. La novela ya no tiene límites, ha invadido y desposeído a los otros géneros. Como la ciencia, es dueña del mundo. Aborda todos los temas, escribe la historia, trata de fisiología y de psicología, se eleva hasta la más alta poesía, estudia las más diversas cuestiones, la política, la economía social, la religión, las costumbres. La Naturaleza entera es su dominio. Se mueve en ella literalmente, adoptando la forma que más le gusta, utilizando el tono que juzga más adecuado, y sin estar condicionado por ningún límite. Henos aquí, pues, lejos de la novela tal como la estudian nuestros padres, una obra de pura imaginación, cuya finalidad se limitaba a gustar y a distraer a los lectores.»

El texto es un poco extenso, pero es decisivo. Pues en él queda magníficamente expuesto el concepto de novela experimental. Desde luego, esta concepción de la novela para don Juan era la más peregrina aberración. Convertir a la novela en documento científico ya hemos visto que para él de por sí ya es un absurdo. Y más aún cuando se tiene en cuenta el concepto de ciencia de Zola y los positivistas.

Y para Zola no sólo la novela se construye de este modo, como investigación de la realidad, sino también el teatro (20). Y todo el arte en general.

Por eso, en último término, Zola ha convertido a la novela en pura descripción. No importa la trama: importan los documentos (21):

«Describir tampoco es nuestro objetivo; queremos simplemente completar y determinar. Por ejemplo, el zoólogo que, al hablar de un insecto particular se viese obligado a estudiar largamente la planta sobre la cual vive el insecto, y de la que extrae el ser, incluso su forma y su color, haría una descripción; pero esta descripción entraría en el análisis del propio insecto, tendra lugar por una necesidad de sabio y no como un ejercicio de pintor. Esto equivale a decir que ya no describimos por el placer de describir, por un capricho y un placer de retóricos. Estimamos que el hombre no puede ser separado de su medio, que su vestido, su casa, su pueblo, su provincia le complementan; según ésto, no podremos notar un solo fenómeno de su cerebro o de su corazón sin buscar las causas o el contragolpe en el medio. De ahí, lo que se ha venido,en llamar las eternas descripciones.»

Para Valera esto significaba dar a lo menos relevante de la novela el primer papel (22).

Vemos, pues, cómo se desarrolla el concepto de imitación de la naturaleza en Zola. Esta idea suya se inserta en el esquema del conocimiento del positivismo, así como en su idea del mundo.

La relevancia de esta concepción de la mímesis está en función de la relevancia de la otra idea arriba apuntada: lo que hace referencia a la finalidad del arte. Pues una y otra se implican. Hemos visto que en Valera el fin de la novela es alegrar, distraer. Y ello se consigue no con la imitación y descripción de la naturaleza en su más nuda y cruda realidad. Vimos

(20) El naturalismo, op. cit., pp. 134-5.
(21) El naturalismo, op. cit., p. 202.
(22) Véase La novela en España, en O. C., T. II, especialmente p. 1205.

también cuál es el punto en el cual se produce la implicación de estas dos ideas: en la estética del subjetivismo, se produce cuando el espíritu humano categoriza la realidad, divinizándola de este modo.

Para Zola y los positivistas el arte tiene un carácter esencialmente moral. Arte y ciencia son lo mismo. Arte y ciencia, pues, se proponen el conocimiento de la realidad con el fin de transformarla, mejorarla. Para Valera, sin embargo, el fin del arte está en sí mismo. Ya veíamos que para don Juan el arte es en sí verdad y bondad. Se identifican en lo Absoluto estas tres ideas, con lo cual, en el nivel de su concreción sensible, permanecen como manifestaciones autónomas.

El propósito de Zola es cambiar la realidad. Todo proceso de transformación requiere antes un conocimiento de lo que ha de transformarse. El arte proporciona este conocimiento. Por tanto, la novela es del modo más general posible, moral. No es ético para los positivistas transigir con los defectos de nuestro mundo.

Así, y en este punto, es donde el combate con los idealistas se entabla de una manera más cruda. Los positivistas los acusan de inmorales porque no quieren ver, y por tanto, cambiar, los defectos del mundo humano. Dice así Zola (23):

> «Somos, en una palabra, moralistas experimentadores que demuestran por la experiencia cómo se comporta una posición en un medio social.»

Pues de esta manera es ser amo del bien y del mal. El novelista se convierte en un reformador (24):

> «El *circulus* social es idéntico al *circulus* vital: tanto en la sociedad como en el cuerpo humano, existe una solidaridad que une a los diferentes miembros, los diferentes órganos entre sí, de manera que, si un órgano se pudre, muchos otros son alcanzados y se declara una enfermedad muy compleja. A partir de ahí, en muchas novelas, cuando experimentamos sobre una plaga grave que envenena la sociedad, actuamos como el médico experimentador, intentamos encontrar el determinismo simple inicial para llegar a continuación al determinismo complejo del cual se ha seguido la acción (...). Así pues, los novelistas naturalistas son, en efecto, moralistas experimentadores.»

Así, los idealistas son inmorales porque no quieren conocer la realidad. Es más, situándose conscientemente en el terreno de lo irracional, lo que provocan es una evasión funesta, un volver la vista a un mundo inventado y, por tanto, no conflictivo. Lo moral, lo ético, es mirar a la realidad, conocerla y cambiarla. Dice así Zola (25):

> «Nuestro papel de seres inteligentes está ahí: en el penetrar en el porqué de las cosas para convertirnos en superiores a las cosas y reducirlas al estado de medios obedientes.
>
> Pues bien, este sueño del fisiólogo y del médico experimentador es también el sueño del novelista que aplica el método experimental al estudio natural y social del hombre. Nuestro objeto es el suyo:

(23) *El naturalismo,* op. cit., p. 46.
(24) *El naturalismo,* op. cit., p. 49.
(25) *El naturalismo,* op. cit., pp. 47-8.

también queremos ser dueños de los fenómenos de los elementos intelectuales y personales para poderlos dirigir. (...) En esto reside la utilidad práctica y la elevada moral de nuestras obras naturalistas que experimentan sobre el hombre, que desmontan y montan de nuevo, pieza por pieza, la máquina humana con el fin de hacerla funcionar bajo la influencia de los medios. Cuando los tiempos hayan adelantado, cuando se posean las leyes, si se quiere llegar al mejor de los estados sociales, solamente se tendrá que actuar sobre los individuos y sobre los medios. Así hacemos sociología práctica y así nuestra tarea ayuda a las ciencias políticas y económicas. No conozco, lo repito, trabajo más noble ni de más amplia aplicación. Ser amo del bien y del mal, regular la vida, regular la sociedad, *resolver a la larga todos los problemas del socialismo*, aportar sobre todo bases sólidas para la justicia, resolviendo por la experiencia las cuestiones de la criminalidad, todo ello, ¿no es acaso ser los más útiles y lo smás morales obreros del trabajo humano?»

Como vemos, en la concepción del arte de Zola y los naturalistas está la idea dominante de que la novela es un radical elemento transformador de la realidad. No según las moralejas al viejo estilo dieciochesco, sino que es inmanente a la actividad artística la actividad reformadora. Se trata de una concepción general del arte basada en presupuestos lógicos y metodológicos bastante más profundos. No bastaba, pues, para Valera rechazar el estrecho moralismo, las moralejas al final de las obras, las tesis sobrepuestas a los argumentos, etc., sino que era necesario todo el montaje dialéctico que fundamentara primero la visión del mundo, y después la del arte que hemos visto páginas atrás. Montaje que, al mismo tiempo, necesitaba Zola.

La cuestión para Zola es de principios. La raíz, hemos visto, es epistemológica. Pero también es una cuestión ética. Ambos se calificaban de humanistas. Pero se trata de dos humanismos ardicalmente opuestos. Dice Zola (26):

«Nuestra querella con los escritores idealistas está ahí. Parten siempre de una fuente irracional cualquiera, tal como una revelación, una tradición o una autoridad convencional. (...) Nosotros, escritores naturalistas, sometemos todos los hechos a la observación y a la experiencia; mientras que los escritores idealistas admiten influencias misteriosas que se escapan al análisis y permanecen en lo desconocido, al margen de las leyes de la Naturaleza. Científicamente, esta cuestión de lo ideal se reduce a la cuestión de lo indeterminado y de lo determinado. Todo lo que no sabemos, todo lo que todavía e nos escapa es lo ideal, y el objeto de nuestro esfuerzo humano es reducir cada día lo ideal, en conquistar la verdad a lo desconocido. Todos somos idealistas, si por idealismo se entiende que todos nos ocupamos de lo ideal. Yo llamo idealistas a los que se refugian en lo desconocido por el gusto de estar en lo desconocido, a los que sólo gustan de las más arriesgadas hipótesis, o a los que se niegan a someter dichas hipótesis al control de la experiencia con el pretexto de que la verdad está en ellos y no en las cosas. Estos, lo repito, realizan una tarea vana y nociva, mientras que el observador y el experimentador son los únicos que trabajan para el poder y la felicidad del hombre, convirtiéndolo poco a poco en dueño de la Naturaleza. No existe nobleza ni dignidad, ni belleza, ni moralidad en el no saber, en el mentir, en el pretender que se es tanto más

(26) *El naturalismo*, op. cit., pp. 55-6.

grande cuanto más se eleva en el error y en la confusión. Las únicas obras grandes y morales son las obras de la verdad.»

Sin embargo, lo importante de todo esto es que tanto Zola como Valera eran conscientes de esta lucha que estaban llevando a cabo. Lucha en la cual la idea dominante es esta que hemos expresado en torno a la finalidad del arte.

Lo más duro de la lucha se libra siempre en el núcleo de esta idea. Toda la construcción sistemática sobre estética y filosofía del arte de unos y otros gira en torno a este punto. Para Valera, el arte tiene su fin en sí mismo. Para Zola, en la transformación social.

En virtud de lo cual, ambos saben que están haciendo lucha ideológica. Zola confiesa incluso hacer una novela por el socialismo. Ya lo vimos en un texto anteriormente citado. Zola sabe perfectamente que la novela idealista, por oposición a la naturalista, es reaccionaria. Zola concibe la lucha ideológica, pues, en función de la lucha de clases. El idealismo en literatura está encarnado por las fuerzas derrotadas en la Revolución Francesa. El naturalismo, en cambio, es la expresión racional de los anhelos revolucionarios y democráticos del «citoyen». Para Zola, es una cuestión entre aristócratas y ciudadanos. Es pura y elemental lucha de clases, sólo que llevada a términos de literatura; es decir, es lucha ideológica.

Repetimos que éstas son palabras de Zola y que son conciencia revolucionaria. El positivismo es la verdad; el idealismo es la expresión artística de las fuerzas reaccionarias. Esto viene marcado por la Revolución Francesa. Dice, así, Zola (27):

> «Una evolución tan considerable del espíritu humano no podía tener lugar sin un trastorno social. La Revolución francesa fue esta subversión, esta tempestad que barrería el viejo mundo para dejar el sitio limpio al mundo nuevo. Nosotros empezamos este nuevo mundo, somos los hijos directos del naturalismo en todas las cosas, tanto en política como en filosofía, en ciencia como en literatura y arte.»

Los tiempos han cambiado, y en virtud de la victoria de la Revolución surge la razón; el hombre entra por fin en la vía de la ciencia, y por ella se encamina al futuro. La razón constituye la República. Es el estadio final (28).

O sea: que Zola concibe su estética como función de la necesaria lucha ideológica que había de librarse para vencer a las fuerzas reaccionarias. De alguna manera nos lo confirma cuando dice: «Todo movimiento social lleva consigo un movimiento intelectual» (29).

Vemos, pues, cómo Valera y Zola oponen de una manera radical y absoluta no sólo sus conceptos de novela, sino toda la sistemática epistemológica y estética que fundamenta a éstos.

Por parte de Zola existe una conciencia de lucha ideológica. Para Zola el naturalismo es la expresión estética de la revolución democrática.

Y por parte de Valera también. Si la estética de don Juan se monta de la manera que hemos visto descrita es por necesidad de combatir no ya

(27) *El naturalismo*, op. cit., p. 114.
(28) *El naturalismo*, op. cit., p. 115.
(29) *El naturalismo*, op. cit., p. 161.

a la ideología del positivismo en su mera sustantividad, sino a las fuerzas sociales que la sustentan.

Habíamos dicho antes que Valera no era capaz de sentir lo que decía tanto en religión como en estética. Que, consecuentemente, no está su pensamiento en función de sus vivencias. Y que, de este modo, la raíz de aquél hay que buscarla fuera de éstas. Hemos visto en qué puntos se libra la lucha entre Valera y la estética del positivismo, aunque sin entrar en detalles, concretada ésta en las dos ideas nucleares acerca de la novela que hemos dejado expuesta. Es decir: que la estética de Valera es ideología. Avala también esta afirmación un hecho que veremos en su momento: don Juan no la pone del todo en práctica, salvo en sus cuentos y en sus poesías. Aunque también será preciso matizar en varios sentidos esta afirmación.

Es preciso, pues, acudir a una explicación de esta actitud suya. Valera se contradice: esto es lo que hay que explicar, pues es aquí donde está la clave que permite comprender su literatura.

El primer paso para dar con esta clave hay que darlo aún en la perspectiva de la polémica entre idealismo y naturalismo en cuanto a la naturaleza y fin de la novela.

Sin olvidar que es este último concepto, el de la finalidad del arte y del género novelesco, el determinante, el nuclear y el más decisivo de todos a la hora de definir este pensamiento estético como ideológico: pues es en este punto donde se insertan las motivaciones extravivenciales en el pensamiento de nuestro autor, donde se insertan las instancias socio-políticas que son las que, en último término, confieren relevancia a toda la sistemática descrita.

Cuando Zola dice que el fin de la novela es transformar la realidad, la sociedad, y que ello es posible porque la novela investiga a los hombres, Valera, que no siente deseo alguno de transformar nada, dice que el fin de la novela no es otro que el de alegrar, y que para ello debe pintar las cosas más bellas de lo que son.

Semejantes concepciones de la novela se deben al carácter dialéctico de la expresión de uno y otro, carácter que le viene conferido por la dinámica de la conflictividad social. Zola veía que su expresión era lucha ideológica. Veremos que para Valera, aunque no lo dice tan claramente, también.

Es, pues, en sus ideas sobre la finalidad del arte donde vemos que se produce la inserción de las motivaciones reales de uno y otro. Es dialéctica social la dialéctica de sus conceptos. Incluso ellos lo veían así. Las motivaciones reales son motivaciones sociales. Se produce, pues, en este punto una especie de salto mortal que nos va a llevar de la consideración puramente intrínseca del pensamiento, a otra más compleja, extrínseca, fuera ya del alcance puramente individual de dicho pensamiento. Pues éste ya no queda en sí mismo: trasciende en la realidad, y se hace dialéctico en ella. Tiene que enfrentarse a la conflictividad de los fenómenos sociales, y hacerse, de este modo, conflictivo. Es decir, el pensamiento se hace, en el sentido más general posible, ideología. Pues tiene como soporte a los grupos sociales en conflicto.

Que Valera sabía que su pensamiento estético tiene una trascendencia fuera de sí mismo, y que esta trascendencia es de índole social, y que a su vez es conflictiva, se puede ver de un modo claro espigando entre algunos de sus textos. Aunque no es tan directo como Zola, se puede argumentar en favor de esto que venimos diciendo.

Son decisivos en este sentido los textos en que Valera expone de una manera directa su filosofía social. Aunque ésta no nos interesa tampoco de un modo sustantivo, sí nos sirve de referencia indirecta, y alguna ocasión muy directa, para conocer estas motivaciones. Se debe esto a que el pensamiento, por contradictorio que sea, se manifiesta siempre de un modo sistemático. Es decir: que la relevancia de una idea implica la de otras muchas, y que poner de manifiesto una de ellas trae, como una sarta de cerezas, otras muchas. Pues todas se explican de forma recíproca. Se implican.

Lo cual no quiere decir que este pensamiento deba tener una expresión sistemática.

Sin embargo, siempre pueden encontrarse las conexiones de unas ideas con otras, ya directa o ya indirectamente. Así, podemos ver las conexiones existentes entre el pensamiento estético de Valera y su filosofía social.

Y esto lo vamos a hacer viendo el modo según el cual se manifiesta esta idea en Valera. Si para don Juan el pensamiento estético es dialéctico en el sentido de que se explica por oposición al de Zola, su filosofía social también.

Valera veía en Zola y el positivismo, con razón o no, socialismo (30). Así puede deducirse de estas palabras suyas a Narciso Campillo (31):

«Yo no me escandalizo por poco y comprendo y aun aplaudo, a pesar de mis sesenta años ya cumplidos, un libro verde, por útil o jocoso: pero una verdura trágica y socialista, una indecencia docente y *humanitaria* es cosa que no se puede sufrir y perdónenme Zola, López Bago y otros (...). Explíquese como se quiera, pues no vamos a meternos ahora en honduras y filosofías, es lo cierto que hay vicios, dolencias y deformidades, architrágicos para quien es víctima de ellos, pero que repugnan a toda persona de buen gusto el que se presenten en una obra de arte, y por lo serio, y que deben estudiarse, buscando su remedio, en disertaciones sabias, y no en poéticas ficciones (...). ¿Quién duda que toda obra poética que presente fea imagen de un vicio puede ser moralmente útil? Sin embargo, no hay que valerse de semejante pretexto para pintar siempre lo feo y abominable. El tal realismo o naturalismo que hoy se estila es un horror.»

El texto que citamos no deja el terreno de lo puramente estético, pero es significativa esa alusión al contenido socialista de la novela naturalista. Por otra parte, era sabido de todos por aquél entonces que había que plantear la posibilidad de bloquear el avance de este tipo de literatura en función del bloqueo de los intentos revolucionarios que se producían.

También nota Luis López Jiménez la existencia de esta intencionalidad en Valera. Dice, así (32):

«No aceptaba (Valera), por sus principios estéticos, que el arte sirviera como revulsivo ante lo que el novelista creía injusto en la sociedad, intención del naturalismo, pues a él se refiere, aunque lo identifique con el realismo.»

(30) Ya tendremos ocasión más adelante de explicarlo.
(31) J. DOMÍNGUEZ BORDONA: op. cit., p. 239 (27 de noviembre de 1884).
(32) *El naturalismo y España*, op. cit., pp. 75-6.

De una manera más clara podemos comprobar que Valera veía en el positivismo, correlato filosófico del naturalismo estético, una forma de revolución social cuando decididamente lanza el siguiente ataque a Darwin y el materialismo. Texto en el cual, además, vemos que el núcleo conceptual del ataque está constituido por su agnosticismo. El texto dice así (33):

> «...aun cuando se probase por experiencia y observaciones que proveníamos del mono, y el mono del canguro, y el canguro del lagarto, y el lagarto de una célula, ¿estaría por eso demostrado que Dios no existe, y que no lo hizo todo en virtud de cierta idea, y con número, medida y propósito sapientísimo y firme? ¿Se demostraría, por eso, que el pensamiento es una secreción de fósforo, y que Dios no infundió en nosotros un alma inmortal hecha a imagen y semejanza, cuando nuestro organismo llegó a ser digno templo y noble y hermosa mansión, aunque pasajera y caduca, de un espíritu que no muere? Pues qué, ¿hemos de hacer que dependan las verdades metafísicas, los dogmas religiosos, la filosofía fundamental y la teodicea, del resultado empírico de los trabajos de un geólogo o de un zoólogo, de lo que diseque el bisturí o salga de la retorta? ¿Con tan pocos alfileres hemos de tener prendida nuestra ciencia *a priori* o nuestras creencias en la revelación divina? Para destruir nuestra fe en Dios, nuestro convencimiento de que hay alma dotada de conciencia, libre, responsable de sus acciones, capaz de comprender la moral y el derecho, y obligada a cumplir los deberes que Dios ha grabado en lo profundo de su ser, no basta la hipótesis de Darwin de que descendemos del mono, aun suponiendo que se demostrase como verdad. (...) Apenas se divulga que descendemos del mono, las muchedumbres humanas quieren imitarle: desconocen a Dios, *sacuden el yugo de la ley, niegan la propiedad y la patria y pegan fuego a las ciudades populosas y magníficas.*»

Vemos, pues, de qué modo tan directo expresa Valera la vinculación de la filosofía positivista con el socialismo revolucionario. Y al mismo tiempo, cómo el proceso contrarrevolucionario tiene por base las instancias epistemológicas y éticas que hemos descrito página atrás.

Lo cual viene a justificar el salto que hemos dado desde la perspectiva interna en el estudio de sus ideas estéticas a la perspectiva externa, es decir, a la consideración de las motivaciones sociopolíticas que determinan dialécticamente el pensamiento estético de nuestro autor.

Donde más carga el acento Valera es en la «popularidad» de las doctrinas positivistas y materialistas. Considerando que en la raíz de esta popularidad yace su semilla revolucionaria, don Juan, movido por instancias aristocráticas, rechaza tanto al naturalismo como al positivismo: son subversión.

Así, tras afirmar su fe liberal, habla en estos términos del materialismo, doctrina que, para él, hace temblar todos los pilares del orden establecido. Es producto del marasmo intelectual y social de la época (34):

> «En resolución, yo creo que ese materialismo reciente, y lo que llaman positivismo, sistema que de puro escéptico ni siquiera es materialista, no podrán nunca adquirir tal autoridad y tal popularidad que acaben con la poesía, porque, al acabar con la poesía, no acaba-

(33) O. C., T. II, pp. 448-9 *(Consideraciones críticas sobre el libro «Gritos de Combate», de Núñez de Arce).*
(34) O. C., T. II, p. 385 *(Poetas líricos españoles del siglo XVIII).*

rían sólo con lo que se pone en los versos y se muestra en la combinación de las palabras trabadas entre sí con cierto ritmo y cadencia, sino que acabarían también con todo sentimiento generoso y con la primordial poesía de la vida humana, así en la sociedad con en el individuo.»

Y por reacción al «materialismo bestial», Valera sólo salva a la filosofía del idealismo clásico alemán, del cual él toma, como hemos visto, los elementos más importantes de su propia filosofía (35):

«Sólo la moderna filosofía alemana está libre, está sana de esta enfermedad mental, y por esta sola calidad merece la estimación de todos los hombres y el perdón para cualquier defecto.»

Nótese que esto lo dice don Juan en un comentario sobre el hastío de la vida que manifiestan los poetas románticos. Y que ello, a su juicio, se debe a la decadencia política, a la debilidad cada vez mayor de los Gobiernos.

Y otra vez, de manera muy clara, expresa Valera su idea de que el arraigo en el vulgo de las doctrinas materialistas está a punto de destruir todo impulso poético, tanto en la vida individual como social (36):

«Causa principal de este prosaísmo momentáneo ha sido (considerando en conjunto toda la civilización europea) el cansancio natural, el desmayo y desaliento que suceden a las hondas especulaciones metafísicas, en que nuestra edad ha sido tan rica.
Por reacción de aquel grande movimiento filosófico, y en esta postración actual, han brotado y medran, como los espinos y abrojos, donde ya se agostaron las flores, los más descarnados sistemas materialistas: la negación de Dios, del espíritu y de todo lo que no es materia; el aborrecimiento de toda metafísica y de toda teología.
España que no desplegó la mayor actividad en el movimiento metafísico anterior, tampoco se halla hoy tan infestada del materialismo y del llamado positivismo que han surgido por reacción posteriormente; pero tales doctrinas, por *estar más al alcance del vulgo, han penetrado más* y se han difundido lo bastante para destruir y secar en las almas las inspiraciones y los pensamientos poéticos.»

Aunque para Valera, este mismo defecto del apagamiento de la inspiración poética se debe también a los impulsos groseramente lucrativos de nuestra burguesía. Lo dice varios párrafos más arriba de este citado texto (37).

Contra esta «popularidad» de las doctrinas positivistas y del arte naturalista va Valera con sus conceptos idealistas y la pretensión suya de divulgarlos también. Con ello se pretende contrarrestar sus efectos (38):

«Al pueblo no le basta que le hablen de lo pasado. Necesita que el poeta difunda la encantadora luz de la poesa sobre la prosaica realidad de las cosas presentes, y que haga que con dicha luz se columbren también los hermosos y anhelados fantasmas que en el porvenir nos fingimos.»

(35) O. C., T. II, p. 416 (*«Poesías líricas»* de Gertrudis Gómez de Avellaneda).
(36) O. C., T. II, p. 416 (*«Poesías»*, de Pedro Antonio de Alarcón).
(37) En este sentido, véase también O. C., T. II, p. 191 (*De la naturaleza y carácter de la novela*).
(38) O. C., T. II, p. 430 (*De lo castizo de nuestra cultura en el siglo XVIII y en el presente*).

En este mismo artículo dice Valera que es preciso salvar el divorcio que se ha establecido entre el escritor y el pueblo. Pues debido a este divorcio, el pueblo mira hacia fuera, hacia Francia, de donde vienen las malas novelas románticas y realistas, hijas del ingenio de Sue o Hugo (39):

> «El divorcio o la falta de corriente magnética entre la gente de letras y el pueblo, y el que en la literatura, y más aún en la ciencia, haya mucho de reflejo extranjero.»

Al mismo tiempo, lamenta Valera el hecho de que cada vez más la literatura realista vaya ganando lectores hasta el punto de que ya nadie casi lea la literatura idealista (40).

> «Tal vez sean estas cavilaciones sin fundamento; pero la verdad es que sólo por ellas acertamos a explicarnos la indiferencia, ya que no el desdén con que mira el público más ilustrado la literatura idealista, complaciéndose si acaso en la realista, donde se habla mucho de Banco, de Bolsa, de sociedades de créditos, de tanto por ciento y de negocios en suma.»

Sin embargo, ya veremos cómo Valera entiende el prosaísmo de la época presente. Es importante señalar que en los primeros textos de don Juan (éste concretamente es de 1861) este prosaísmo en tanto producto del socialismo, al que menciona en pocas ocasiones, como del afán de lucro de la burguesía, que, a lo que parece, poco le interesaba el arte. Vemos que para Valera uno de los mayores pecados de ésta es su indiferencia por lo poético y artístico. Ya hemos visto algunos textos en los cuales pone de manifiesto su incultura. De hecho, todo su afán era ilustrar a la burguesía, al menos en sus años de juventud y aun de madurez. Así, vemos en otro lugar (41):

> «El buen gusto en arte y en literatura se vicia y deprava, gracias a los esfuerzos que hace la *alta burguesía* para aparentar que la tiene.»

Vicio del que tampoco se libra la aristocracia. Pero bien puede quedar este asunto para otro lugar.

Importa señalar que la actitud de Valera ante la naturaleza del arte realista y naturalista está motivada por instancias sociales. Y que de este modo, su concepto de mímesis novelesca tiene una dimensión ética basada en la estética del subjetivismo que hemos visto. Esta dimensión ética se revela en lo que dice Valera que es el fin del arte: consolar, divertir. Y ello, porque la realidad queda hermoseada en la obra artística.

La manera de combatir el realismo es introducir este elemento de idealidad, que es, como hemos visto, subjetivo. Lo expresa así (42):

> «Esta virtud consoladora y purificadora del arte se logra hermoseando o sublimando, cuando el objeto, la pasión o la acción, se prestan a ser sublimados o hermoseados. Cuando no se prestan, el arte tiene otro recurso: lo cómico o lo ridículo. (...) Cuando pasan

(39) O. C., T. II, p. 431.
(40) O. C., T. II, p. 263 (*Revista dramática*).
(41) O. C., T. II, p. 393 (*Poetas líricos españoles del siglo XVIII*).
(42) O. C., T. II, p. 535 (*Sobre el «Fausto», de Goethe*).

de cierto grado y tocan en lo trágico, son malas representaciones ar·
tísticas, porque son pasiones, defectos y dolores impurificables que
no se hermosean. No producen ya lo cómico, ni menos lo patético,
sino lo deforme y lo repugnante y asqueroso: realismo deplorable de
que hoy padecen el drama y la novela. Nada más contrario a la verdadera poesía que el hambriento, el mendigo, el tísico o el jorobado.
Estas son impurezas de lo real, que ni en la poesía trágica ni en la
cómica pueden hallar consuelo. Búsquese el consuelo en la caridad,
y el remedio en la ciencia, hasta donde fuera posible.»

Por medio de este texto nos sitúa Valera de dos modos en el camino de
desvelar el carácter dialéctico del pensamiento estético. En el primero de
ellos, que veníamos llamando intrínseco, en la propia sustantividad del
pensamiento, pone de relieve que es el concepto de arte consolador donde
se sitúa el núcleo de la polémica, y todo ello a través del concepto de mímesis. Léase por consolador, apaciguador de ánimos. En el segundo nivel,
el concepto de imitación de la naturaleza está lo bastante mediado por el
subjetivismo como para situar en un ámbito de ambigüedad cualquier
imitación de la naturaleza, evitando con ello resaltar todo defecto de la
misma que por sí solo pueda actuar como revulsivo en el espíritu del con-
templador. Es decir: en la medida en que la imitación realista decanta por
sí misma una estructura de injusticia social, es preciso evitarla. Es esto
lo que hay que leer cuando escribe Valera, por ejemplo, su crítica a la
novela de doña Emilia Pardo Bazán, «Morriña» (43). Para don Juan, el
arte no debe decir la verdad. El arte consiste en «mentiras poéticas». Es
decir: debe ocultar, del mejor modo posible, la verdad de las cosas que
pasan en la realidad. Ello se verifica en virtud de su concepto de la mímesis. Véase lo que dice:

«Es indudable que la primera regla del arte *naturalista*, que la
señora doña Emilia profesa y que ejerce, es cierto precepto irónico
de Moratín, en su *Lección poética*, tomado y seguido como si no fuese irónico.

El precepto dice:

No mientas, no, que es grande picardía.

Y es evidente que no se debe mentir; que debe ser la fiel imitación de la Naturaleza; que las pasiones y acciones humanas que el
arte representa deben ser las que en realidad se dan en el mundo;
pero, como partiendo de lo verdadero hay inmenso trayecto, en el
campo inexplorado de lo posible, hasta tocar en el límite que separa
lo verosímil de lo inverosímil, todo ese trayecto puede recorrerlo el
novelista o el poeta, fingiendo en él cuanto se le antoje y convenga
para su obra. El mentir de esta suerte no es grande picardía, sino
condición del arte.

La señora doña Emilia está a veces preocupada en demasía de la
verdad, y esto perjudica hasta a la verdad misma, y desde luego a
la poesía del relato.»

En otro lugar, en su artículo *Pequeñeces. Currita Albornoz*, al P. Luis
Coloma, entre un humor no exento de ironía, no hace otra cosa Valera que
sostener esta tesis (44):

(43) En O. C., T. II, pp. 795-7.
(44) O. C., T. II, p. 843.

«Delitos hay contra los cuales no conviene que se de acción pública. Más vale para ellos la impunidad que el escándalo.»

Delitos, naturalmente, de la aristocracia.

Volveremos más adelante sobre este asunto.

De otra manera señala Valera esta vinculación del materialismo al socialismo cuando señala que éste es continuador directo de la novela romántica, que era ya portadora de gérmenes socialistas. Y aprovechando la ocasión de un comentario sobre el romanticismo, nos dice (45):

> «No pretendo yo negar que haya habido autores que, por medio de sus obras poéticas, del teatro y las novelas principalmente, hayan querido propagar ciertas ideas, no ya de un socialismo que está por venir aún como doctrina, sino de ese socialismo que ha amenazado desquiciar la sociedad hace pocos años, pero esto no prueba sino que la poesía, que por sí misma y en sí misma tiene un nobilísimo fin, cual es la creación de la belleza, puede, a veces, rebajándose y desdorándose, servir de instrumento a otros fines. No negaré tampoco el mal gusto de algunos, que, buscando solamente para sus dramas argumentos enmarañados y lances estupendos y terribles, los han buscado, ya en las gacetas de los tribunales, ya en las antiguas crónicas, sin dar realce sino a lo feo y lo malo. Pero como lo malo y feo, feo y malo se queda, sin que estos dramaturgos y novelistas puedan ni siquiera hacerlo pasar por hermoso y por bueno, aunque los acusemos de prosaísmo, porque pintan las cosas como han sido y como son, y no como debieran ser, no me parece, con todo, que los podamos acusar de inmorales. Los hombres que son buenos no se enamoran de la maldad, aunque la vean sobre las tablas o en una novela salir triunfante de la virtud; porque en este mundo real y positivamente estamos viendo esto muy a menudo, sin necesidad de recurrir a ficciones; y los hombres que son malos no aprenden nada que ellos ya no sepan sobre maldad.
>
> El saber, ensanchando el círculo de nuestras ideas, puede ser causa ocasional de nuevas virtudes, que de aquellas ideas se alimenten y vivan; pero no de nuevos vicios, porque el mal es cosa limitada, y fácilmente se llega con la inteligencia a su último término; y el bien es infinito, y mientras más campo abarca la inteligencia, más bien descubre a dónde llegar con la voluntad. Lo que sí puede dar el saber saber son los medios para cometer la maldad; pero nadie va a buscar estos medios en los libros de entretenimiento.»

Vemos, pues, cómo en este largo texto aparecen varias ideas de interés. Y la más importante, que el fin de la poesía, y de todo arte, es embellecer la realidad, puesto que ésta, si se deja en su cruda desnudez, si la literatura reflejara a ésta tal cual es, aparecerían cosas muy poco «poéticas», y que, para Valera, moverían a revolución. En su estudio sobre Víctor Hugo podemos ver ideas parecidas (46). Todo ello nos lleva a la conclusión de que para Valera la realidad puede ser temible, y más aún ese tipo de literatura que lleva en sí la realidad en su nuda apariencia.

En el mencionado artículo sobre Víctor Hugo, tras ensalzar la figura de Napoleón III, vencedor de los socialistas revolucionarios, intenta de alguna manera enjuiciar la personalidad literaria del francés, defendiéndole

(45) O. C., T. II, p. 11 (El romanticismo en España).
(46) O. C., T. II, pp. 296-312 («Los Miserables», por Víctor Hugo).

contra neos, y atacándole contra sus propios correligionarios. Y tratando de salvarle de unos y otros como escritor. Dice así (47):

> «Una cosa extraña a primera vista, pero que no lo es si bien se considera, puede advertirse en las obras recientes de Víctor Hugo, a saber: que si no son intachables en punto a religión y moral, hay poco que tachar en ellas, sobre todo comparándolas con las obras de su primer período, cuando sólo era romántico y no era *apóstol* todavía. La tendencia de las obras recientes es revolucionaria, es democrática, es, hasta si se quiere, socialista; pero lejos de contradecir el dogma católico y la moral cristiana, Víctor Hugo los acepta y confiesa y trata de sublimarlos y de apoyar en ellos sus ideas políticas y sociales, más o menos erróneas. Nos parece, pues, exagerado y absurdo el sostener, como han sostenido algunos a propósito de *Los miserables*, que el mismísimo demonio ha tenido mucho que hacer y dictar en este libro. Las ideas morales y religiosas de *Los miserables* son buenas; los errores de *Los miserables* son de un orden inferior y meramente humano, si no es como figura retórica, que el demonio ha tenido arte ni parte en estos errores.»

Y señala después, contra neos y demócratas, que lo bueno de la novela es que divierte y hace pasar el rato. Es decir, que la neutraliza.

En otra ocasión expresa Valera sus ideas al respecto. Pero la circunstancia ya es muy diferente. Ya no se trata del Valera juvenil, que diserta sobre asuntos literarios; ahora se trata de un hombre, viejo ya, que medita sobre España y sus desdichas. Ya al final de su vida, Valera escucha las voces de la literatura regeneracionista. Y ante la visión del panorama social, extremadamente conflictivo, da una nota que pretende ser de cordura, y que intenta templar los ánimos (48):

> «Sólo hay un inconveniente, no corto: que las tales predicciones regeneradoras levantan cascos a la gente levantisca y aficionada a vivir a salto de mata, y produzcan alborotos, motines y hasta guerras civiles. Pero si este peligro se evita o se conjura, yo entiendo que todo está bien, aunque siempre preferiría a las predicciones regeneradoras, los juegos florales, las procesiones y las ferias.»

Aunque con humor, Valera dice, en 1900, lo que siente. Si las cosas andan mal, con revolución quedarán peor: lo mejor es que todo siga como hasta el momento. Y para ello, en vez de decir lo que es preciso hacer, es mejor consolar y divertir.

Su afirmación de optimismo frente a la vida es una reconciliación con ésta tal y cómo está constituida (49):

> «Nadie cree que pongo ironía ni amargura en este lirismo. Yo siento siempre en lo íntimo de mi corazón, aunque no acierto a explicarlo, un entusiasmo vivísimo por el hermoso espectáculo que nos ofrece la época presente, acaso la más grande de la Historia.»

Por eso decide combatir el pesimismo, en la medida en que éste puede

---

(47) O. C., T. II, p. 297.
(48) O. C., T. II, p. 1044 (*El regionalismo literario en Andalucía*).
(49) O. C., T. II, p. 142 (*Revista de Madrid*).

ser una recusación de lo existente. Es un mal que sólo se cura no con las reformas que pueda introducir la novela experimental, sino la fe católica (50):

> «El descontento general, la profunda melancolía y hastío incurable del alma que en el día se notan llevan a muchos a la fe, y en ella logran consuelo o hallan reposo; otros caen en la desesperación más amarga. Pero, con fe o sin ella, desesperadamente o esperando en otra vida mejor, ello es lo cierto que, en medio de esta civilización tan adelantada y exquisita, hay al presente un modo triste, tristísimo, de considerar el mundo. La alegría se va desterrando de los corazones y hasta se la denigra como calidad propia de los necios; así es que no pocos, por no parecerlo, lo cual no alcanzan siempre, se fingen, y a fuerza de fingirlo, llegan a creerse desgraciados. Nunca, pues, ya sean verdaderas, ya falsas, han sido las quejas tan agudas e inocentes como en nuestra época, y, sin embargo, siempre hubo grandes y pequeños, ricos y pobres, y fueron más las dolencias que los remedios. Acaso la ambición, la codicia y la sed de placeres se sientan ahora más intensamente que nunca. Acaso el refinamiento haya desenvuelto por demás nuestro sistema nervioso, haciéndolo más sensible al dolor. Sea como se quiera, el lamento es universal y continuado.»

En definitiva: que para Valera toda novela, toda obra de arte, no tiene otro fin que el de consolar, sean las penas materiales o metafísicas. Frente a este modo de concebir la novela, el naturalismo pretende, mediante la observación escueta de la realidad, averiguar la verdad, y transformar la realidad, para eliminar tanto los sufrimientos materiales como espirituales del género humano. Llevará o no este tipo de novela objetivamente un gérmen revolucionario, el caso es que pretende, y Valera lo sabe, solucionar el mal moral y físico en el mundo por medio de la revolución igualitaria.

Valera siente un temor instintivo por cualquier cosa que signifique un cambio radical de las estructuras sociales que le tocó vivir. Se siente bien avenido con todo. Su secreta pesadumbre es que el círculo social al cual se vio destinado a vivir fuera tan estúpido, tan poco culto, tan poco elegante, tan poco inteligente.

Hemos visto hasta el momento en qué puntos se manifiestan estas inquietudes de Valera con respecto a la novela naturalista en este sentido, y cómo se manifiestan.

Pero es, sin embargo, en sus artículos a propósito de la novela donde más se concretan estas inquietudes suyas, y donde se manifiestan de una manera más precisa.

Las instancias sociales las podemos ver mejor en artículos como *Un discurso de doña Emilia Pardo Bazán* (51). Más interesante aún es su artículo titulado *Del progreso en el arte de la palabra* (52), en el cual intenta Valera desde su perspectiva siempre idealista rebatir el concepto de progreso artístico de Zola y los naturalistas. Para don Juan no existe progreso. El arte no es como la química. Que no es ciencia, y que, por tanto, no aspira a enseñar nada. Lo cual no es más que la serie de tópicos que solía recorrer a la hora de refutar los principios de la doctrina naturalista.

Hemos señalado que Valera niega cientificidad al arte porque, según los naturalistas, en este carácter científico lleva el gérmen de una conciencia

(50) O. C., T. II, p. 120 (*«Poesías», de Francisco Zea*).
(51) O. C., T. II, pp. 1069-73.
(52) O. C., T. II, pp. 929-41.

de transformación social. El está de acuerdo con la sociedad tal y como está organizada, y consecuentemente el arte no debe ocuparse nada más que de divertir. Así, en su estudio sobre los novelistas Antonio Ledesma y Adelardo Ortiz de Pinedo, autores en rebeldía contra la organización social existente, y expresada éste en las que estudia Valera, nos dice (53):

> «Si no lo logra (el héroe de la novela), a pesar de tantas excelencias y virtudes, el recto y desapasionado juicio nos induce a pensar que no ha de ser por causa de un organismo social tan defectuoso y perverso que impide que los buenos se eleven y que sólo aúpa a los pillos y a los tontos.
>
> En un país como el nuestro, donde, desde hace más de un siglo, por lo menos, no hay privilegio alguno de clase ni escala por donde cualquiera no pueda ascender, es absurda la suposición de que alguien no asciende por el organismo social o político aparte la escala de sus pies y de sus manos.
>
> Ni puede afirmarse tampoco que un partido predominante tiene sólo los medios de subir y los presta a las personas que se han alistado en sus filas, haciendo la ascensión imposible para los otros. Larga serie de pronunciamientos y de revoluciones han dado entre nosotros el poder a los partidos todos. Serviles y liberales, ultracatólicos, católicos y librepensadores, monárquicos y republicanos han prevalecido sucesivamente. Los capitanes o adalides de cada parcialidad han podido subir, por tanto, y han subido a la cumbre. (...) ¿Qué organismo social es éste, radicalmente contrario a toda virtud, a toda decencia?
>
> Yo, para mí tengo que nuestra enfermedad no procede de que exista tal organismo, sino de la negra manía que va extendiéndose y haciéndose epidémica de que tal organismo existe y de que es menester derribarlo todo para que el bien surja de entre las ruinas y para que la nueva Jerusalén descienda hermosísima y brillante de las alturas cuando todas las impurezas que ahora inficionan el mundo se extirpan de él con hierro y se cauterizen con fuego.
>
> Como medio para escribir sátiras, como recurso para producir el terror trágico en obras de entretenimiento, en novelas y dramas, acaso puedan aceptarse tan pesimistas afirmaciones. Aceptémoslas como figuras retóricas de mucho efecto, pero guardémonos bien de tomarlas con seriedad. Tomémoslas como desahogo de nuestro mal humor; como murmuración omnímoda, que no deja persona ni cosa fuera de su alcance, y con la cual procuraremos mitigar un dolor con otro dolor, como el que, excitado por un terrible dolor de muelas, se mesa las barbas o se arranca el pelo a tirones.»

Para Valera la organización social es buena. El mal es individual. Por tanto, no es preciso ninguna revolución. Concluye don Juan (54):

> «La consecuencia que podrá y deberá sacar (el lector) es que la subordinación social está perdida en España, que cada cual delira a su modo, que el desorden y la anarquía están en los corazones y en las inteligencias, y que no es revolución lo que conviene, ni siquiera reformas y modificaciones legales; sino que se cumplan las leyes hoy vigentes y que haya un poder bastante brioso para conservar el sosiego público y hacer que la libertad de cada cual no traspase los límites con que la libertad de los otros la circunscribe.»

(53) O. C., T. II, pp. 1140-1 (*La terapéutica social y la novela profética*).
(54) O. C., T. II, pp. 1144-5.

Valera, pues, ataca tanto a la tesis como al concepto de arte que permite que una novela sea portadora de una tesis, tanto si es clerical como socialista.

Don Juan critica todo arte docente. El naturalismo para él lo era. En la medida en que proclamaba los vicios sociales y en la medida en que pretendía ser, mediante su cientificidad, una condición para la eliminación de éstos, se salía de la función que el arte tiene prescrita.

Pero importa que este concepto de novela de don Juan es también una recusación de la novela católica al estilo de Pereda, o de Fernán Caballero. Conviene, entonces, decir que su lucha se desarrolla en torno a los principios. Es decir: que con Valera la lucha ideológica gana altura. No debe haber en la novela una simbología maniquea. Eso no es novela, sino una forma pseudo-novelesca. La novela popular española a lo largo del siglo XIX era vehículo de propaganda ideológica. Y era una novela de pésima calidad. Valera pretende llevar la lucha al terreno de la auténtica forma novelesca. Y es que era preciso desenvolverse a niveles de mayor altura. No bastaba practicar novela de tesis. Eso no eran novelas: eran panfletos. Desenvolverse a nivel de planfeto no es sólo más fácil, sino que es incluso contraproducente. Es preciso ir a los principios mismos. Hacer novela y darle un fundamento filosófico. Una vez debidamente fundamentada, ya posee los contenidos. La lucha, pues, la plantea Valera desde la pura internidad de la novela, en sus raíces en la estética y en la epistemología. Con ello la disputa gana altura y eficacia.

La novela en España, lo que hoy entendemos por novela, nace tras la revolución de 1868. El panfleto no es novela. La llegada a España del gran realismo francés, y luego del naturalismo, actúa como revulsivo en Valera, que se ve obligado a combatir en el terreno de los principios el gérmen revolucionario que, basado también en la internidad misma de su concepto de novela, llevaban éstos.

La gran novela realista, que pone de relieve las conexiones sociales, que en cierto modo, y sin perder altura y calidad estética, describe los procesos sociales con la relevancia misma de ser una adquisición de conciencia en torno a la realidad, encierra mayor índice de peligrosidad revolucionaria que los centenares de novelas panfletarias que circulaban en manos del vulgo. Por el hecho mismo de ser toma de conciencia ante los fenómenos reales, por el hecho mismo de ser objetividad, llevan en sí el germen de la acción.

Esto no lo desconocía Valera, y por eso, frente a la gran novela de la objetividad, propone una estética del subjetivismo. Para lo cual, no distingue entre novelas realista y naturalista. Para él, consisten en una sola y misma cosa. Pues el naturalismo, por científico que pretenda ser, no es sino una forma más del subjetivismo (55).

De cualquier modo, es un deseo de nuestro autor el desenvolverse a la altura de los principios. A los principios del naturalismo, que entronizan una forma del subjetivismo, opone Valera los de su peculiar idealismo subjetivo también.

Pues hemos visto cómo Valera veía la necesidad de enfrentar ambos, y de este modo librar la lucha en el tererno estético. Esto hemos de entender cuando dice (56):

(55) LUKÁCS: *Problemas del realismo*, México, F.C.E., 1969.
(56) O. C., T. II, pp. 1152-3 (*Terapéutica social y novela profética*).

«En fin: los mismos vicios, o mayores aún, que los que había en la sociedad antigua, germinan y emponzoñan la sociedad nueva. El proletariado, libre ya de todo freno, se entrega a sangrientas discordias y se somete a indignos adalides. (...)

Leído con detención y reposo cuanto dejamos expuesto en cifra, cada lector de la novela sacará las consecuencias que más le plazcan, pero ninguno quedará deseoso del advenimiento del socialismo, advenimiento imposible, si no se entiende por un tal retroceso a la barbarie y al más brutal y calamitoso desorden.

Y si en realidad fuese así, si el pronóstico fuese fundado, ¿por qué empeñarse en denigrar mil veces más de lo justo el estado social de ahora? ¿Por qué ponderar males que no tienen remedio? ¿Por qué afligirnos, descorazonarnos y hasta desesperarnos con libros que debieran ser de honesto pasatiempo y procurarnos estético y puro deleite?

La novela en España florece de nuevo desde hace cerca de un tercio de siglo. Indicios y esperanzas hay de que este florecimiento sea digno de la nación y de la lengua en que se escribieron el *Amadís*, *La Celestina* y el *Quijote*; pero conviene que lo ideal, lo noble y lo hermoso entren algo más en lo que se escriba. Conviene que su luz y sus alegres colores templen la fealdad y la crudeza de lo real, en vez de exagerarlas: y conviene, por último, que los novelistas no se empeñen o nos empeñemos en ser muy *tendenciosos* y docentes y en resolver los más tenebrosos problemas, sino que nos contentemos con divertir o interesar agradablemente a los lectores. ¡Ojalá que yo, haciendo el papel de crítico en esta ocasión, lo consiga!»

Léase por docente «denunciadores» de males sociales.

O sea: que todo el empeño de Valera es que no se diga nunca la verdad. Lo ético para don Juan, como vemos, es la mentira hermosa, que, según él, entraña verdad esencial.

Por eso, a la hora de seguir un modelo estético pide siempre imitar a los antiguos, nunca a los modernos (57). En los modernos, sean realistas o naturalistas, van gérmenes revolucionarios.

Hemos visto, pues, las motivaciones sociales que aparecen en el enjuiciamiento valeresco de la novela. Puede decirse que el temor a cualquier cambio social, sobre todo si es revolucionario, es decisivo a la hora de determinar la posición de nuestro autor en lo referente a las ideas sobre el arte y la novela. La estética del subjetivismo que hemos descrito tiene como fin alejar al lector y al escritor, al observador en general, de las conexiones, secretos o evidentes, que producen las tensiones sociales. A la toma de conciencia de estas tensiones que tiene lugar en la novela realista acompaña un elemento ético transformador. Incluso en el monárquico Balzac se produce este hecho. Es algo ajeno a la opinion personal del propio artista. La realidad se impone por sí misma. Para Valera la objetividad es peligrosa. La objetividad en el sentido de conocimiento científico de la realidad. A esta objetividad, si se da en el arte, la llama *tendencia*, arte docente. En su crítica del naturalismo hay muchos elementos válidos. Pero la motivación es la misma. Realismo y naturalismo los identifica creyendo encontrar en ambos presupuestos idénticos. Aquí se equivocó. Pero el naturalismo es tan subjetivista como su idealismo. Es puro reportaje: una forma novelesca inesencial. Aunque lo que teme Valera no es el naturalismo en sí,

(57) O. C., T. II, pp. 926-9 (*Sobre la novela de nuestros días*).

sino su significado español: teme, por circunstancias que veremos, al naturalismo hispanizado.

A tenor de estos criterios suyos, de identificar novela realista y naturalista, y a tenor también de ver en ambos el origen de una conciencia revolucionaria, Valera, que vive en sectores atemorizados por la peculiar génesis de la conflictividad social en la España de entonces, precisa de un aparato ideológico que a nivel de principios recuse esas formas artísticas en la propia internidad de las mismas. El subjetivismo estético que hemos descrito, pues, tiene la magna función de luchar contra el avance de esos enemigos. Es la función de la lucha ideológica. Basta asomarse otra vez a las páginas de sus *Apuntes sobre el nuevo arte de escribir novelas*, para comprobar de nuevo cuán cierto es (58). El positivismo, correleto filosófico del naturalismo, es depositario de la doctrina social que recusa Valera en su artículo *El superhombre*, contra la obra del positivista español Pompeyo Gener (59). En el positivismo, con razón o no, ve Valera socialismo. En este artículo podemos comprobarlo. Ya hemos visto cómo Darwin para don Juan es el peor enemigo de la propiedad. Y, en el naturalismo, quisiera ser socialista, o sólo mera autocrítica de la burguesía, también.

Toda la pasión de don Juan es demostrar que toda novela objetiva u objetivista es docente, y por tanto tendenciosa. Que la novela no debe decir la verdad, sino poéticas mentiras. Que debe consolar, que debe abstraer, que debe ocultar. Que no debe ocuparse de señalar males ni remedios, sino buscar poesía donde la haya: en la psicología. Aboga, pues, por la novela psicológica. Véase su artículo *De la naturaleza y carácter de la novela* para convencerse de ello (60).

Y, por fin, que toda novela no es otra cosa que poesía en pequeño (61):

«El novelista o el autor de cuento, sin duda que es poeta también. Yo no sé en qué predicamento he de ponerle, si en el de los poetas no lo pongo. Pero como es poeta modestísimo, llano y vulgar, cuyo principal propósito es divertir o interesar agradablemente a sus contemporáneos con narraciones fingidas, claro espejo de la realidad pasada o presente, aunque yo considero absurda y disparatada la profesión de poeta por todo lo alto, todavía hallo lícita y aun provechosa y grata para el público y para quien la ejerce la profesión 'el novelista o del autor de cuentos, salvo que es muy raro el buen éxito en tal profesión, si no está dotado quien la ejerce de la laboriosidad fecundísima y dichosa y si no cunde mucho el gusto por la lectura.»

Es eso: poesía modesta. Y nada más.

Hemos visto, entonces, el carácter ideológico de la sistemática conceptual de Valera en torno a los problemas sobre estética cuando hemos marcado la contradicción entre lo que don Juan decía y lo que sentía.

Esta contradicción en sí no era nada más que el indicio que pone en la pista para descubrir las motivaciones de este pensamiento. No están en una intimidad, en unas vivencias íntimas; están en la realidad de la personalidad de Valera, pero no en la consideración sobre su individualidad, por así decirlo. Sino en la consideración de nuestro autor como ser social: o sea,

(58) O. C., T. II, pp. 616-704.
(59) O. C., T. II, pp. 941-52.
(60) O. C., T. II, pp. 185-97.
(61) O. C., T. III, p. 1203 (*La novela en España*).

en cuanto a elemento perteneciente a un grupo social que defiende sus intereses.

Siguiendo el hilo que nos lleva desde la raíz de su epistemología, que está en Kant, hasta el punto final en que viene a desembocar su ideario estético, que está en el subjetivismo, hemos buscado los dos puntos claves, los dos centros de interés de su pensamiento estético, que constituyen el núcleo sobre el cual comienza a percibirse su carácter dialéctico, su carácter de polémica, es decir, aquello en lo cual adquiere sentido, y, por tanto, explicación. Hemos visto, pues, que el pensamiento sobre filosofía del arte tiene sus determinaciones más inmediatas en la existencia del positivismo como ideología que ataca los intereses del grupo social en que se sitúa Valera. El centro de la lucha se libra en estos dos puntos que hemos citado: la finalidad de arte y el concepto de mímesis. Estos son, pues, los que, de un lado, ponen de relieve la orientación del proceso ideológico de cada parte en conflicto, y de otro, el nivel en el cual se desarrolla el conflicto. Vemos en estos dos supuestos, que son las motivaciones sociales los principales móviles que llevan a Valera a enfrentarse, en el nivel de los principios con el naturalismo. Ello ha quedado puesto de manifiesto con los textos arriba citados.

De este modo, nos parece inadecuada la tesis de Montesinos a propósito de este mismo tema. Cuando nos habla del concepto valeresco de novela, y de la especial inquina de Valera hacia Zola, dice (62):

> «Novela, cuento: moldes en sí indiferentes, destinados a recibir ideas y fantasías, por libérrimo arbitrio del autor. Estas son las que cuentan. Y el ingenio y la gracia. Cuando Valera abomina del naturalismo, su inquina se debe —él mismo lo dice— a que *fija* la novela en una forma determinada, a que después de él ya no es posible escribir cuentos-novelas o novelas-cuentos. Y además es triste y deprimente.»

Esto es cierto. Pero después de lo que hemos visto, resulta trivial e inesencial. Considerado a nivel de derivado lejano de los conceptos fundamentales, es cierto. Pero no en lo esencial. Lo importante es que en los conceptos finales de su estética, los de finalidad y mímesis, aparecen los motivos esenciales de su rechazo y de su inquina hacia no ya sólo el naturalismo, sino el realismo, que identifica con aquél.

Que Valera quería una novela en libertad, sin preceptos, frente a los naturalistas y realistas, es verdad. Pero es una verdad de segundo orden. Hay motivos mucho más serios, y ésos había que señalarlos.

La bibliografía al respecto (páginas atrás queda mencionada), apenas señala las motivaciones reales. Por lo general, no se detienen a señalarlas los críticos. En buena medida se debe a que apenas se ha notado el carácter ideológico del pensamiento estético de Valera. Por eso, y sin más, los trabajos sobre sus ideas estéticas suelen quedar reducidos a un repertorio de ideas sueltas sobre novela, poesía... También se produce esto porque apenas nadie se ha detenido a estudiar los fundamentos epistemológicos de ésta. Con lo cual, las exposiciones de su ideario estético las suelen hacer los críticos inorgánicamente, como una especie de lista de ideas sueltas. También, se suelen hacer muchas referencias a su platonismo, y no se señala en cambio la importancia que tuvieron para Valera Kant,

(62) MONTESINOS: *Valera o la ficción libre*, op. cit., p. 34.

Schelling y Hegel. Y sobre todo el primero, cuya importancia ya hemos visto que es decisiva. También se señala la inquina de Valera hacia el naturalismo, pero no el por qué. Es más, aun sin señalar las motivaciones concretas, los estudios de las relaciones entre Valera y Zola suelen hacerse del mismo modo inorgánico con que se confeccionan las listas de sus ideas estéticas.

Luis López Jiménez, en su trabajo sobre los *Apuntes sobre el nuevo arte de escribir novelas*, de Valera, sí cita en ocasiones algunas de estas motivaciones reales (63). Ya hemos citado un texto de este autor. Pueden encontrarse algunos más a lo largo de sus páginas. Pero no les concede el rango que realmente poseen: los señala más bien a título de anécdota.

Era, pues, necesario hacer un estudio tanto de la sistemática del pensamiento estético de Valera, como de las motivaciones de dicho pensamiento. Era preciso hacerlo en dos niveles. El resultado es que es ideología, y que, como tal, se manifiesta dialécticamente. De este modo se explican las ideas estéticas de Valera.

---

(63) Luis LÓPEZ JIMÉNEZ: *El naturalismo y España. Valera frente a Zola*, op. cit.

CAPÍTULO V

LA PECULIAR POSICION DE VALERA EN LA ESPAÑA DEL SIGLO XIX: LA ALTERNATIVA DEL ESTETICISMO

Hemos visto que para Valera el positivismo es la ideología del socialismo revolucionario.

Pero, ¿objetivamente es esto verdad? Tras los últimos estudios realizados por los historiadores en materia de ideologías en la España del siglo XIX, podemos decir que sí. Y ello responde a la peculiaridad misma de la historia de España en el siglo XIX.

En principio, el positivismo es la ideología con la que la burguesía vencedora en la Gran Revolución pretende racionalizar el mundo, asentarlo sobre bases firmes, darle una organización estable. Esto, sin embargo, no se da en España. Y éste va a sufrir un desplazamiento hacia la izquierda para convertirse en la ideología de combate de las clases trabajadoras. Con este desplazamiento recibe un contenido revolucionario de carácter socialista utópico, anarquista. Fundamentalmente va a ser la ideología de los sectores más radicales del proletariado.

Las explicaciones que se dan de este hecho hacen referencia a lo precario de la revolución burguesa en España, y a la debilidad de la clase portadora de estos ideales revolucionarios.

Entre los sectores burgueses españoles, a lo más, la aparición del positivismo sólo produjo una inflexión en sus presupuestos ideológicos, que eran de carácter idealista en todos los casos. Los diferentes sectores burgueses en el poder apenas si tuvieron un «pathos» revolucionario, y éste era siempre más bien de carácter coyuntural. Al menos la interpretación de los historiadores apuntan de modo dominante en este sentido (1).

El positivismo en España produjo un impacto tan acusado que, a pesar de ser caracterizado enseguida como revolucionario, no por ello dejó de llamar la atención incluso a los sectores clericales. En conjunto fue recha-

(1) Josep FONTANA: *Cambio económico y actitudes políticas*, Barcelona, Ariel, 1975, pp. 101-37. Véase también Gabriel TORTELLA: *Ferrocarriles, economía y revolución*, en «La revolución de 1868», ed. por Clara E. Lida-Iris M. Zabala, Nueva York, Las Américas Publishing Co., 1970, pp. 126-37. En este mismo libro, Nicolás SÁNCHEZ ALBORNOZ: *El trasfondo económico de la revolución*, pp. 64-79. También Miguel ARTOLA: *La burguesía revolucionaria (1808-1874)*, Madrid, Alianza, 1976, pp. 363-97. También Raymond CARR: *España 1808-1939*, Barcelona, Ariel, 1970, pp. 292-3. También M.ª Victoria LÓPEZ-CORDÓN: *La revolución de 1868 y la Primera República*, Madrid, Siglo XXI, 1976. Antoni JUTGLAR: *De la Revolución de Setiembre a la Restauración*, Barcelona, Planeta, 1976. TUÑÓN DE LARA: *Estudios sobre el siglo XIX español*, Madrid, Siglo XXI, 1974, pp. 90-8.

zado, y condenado; pero no sin dejar una inflexión de carácter más pragmático que verdaderamente positivista en las ideologías de estos sectores (2).

El positivismo en las clases dirigentes en la España del siglo XIX, y aun en las clases medias, no fue nunca verdadero positivismo. Fue pragmatismo. Toda la obra de la Restauración de Cánovas se basaba en estos presupuestos. Aranguren lo llama «positivismo de derechas». Ello es que el «ethos» burgués español decimonónico no podía admitir plenamente la sistemática positivista, pues ello podría suponer la aceptación de no pocos elementos de autocrítica que éste lleva implícitos. Nuestras clases dirigentes no eran lo suficientemente fuertes como para permitirse lo que a sus ojos era un verdadero lujo del poderío económico francés, inglés o americano.

Los sectores más avanzados de la burguesía eran krausistas: es decir, nunca se abandonó el terreno del idealismo ideológico en España. A lo más, se sufrió una «inflexión» de carácter pragmático en su idealismo. El positivismo era, pues, la ideología de los sectores que reivindicaban intereses opuestos a los defendidos por los sectores del idealismo.

El estudio más completo en este sentido lo ha llevado a cabo Diego Núñez Ruiz (3). Así nos describe este proceso de inflexión en las clases dirigentes, tanto las que estaban en el poder como fuera de él:

> «Desde el punto de vista político, la positivización afecta tanto a los sectores conservadores como democráticos. Los primeros van a aprovechar las teorías positivistas, particularmente la dirección «estática» comtiana y el organicismo naturalista, para representar con apoyaturas científicas la idea del «orden» y de «defensa de la sociedad». Los segundos, aleccionados por la fracasada experiencia revolucionaria, emprenden, antes que nada, una revisión de los supuestos ideológicos que habían inspirado su anterior comportamiento político, lo que conlleva una decidida crítica de las posturas utopistas y jacobinas, para acabar propugnando fórmulas de «democracia gubernamental» como resultado de su planteamiento político de corte realista, que es tanto como decir positivista y pactista en las circunstancias españolas del liberalismo, y de enfoque positivo, en el sentido weberiano del término, esto es, buscando en instancias científicas la orientación y guía de la praxis política. De este modo, frente a las antiguas tendencias idealistas y románticas, las miradas se vuelven ahora hacia el lema comtiano «orden y progreso», o hacia el modelo anglosajón del «self-government». Asimismo, de la concepción del progreso de la filosofía idealista de la historia se pasa a su asimilación bajo el concepto de *evolución* de clara estirpe naturalista.»

El positivismo no era posible como ideología racionalizadora de una realidad nueva por la sencilla razón de que la vieja realidad aún subsistía con la fuerza suficiente como para agostar cualquier novedad en el terreno de una reestructuración de las formas de producción. El nuevo orden y el viejo en España, tras una vacilante y ambigua lucha, terminaron por aliarse tras el fracaso de la Revolución de 1868. El positivismo, así, no existió en las mentes de los sectores que constituyeron el órgano rector de la socie-

(2) Juan José GIL CREMADES: *El reformismo español (Krausismo, escuela histórica, neotomismo)*, Barcelona, Ariel, 1969, pp. 183-301. El autor fija su estudio exclusivamente en los conceptos sobre el derecho en cada sector. También parece apuntar esta idea J. Luis ARANGUREN: *Moral y sociedad. La moral social española en el siglo XIX*, Madrid, Edicusa, 1974, pp. 163-73.
(3) *La mentalidad positiva en España*, Madrid, Túcar, 1975, p. 12.

dad española: sólo hubo un visceral pragmatismo preludio de las tecno-
cracias. Por eso añade Núñez Ruiz (4):

> «En España, por el contrario, la burguesía no había conseguido
> llevar a cabo las debidas transformaciones en la realidad del país que
> permitieran identificar la filosofía positivista con los intereses na-
> cionales. De ahí, por tanto, que las posibilidades genéticas y operati-
> vas del positivismo en España, salvo en el área cultural católico, don-
> de el empuje de la civilización industrial era mayor que en el resto
> del país, andaran bastante mermadas. No podía ser de otro modo:
> sin tales bases sociales y científicas de sustentación, el pensamiento
> positivo, como casi todo el pensamiento español decimonónico, es-
> taba condenado a ser en gran parte un fenómeno importado y mi-
> mético, cultivado habitualmente por una minoría ilustrada con afa-
> nes de modernización y puesta al día intelectual.»

Lo importante es el hecho de que es en la Restauración, precisamente,
cuando ya se produce la alianza entre los sectores burgueses y aristocráti
cos, aunque, por supuesto, con cesiones por ambos lados. Es entonces cuando es posible pensar en desplazar los conceptos conflictivos en el proceso
de la lucha ideológica entre ambos grupos sociales para de este modo dar
a esta alianza su base mental más firme por medio de una actitud pragmática hacia la realidad. Se trata de ordenarla y racionalizarla sin más dispu-
tas (5).

Fenómeno que se obserba también incluso en los sectores burgueses que
no llegaron o que no esperaron nunca llegar al poder. La misma inflexión
se observa entre los grupos democráticos, cuya base social está en la pequeña burguesía. Dice este mismo autor (6):

> «Mediante esta revisión de supuestos filosófico-políticos y esta in-
> flexión reformista, un amplio sector democrático —desde la derecha
> casteleriana al centro salmeroniano—, frente al viejo estilo de los
> procedimientos radicalistas —encarnados por Ruiz Zorrilla— trata
> de adaptarse al nuevo contexto histórico, orientando con frecuencia
> su conducta política en criterios científicos, conforme al enfoque com-
> tiano de lo que debía ser una política positiva. De ahí precisamente el
> interés histórico-ideológico de esta incidencia de la doctrina positiva
> en el campo democrático: el positivismo se va a convertir en la más
> adecuada racionalización y fundamentación teórica del indudable re-
> pliegue y rumbo reformista que toma el liberalismo español tras el
> naufragio de la revolución septembrina y la aparición del espectro de
> la Internacional. Aunque con más retraso que en Francia, debido a
> nuestro más lento y endeble desarrollo social, la doctrina positivista
> viene a desempeñar aquí al menos en las intenciones, un papel simi-
> lar, resultado de su más imperiosa ambición genética: racionalizar
> el «orden» y el «progreso» de la nueva sociedad posrrevolucionaria.
> La intencionalidad política del positivismo encuentra así su acabada
> plasmación en dicha política positiva, tras haber configurado un can-
> to a la excelsitud gnosológica del método y la función de la ciencia
> social a base de pasos intermedios, pergeñando de esta forma un "sis-
> tema" perfectamente arquitrabado y coherente.»

(4) *La mentalidad positiva en España*, op. cit., pp. 18-9.
(5) Véase, por ejemplo, Manuel TUÑÓN DE LARA: *La burguesía y la formación del bloque
de poder oligárquico: 1875-1914*, en «Estudios sobre el siglo XIX español», op. cit., pp. 155-238.
(6) *La mentalidad positiva en España*, op. cit., p. 33.

Es decir: sólo un grupo y no de los de más peso, del sector representativo de la pequeña burguesía, que aún mantenía sus tesis revolucionarias, se constituye en el soporte de la ideología del positivismo. Abarca a los demócratas más o menos radicales. Y es preciso añadir que aun entre éstos tuvo más arraigo el neokantismo que el positivismo estricto. A la disolución del movimiento krausista, la gran mayoría de sus más jóvenes representantes, todos ellos demócratas, van a pasar a las filas del neokantismo.

Sólo el sector más radical de la formación pequeño-burguesa, el que constituye el republicanismo federal de Pí y Margall, va a adoptar de una manera consecuente la ideología del positivismo. A pesar, incluso, de la existencia de cristianos en las filas del partido. Pí y Margall, junto a su personal posición religiosa, que encierra un vago teísmo de carácter panteísta con pretensiones de científico, afirma poco más o menos es los términos de Zola el carácter liberador de la ciencia. El positivismo de Pí y Margall es más cuestión de fe —utopismo— en el poder *reformador* del conocimiento científico. Un sentimiento de temple claramente burgués es la base de sus ideas reformistas. Cuando Pí y Margall habla de revolución habla de la revolución burguesa. El anarquismo de Pí y Margall es un pseudo-anarquismo filosófico, y no el anarquismo social de Proudhon. Su filosofía social es, en el fondo, reformismo (7).

La existencia de la Internacional no era para estos sectores pequeño-burgueses un serio problema. Aunque conocían que su idea revolucionaria tenía por fin la conquista del poder político, no creían, sin embargo, que ello fuera el concepto fundamental. Veíanlo como un vago voluntarismo que los hechos y las circunstancias acabarían por diluir. Estos hechos eran sobre todo las reformas sociales que ellos proponían. Así, en la Internacional veían un aliado ocasional, y no un serio peligro. Confirma esta idea del reformismo de los republicanos, incluidos los federales, su ambigua práctica política.

De este modo, se da la paradoja de que una ideología de raigambre burguesa como es el positivismo, que pretendía estabilizar una estructura social, en España aparece subversiva (8):

> «Mientras que el autor francés (Littré) no se cansa de decir que la filosofía positivista es la más eficaz para reorganizar la sociedad presente, en España más de medio país la considera tremendamente subversiva y no duda en colocarla al mismo nivel de peligrosidad social que la Internacional.»

De hecho, el positivismo se va a convertir en la ideología del anarquismo español.

La práctica inexistencia del materialismo dialéctico como ideología, por la falta de un vigoroso movimiento marxista en la España del siglo XIX, sean cuales fueren las causas de ello, hace que la lucha ideológica de los sectores obreros quede a manos del anarquismo. Y no obstante el pluralismo ideológico de éste, pues acepta desde conceptos claramente cristianos, aunque entendidos *sui géneris*, hasta conceptos de Nietsche y Schopenhaner, el sector ideológico dominante lo va a constituir el materialismo positi-

---

(7) Antoni JUTGLAR: *Pi y Margall y el federalismo español*, 2 vols., Madrid, Taurus, 1975. Los aspectos ideológicos están descritos sobre todo en el primer tomo.
(8) *La mentalidad positiva en España*, op. cit., p. 37.

vista (9). Y aunque éstos fueran herederos en algunas ideas de la izquierda hegeliana nunca llegaron a los conceptos del materialismo dialéctico de Marx, que siempre recusaron. Dice Alvarez Junco que nunca prendió Hegel en el anarquismo español (10):

> «La corriente materialista, cuyas pretensiones, ciertamente, eran inversas, es la que penetra en los círculos revolucionarios españoles. Entre sus cauces concretos podría señalarse a los propios filósofos materialistas del siglo XVIII, importados a través de las corrientes más radicales del liberalismo democrático, y a veces traducidos directamente por los anarquistas; a Rousseau, de cuyo pensamiento en éste, como en tantos otros puntos, son herederos los anarquistas; y a los filósofos y literatos sentimentales moralizantes, como Volney o Sue, que servirán de engarce entre la Ilustración y el socialismo. Sería interesante discutir la influencia del concepto hegeliano de Naturaleza (...), que pudo llegar a través de Feuerbach-Bakunin o de los hegelianos españoles; mas no parece que se deje sentir la influencia, ya que ni siquiera llegó a captar el anarquismo español la crítica al concepto de "naturaleza racional".»

Aceptaron, pues, como arma en la lucha ideológica un nudo positivismo; en medio de cierto eclecticismo, el núcleo dominante es positivista (11):

> «Y los anarquistas españoles —al igual que los republicanos federales y socialistas— se acogieron casi oficialmente al positivismo imperante en Europa (con ese materialismo comtiano en que confluían la Ilustración y el Socialismo utópico) apoyado por alguna de las nuevas perspectivas que para la crítica de la religión aportaba el marxismo. A fines de siglo, la traducción y vulgarización de la corriente naturalista alemana de Büchner y Haeckel, proporcionó la última apoyatura filosófica para el materialismo.
>
> La explicación materialista había servido de fundamento para múltiples proyectos de regeneración de la sociedad y reeducación del hombre. En este caso, no sólo tenía utilidad para combatir la filosofía cristiana oficial del país, sino que servía para fundamentar un determinismo social indispensable a la hora de atacar el sistema penal vigente. Los anarquistas enlazan así con la gran corriente intelectual que se remonta a Demócrito y Epicuro y que, en su búsqueda de una ciencia que sirva a la liberación humana, trata de explicar el universo sin la ayuda de andamiajes espirituales, leyes sobrenaturales ni justicias providenciales. El materialismo se convierte en principio indiscutido.»

La explicación que Alvarez Junco da a este hecho, el de la aceptación del positivismo por el anarquismo español, es como sigue (12):

> «La organización "científica" de la sociedad por oposición a la actual, basada en principios bárbaros como el del dominio del más fuerte, conllevaría automáticamente, en lo político, la eliminación de toda autoridad, así como en lo ideológico sería el fin de todas las religiones. El dominio del hombre por el hombre, en definitiva, dejará paso a la administración científica sobre las cosas, respondiendo

---

(9) Véase el magnífico estudio de José ALVAREZ JUNCO: *La ideología política del anarquismo español (1868-1910)*, Barcelona, Siglo XXI, 1976.
(10) *La ideología política del anarquismo español*, op. cit., p. 46.
(11) ALVAREZ JUNCO: *Ideología política del anarquismo español*, op. cit., p. 31.
(12) *La ideología política del anarquismo español*, op. cit., p. 69.

así los anarquista a la tradición positivista y socialista utópica. El positivismo puede interpretarse hoy como doctrina de carácter conservador, racionalizadora y estabilizadora del orden social tras la Revolución francesa, pero en la España de finales de siglo, carente de una base social burguesa y de un desarrollo intelectual comparables a los franceses, se enfrentaba con una fuerte oposición en los medios conservadores. Si a ello se añade que el proyecto de reorganización social saint-simoniano se basaba en los "productores", que del saint-simonismo había surgido el socialismo utópico y Comte había mantenido importantes relaciones con el movimiento obrero organizado, se completaba el cuadro de razones por las que, para los anarquistas españoles "la Ciencia" —y la Revolución— se identificaban con el positivismo, sin que valiese de nada —como tampoco valían para los sectores católico-conservadores— las protestas de conservadurismo que auténticos comtianos como Estesén o Gener lanzaban desde Barcelona. Los nombres de Comte y, sobre todo, Spencer —cuya mezcla de evolucionismo y positivismo alcanzó inmensa popularidad— aparecen citados con frecuencia en los textos ácratas.»

Es curioso, así, y, sin embargo, nada extraño, que Valera confundiese al positivista Pompeyo Gener con un verdadero socialista. Importa señalar lo que ya vimos antes: para Valera ser positivista significa, quiérase o no, ser socialista (13). Cuando don Juan hace la crítica del libro de Gener *Amigos y maestros*, aprovecha varias páginas de su artículo para lanzar un ataque al concepto «positivista» de orden social confundiéndolo con socialismo. Y define, de paso, su idea de democracia, de igualdad, etc. Contra el positivismo, nos da Valera en este artículo sintéticamente toda su filosofía social, radicalmente opuesta a la positivista-socialista española.

En fin: para don Juan positivismo era socialismo, como para los socialistas españoles mismos.

Evidentemente, su correlato literario, el realismo, y el naturalismo —no los distinguía don Juan— también es socialista. Así, vemos cómo resume Alvarez Junco los ideales estéticos del anarquismo español (14):

«El arte ha de ser, por último —y con un término muy de moda en la época—, "realista". Realista significa que esté conectado en sus temas con la realidad social en que surge (batalla contra el arte por el arte, ya aludida); que estos temas sean populares (reales, vividos por todos, no llenos de personajes nobiliarios y pasiones sublimes; o "realismo" opuesto al romanticismo); que el tratamiento de los mismos sea "real", auténtico, "científico" (que no los falsee para tranquilizar nuestra conciencia y servir a la ideología de la clase privilegiada); y que la exposición sea lineal y comprensible (otro sentido del término "literatura popular", es decir, no elitista, dirigida a todos).»

En suma: el arte realista y naturalista, para los mismos anarquistas, significaba revolución. Y para Valera, naturalmente, también.

Es, pues, normal que, recibiendo el realismo y el naturalismo de unos y otros el estigma de revolucionario, Valera, al menos en los principios, lo recusara.

En la España del siglo XIX, pues, el positivismo era objetivamente revolucionario. Valera, con razón, lo asocia al socialismo. Los propios socia-

(13) O. C., T. II, pp. 941-52 *(El superhombre)*.
(14) *La ideología política del anarquismo español*, op. cit., pp. 82-3.

listas lo adoptan como su más importante arma en la lucha ideológica. Los libros y los folletos de Büchner y Haeckel eran todo un credo para los anarquistas españoles. Zola era el campeón literario de la libertad de los oprimidos. Todos ellos tuvieron una enorme difusión entre los sectores obreristas en el último cuarto del siglo XIX.

De este modo, el lugar que va a ocupar Valera dentro del espectro ideológico de la España del siglo XIX está, en relación con la filosofía positivista, bastante claro: el idealismo que defiende corresponde, de una manera muy general, a una concepción cristiana y liberal de la vida pública. Su filosofía social, expresada de una manera clara y sencilla en el ya citado artículo de *El superhombre*, y sus ideas sobre economía política, que pueden leerse en su artículo *Un poco de crematística*, no dejan lugar a dudas en la determinación de su posición en dicho espectro (15).

El pensamiento de don Juan hay que explicarlo en dos niveles. Pues según el nivel en el cual se sitúe adquiere una significación diferente.

En el nivel más general, más amplio, como ideología de combate en la problemática social, ya hemos visto cómo se desenvuelve. Este es el nivel más relevante, más importante. Es el más explícito, pues adquiere sus contenidos en la medida en que es expresión dialéctica, lucha. El pensamiento filosófico y estético de Valera se explica porque combate contra el positivismo, que encarna el socialismo revolucionario. Ya lo hemos comprobado.

Este es el nivel más general. Sin embargo, existe una mediación, que se da a un nivel más concreto, más vivencial, más inmediato, y que se asienta sobre la experiencia inmediata de don Juan. Este nivel no tiene tan amplia generalidad, pero nos va a servir, como veremos, para situar el pensamiento de Valera en relación con otros que, siendo próximos a él, son, sin embargo, diferentes.

Efectivamente: en el aspecto ideológico de la España del siglo XIX, hay varias tendencias filosóficas afines por tener su base en el idealismo, pero que tienen entre sí diferencias.

La filosofía de Valera y el krausismo se parecen en no pocas ideas. Sin embargo, hay diferencias.

Estas diferencias es lo que intentamos precisar. Y tienen su fundamento en la experiencia más inmediata de la vida de Valera: en las peculiaridades de su grupo social y en las necesidades sociales de don Juan. Es decir: en lo que era su medio, y en lo que él pedía de este medio.

Ello se efectúa a través del concepto de ideal humano, de tipo ideal, o sea, del hombre que reúne en sí las calidades que don Juan Valera consideraba como las más estimables.

De una manera muy general, Valera se sitúa en un punto medio entre los krausistas y los doctrinarios. Al margen de su vinculación respecto a determinados partidos políticos, nos importa señalar, según lo que hemos visto en la descripción de su pensamiento estético, su peculiar posición ideológica en el abanico de fuerzas que defendían esta concepción cristiana y liberal de la vida española en el siglo XIX.

Si bien por sus ideas acerca de la sociedad, y de sus conflictos, está definitivamente más próxima a los doctrinarios que a los krausistas, podemos distinguir en Valera una actitud hacia el grupo social en el cual

(15) O. C., T. III, pp. 1277-97.

se insertaba de carácter pedagógico no lejano a aquellos impulsos que motivaban a los krausistas en sus ideas acerca de la sociedad española.

En principio, ya hemos visto cómo en sus cartas don Juan manifestaba su anhelo de brillar en la sociedad elegante madrileña de su tiempo. Al mismo tiempo, siendo éste su máximo deseo, vimos también cómo expresaba en esas mismas cartas su insatisfacción respecto a ese medio social en el cual él quería desenvolverse. Pues en él, siendo para él el máximo ideal de vida posible, no encontraba muchas de las cosas que él pedía. La estupidez y el mal gusto los encontraba por doquier en ese medio social, y esto hace que sienta más deseos de relación intelectual con los sectores neocatólicos, que, por su parte, no eran lo bastante refinados.

De este modo, Valera se encuentra en una posición incómoda entre sus necesidades intelectuales y sus anhelos vitales y sociales. Podemos constatarlo por ejemplo en los textos citados en el capítulo primero.

También don Ramón Pérez de Ayala decía de don Juan (16):

«Vemos a don Juan Valera, a lo largo de su vida y de sus obras, como el hidalguillo lugareño de cuna no villana, pero tampoco e elevada alcurnia, cuya secreta pesadumbre se cifra en no ser por nacimiento un prócer de la sangre y cuyo sueño dorado se realiza cuando se mueve entre próceres y los papanatas le toman por uno de ellos (digo de los próceres).»

Su máximo deseo era dominar este mundo. Es el mismo anhelo de Andreas Zumsee. Si el País de Jauja hubiera estado a la altura de los deseos de don Juan, es decir, si hubiera sido el mundo cortesano al viejo estilo, el de Castiglione, su posición en él hubiera sido infinitamente más holgada.

Pero la falta de educación, la incultura, y también la sordidez de este mundo, atacaban los nervios de don Juan. Tenía vocación literaria. Era hombre de mundo, pero con un sentido muy elevado de la cultura de su poder civilizador. Idolatraba el mundo del lujo y de la cultura. En la España de entonces ambos mundos estaban divorciados. El que tenía dinero con frecuencia era un duque de Osuna, es decir, un tonto. No leía, no entendía. Con una paletería verdaderamente plebeya exhibía sus bienes, se embadurnaba con ellos. Dominaba el peor gusto imaginable.

Basta leer las opiniones de Valera sobre las poesías de Campoamor, de Núñez de Arce, de Grilo... para saber por dónde andaba el gusto en la sociedad elegante de la España de entonces. Valera no consigue dominarse (17):

«Yo ya me hallo viejo, algo achacoso, pobre y sin esperanza, y con la ilusión de ganar algo escribiendo, casi perdida. En España, un escritor de mediano sentido común me parece un sastre bueno de París que se fuera a hacer elegantes fraques, levitas, chalecos y pantalones al centro de Nueva Zelanda, donde la gente anda aún en taparrabos, si acaso, pues tal vez anden hasta sin eso.»

En lo referente a gusto literario, domina la barbarie, el prosaísmo cursi y ramplón de los arriba citados. Dice de Núñez de Arce (18):

(16) Ramón PÉREZ DE AYALA: *O. C.*, op. cit., T. IV, p. 831.
(17) *Epistolario de Valera a Menéndez Pelayo*, op. cit., p. 38.
(18) *Epistolario de Valera a Menéndez Pelayo*, op. cit., p. 178.

«Harto sabe usted, como yo, que las poesías políticas de Núñez de Arce, sin excepción, son artículos de fondo, declamatorios y huecos, con metro y rima. Ni aquel santo horror al vicio, ni aquel amor a la virtud, ni aquel entusiasmo por el progreso-bueno, ni aquella condenación del progreso-malo, ni aquel censurar a la revolución, ni aquel elogiarla en lo que la elogia, significa nada ni está sentido. Son malos artículos de fondo, muy huecos y pomposos y vacíos. Créamelo usted; pero, en fin, no había más remedio que elogiar... o no escribir.

(...) Los *Gritos de combate* son filfa, y hasta el título es risible por lo *pretencioso* sin fundamento.»

Si elogia es que no había más remedio. Valera nunca se propuso decir la verdad públicamente si ésta iba contra los mitos y tabúes de la alta sociedad. No conoció don Juan nunca el compromiso abierto. Lo que importa es que la clase alta, con todo su pesar, canoniza la tontería y el mal gusto. Aunque también se equivoca Valera en ocasiones: por ejemplo, cuando hace el elogio de Emilio Ferrari (19):

«No es un salvaje ignorantísimo que delire o lo equivoque todo o ha oído campanas y no sabe dónde, como sucede a Campoamor, a Grilo y a otros *genios*, dicho sea esto entre nosotros y con prudente sigilo.»

Texto que no interesa tanto por Ferrari como por Campoamor y Grilo. De Campoamor, verdadero ídolo de la «inteligencia» española de entonces habla muy a menudo don Juan, en la intimidad de sus epistolarios, único sitio donde Valera sabe decir la verdad, porque ésta no compromete (20):

«He visto y leído algunas de esas *humoradas* de Campoamor que me parecen *frialdades* vulgarísimas y ultrapedestres. Es vergonzoso que semejante colección de simplezas se aplauda.»

Lo que verdaderamente le duele a Valera es que hagan tanto caso de un patán como Campoamor, y que a él apenas le aplaudan (21):

«Pero todos estos desdenes de los editores y del público, en vez de acoquinarme y desalentarme, son como espuela y látigo que me harán saltar y convertirme en un escritor de nuevo y de veras. Yo escribiré y yo me haré leer, a pesar de lo canallas o de lo brutos, con perdón sea dicho, que son en nuestra tierra.»

Por otra parte, Campoamor es producto de la mediocridad sin límites que domina la vida cultural española. Los escritores son malos porque la crítica, en general, lo es (22):

«Campoamor, si hubiera habido crítica en España, hubiera hecho cosas estimables porque no carece de ingenio, tiene muchísimo; pero la adulación ignorante la ha depravado; ha hecho su ignorancia más atrevida y no escribe sino barbaridades y ñoñerías.»

(19) *Epistolario de Valera a Menéndez Pelayo*, op. cit., p. 241.
(20) *Epistolario de Valera a Menéndez Pelayo*, op. cit., p. 279.
(21) *Epistolario de Valera a Menéndez Pelayo*, op. cit., p. 283.
(22) *Epistolario de Valera a Menéndez Pelayo*, op. cit., p. 286.

Y esta buena obra, y esta buena acción, no quiso hacerla Valera. Le hubiera comprometido. Por otra parte, ya hemos visto cómo todas sus energías las dedicó a combatir el naturalismo y la influencia extranjera, especialmente francesa, en la cultura española de entonces.

Es preciso añadir aún que la valoración pésima, que hace Valera de los krausistas se debe también, a su juicio, a la escasa talla intelectual de sus hombres. Coincide en esto con Menéndez Pelayo. Lo dice en una carta Valera a don Marcelino, a propósito de su prólogo a *Pepita Jiménez* para los Appleton (23):

> «En el elogio a los krausistas, aunque yo pienso de ellos lo mismo que usted, ha habido cierto sentimiento de desagravio por lo que de ellos me he burlado y el cándido deseo de que los yankees entiendan que tenemos filósofos de cuenta, etc., etc.»

Sin embargo, lo que más duele a Valera es el mal gusto de la clase social cuyo corazón él anhelaba conquistar. No podía hacerlo con dinero, porque no lo tenía. No le quedaba, pues, más recurso que su inteligencia. Don Juan quiere ser aristócrata. Como materialmente no lo consigue, lucha por serlo espiritualmente. Y eso sí lo consigue.

Por otra parte, sueña algún día conseguir el dinero suficiente, por medio de la literatura, para llevar con dignidad el tren de vida que la sociedad y sus cargos le imponían. Ya sabemos cuánto hizo sufrir esto a Valera.

Con todo, lo que más le duele a nuestro autor es que los papanatas admiren las tonterías, las ñoñerías y los artículos de fondo rimados de Campoamor y Núñez de Arce, y que a él no le lean ni le aplaudan tanto. A esto dice Valera, y quizá con razón, que no le entienden.

Hay, pues, una alta sociedad tonta y de gusto corrompido. Y por otro lado, el mundo intel·gente, la intelectualidad española de entonces, que don Juan la encontraba entre el grupo de los neocatólicos. Para Valera los krausistas no pasan de ser, como hemos visto, pobres pedantes. Y ya vimos en el capítulo primero, al tratar de sus actitudes en torno a la cuestión religiosa, qué vinculaciones tiene con el grupo neocatólico. Les admira porque son los únicos que conocen la historia y la literatura de España, los únicos cuya conversación puede satisfacer sus necesidades intelectuales. Por otra parte, ideológicamente no se sitúa muy lejos de ellos. En lo esencial, y aun en muchos detalles, su doctrina estética coincide con la le Menéndez Pelayo. Su filosofía social es idéntica a la de don Marcelino. Sus gustos literarios también coinciden. Sus valoraciones de la historia y la cultura española tampoco discrepan. El punto que les separa es el encuadre político. Y para eso, más subjetiva que objetivamente. Pues en el tema de fondo de todo pensamiento, que es la filosofía social, y el enfoque de sus conflictos, es idéntico en los dos. Como lo son los objetivos sociales de progresistas y moderados en la España del siglo XIX. Así lo asegura Carlos Seco Serrano cuando dice (24):

> «Aunque puede dar lugar a confusiones una visión superficial de la historia política de nuestro siglo XIX, no debe olvidarse —y se olvida de continuo— que moderados y progresistas son dos caras de

(23) *Epistolario de Valera a Menéndez Pelayo*, op. cit., p. 294.
(24) *La toma de conciencia de la clase obrera y los partidos políticos de la era isabelina*, en «La revolución de 1868. Historia, pensamiento, literatura», ed. por Clara E. Lida-Iris M. Zavala, op. cit., pp. 30-1.

una misma revolución —la revolución liberal—; que más o menos, unos y otros se nutrieron con clientelas de idéntica extracción social y que las diferencias que les separan más atienden a los límites del programa desamortizador que al programa en sí. Y aún me atrevería a afirmar que la larga dominación de los moderados resultó más eficaz para afianzar el sistema representativo —desde luego, representativo de unos determinados sectores sociales— que los esporádicos asaltos a la fortaleza del poder por parte de los progresistas. La "conciliación del trono con la libertad" permitió integrar a un buen sector de la España vencida en la Guerra Civil, alejando el fantasma de una nueva reacción bélica "a la desesperada", y el concordato de 1851 fue la mejor garantía para la consolidación de las conquistas burguesas.

Pero, entre tanto, los progresistas —en ostracismo desde 1844— no dejaron de apuntarse, como tantos propios, los fallos del equipo político gobernante; y si en realidad los moderados encarnaban idéntica postura que aquéllos en los aspectos sociales —el liberalismo económico y contractual—, los progresistas se esforzaron en polarizar a su favor las oposiciones alzadas contra el omnímodo mando de la burguesía triunfante: claro que en cuanto la experiencia práctica los ponía a ellos a prueba —en las etapas de 1840 a 1843, y de 1854 a 1856— quedaba de manifiesto su vinculación estrecha e idénticos intereses de clase. Para mantener su prestigio popular —montado sobre el hueco principio de la "soberanía nacional"— nada fue más favorable al progresismo que su prolongado alejamiento del poder.»

Aunque este texto está escrito para la etapa isabelina, es preciso tener en cuenta que, aun en el caso de que la diversificación de las fuerzas en grupos políticos hubiera sido más real que aparente en el año 1868, por ejemplo, el reagrupamiento se efectuó rápidamente, antes incluso de las Constituyentes de 1869, y consolidado ya de manera definitiva en la Restauración. De manera que este texto tiene plena vigencia. La diversificación en grupos políticos es más epidérmica que profunda: los programas sociales, a pesar de grupos y partidos, son los mismos, y apenas variaron con el tiempo. Como tampoco varió a pesar de grupos y denominaciones, la constitución de las fuerzas que los sustentan.

Entre Valera y Menéndez Pelayo la afinidad de ideas en este sentido es prácticamente total.

Lo que nos importa señalar es que si don Juan sentía insatisfacción por la manera tosca y plebeya de la existencia de la cultura de la clase alta, echa de menos en cambio los modales finos y elegantes de la intelectualidad española de entonces. Decía Valera que nuestros sabios eran sucios y olían mal. Ya hemos visto en el capítulo primero algún texto en el cual se queja de la poca elegancia de éstos. Más concretamente dice de Menéndez Pelayo (25):

«Menéndez, como no se lava nunca, huele bastante mal, a pesar de los fríos del invierno... Es lástima que Menéndez, el más sabio de los españoles y uno de los más eruditos y discretos escritores que viven en el día sobre la faz de nuestro planeta, esté tan asqueroso y tan poco de recibo.»

Valera reunía en su persona las dos cualidades de cortesano y sabio.

(25) *Correspondencia*, op. cit., p. 229.

Pero no las encontraba en los demás. Los cortesanos eran incultos, y los sabios eran poco elegantes.

Por eso, el esteticismo de don Juan se dirige a unos y otros por medio de esa especie de virtud pedagógica que señalábamos antes que tenía, y cuyo fin es; de un lado, ilustrar a las clases altas, y de otro, pulir y adecentar a nuestra intelectualidad.

Este es un deseo muy vivo, aunque sólo indirectamente expresado, de don Juan. Pues él, que quería figurar entre los de las clases más elevadas, pues éstas significaban el más alto ideal de la vida posible a sus ojos, no se encontraba allí cómodamente instalado sin las virtudes de elegancia y sabiduría que hemos citado.

En este sentido, la dimensión estética de su pensamiento encuentra otro nivel, pero esta vez más concreto, de explicación.

Así como los krausistas, con su eticismo radicalizado pretenden equipar espiritualmente al país para el fuerte desarrollo que cabría esperar de un cambio de sus estructuras mentales, don Juan, por medio de su esteticismo, pretende situar al nivel de lo que debería ser en virtud de su calidad de clase directora a los grupos sociales más acomodados.

El ideal humano de Valera, que aparece expresado de forma muy clara en los tipos que vemos surgir en sus novelas, en sus cuentos, y aun en otros escritos (recordemos en este sentido, por ejemplo, *Asclepigenia*), en la descripción detallada de éstos, es el ideal del cortesano en el sentido clásico del término, el de Castiglione, pero actualizado en la corte del siglo XIX. Pepita Jiménez, por rústica que fuera, es una expresión de este ideal. Se le achacaba a don Juan que los personajes de sus novelas hablaban todos como él, que sus mujeres, por ejemplo, era redichas y académicas. Pues bien: independientemente de lo que esto tenga de verdad, don Juan hubiera querido que las mujeres de las tertulias, de los salones... hubieran hablado como Pepita Jiménez y como doña Luz, y que hubieran sabido decir lo que aquéllas, en su medio rústico y poco elegante, dijeron.

En este sentido es nuestro autor un verdadero pedagogo. La fealdad de la vida le atacaba los nervios. Consentía todo menos eso. Las quejas respecto a lo aburrido e inculto de la vida de la aristocracia, y no sólo de la española, sino de la extranjera también, son constantes. Y también lo son los lamentos a propósito de la pedantería de todos los sabios, especialmente belgas y alemanes. Se pueden leer estas quejas a todo lo largo de su extenso epistolario. Es una constante de su vida.

Su máximo anhelo era la «cortesía», entendida al clásico modo. Lograr esos tipos ideales en la España de su tiempo era un ferviente deseo suyo.

El esteticismo de Valera se explica de este modo. y esto es lo que le diferencia del krausismo.

Tanto los krausistas como don Juan eran idealistas en filosofía. Ambos idealismos tenían un enemigo común: el positivismo y, en estética, el naturalismo, que pedía la revolución social, que se presentaba en España como socialismo revolucionario. Ni los krausistas ni Valera estaban por revolución ninguna de este tipo.

Los krausistas encarnaban un tipo de reformismo de carácter pequeño burgués. Este reformismo tiene su base en la sistemática de su pensamiento filosófico. Suelen señalar los historiadores de las ideas en la España del siglo XIX tres conceptos suyos que tienen particular importancia para ver el origen de este reformismo.

En principio, y de una manera muy general, reside en el planteamiento fundamentalmente ético del problema social, y consiguientemente pedagógico. Dejemos, sin embargo, a un lado esta cuestión de la orientación pedagógica del krausismo, para fijarnos más bien en el carácter ético que le sirve de base. El pedagogismo es un derivado.

El eticismo krausista hay que ponerlo en relación con dos conceptos fundamentales de su filosofía social: los de armonismo y organicismo.

El primero de ellos tiene su base en la sistemática misma de su pensamiento. Pues de los supuestos místicos de que parte, va a derivar enseguida hacia un impulso reformador y humanitario, que siendo esencialmente de carácter religioso, va a tomar también un cariz político-social. Este armonismo se nos presenta como producto directo de la realidad misma del mundo y su sistematización en el devenir. En la filosofía de la historia krausista, el último estadio, el de la perfección, es aquél en que se produce la síntesis dialéctica de los estadios de infancia y de juventud de la humanidad, llamados de «indiferenciación» y «oposición», según la peculiar interpretación que hacen de la dialéctica hegeliana los krausistas. Este estadio final, al cual la humanidad ya está llegando según ellos, es el de armonía: es la síntesis de naturaleza y espíritu, identificados en el ser divino. Es, pues, el final, la autocancelación de la historia: la época de la felicidad, cuando los hombres, unidos y ligados por el amor, cooperan armoniosamente en la consecución de una vida en plenitud (26).

Es una búsqueda de la solidaridad universal. Y aunque la llegada del reino de Dios es ineludible, ello ha de costar, no obstante, el compromiso de los hombres en busca de ese mundo de la perfección. El planteamiento de esta búsqueda va a hacerse desde la perspectiva de la ética. No va a ser una revolución social lo que traiga el reino de Dios, sino el desarrollo de todas las virtualidades espirituales del hombre en tanto que ser individual. Consiste en una revolución interior del individuo. Este es el sentido que va a tener más importancia sobre todo para los krausistas españoles, que van a extremar el factor utópico que entrañan estos conceptos. Así, en el *Ideal*, de Sanz del Río, podemos ver la conexión interna que lleva al estadio de armonía: el hombre debe ser armónico consigo mismo, es decir, naturaleza y espíritu deben estar conciliados en él. Y como una irradiación de esta armonía interior debe surgir la armonía entre los hombres y entre los pueblos (27).

Así lo podemos ver en este largo texto (28):

(26) LÓPEZ-MORILLAS: *El krausismo español*, México, F.C.E., 1956, pp. 41-7.
(27) Véanse los excelentes trabajos de Elías DÍAZ: *La filosofía social del krausismo español*, Madrid, Edicusa, 1973; Juan José GIL CREMADES: *Krausistas y liberales*, Madrid, Seminarios y Ediciones, 1975; Eloy TERRÓN: *Sociedad e ideología en los orígenes de la España Contemporánea*, Barcelona, Península, 1969, pp. 9-10 y 184-232. También puede ser de mucho provecho, M.ª Dolores GÓMEZ MOLLEDA: *Los reformadores de la España Contemporánea*, Madrid, C.S.I.C., 1966. Denah LIDA: *Los llamados krausistas en tiempos de la Gloriosa*, en «La revolución de 1868», ed. por Clara E. Lida-Iris M. Zavala, New York, Las Américas Publishing Co., 1970, pp. 234-8; en este mismo libro, *Armonismo: The failure of an Illusion*, pp. 351-61. También pueden encontrarse aún notas de alguna utilidad, Luis ARAQUISTAIN: *El pensamiento español contemporáneo*, Buenos Aires, Losada, 1968, pp. 22-40. También puede encontrarse alguna nota de interés en Manuel TUÑÓN DE LARA: *El Krausismo y la Institución Libre de Enseñanza*, en «Medio siglo de cultura española», Madrid, Tecnos, 1973, pp. 37-56; y también, del mismo autor, *La burguesía y la formación del bloque de poder oligárquico (175-1914)*, en «Estudios sobre el siglo XIX español», op. cit., especialmente pp. 181-7. También, entre las páginas de Antoni JUTGLAR: *Ideología y clases sociales en la España contemporánea (1808-1874)*, Madrid, Edicusa, 1973, especialmente pp. 125-49 y 191-237.
(28) SANZ DEL RÍO: *Ideal de la humanidad para la vida*, Madrid, Manuel Galiano, 1860, páginas 34-5.

«Asimismo, las naciones, los pueblos y las uniones de pueblos pueden y deben realizar en sí un hombre y vida superior; estas sociedades adelantan en el cumplimiento de su fin, cuando bajo la idea común de la humanidad se miran como una unidad y totalidad orgánica; cuando bajo la ley de asociación interior humana realizan cada fin particular según su propia idea y en justa relación con los demás y con el todo. Dios quiere, y la razón y la naturaleza lo muestran, que sobre cada cuerpo planetario, en que la naturaleza ha engendrado su más perfecta criatura, *el cuerpo humano*, el espíritu se reúne en sus individuos a la naturaleza, en *unión esencial, en humanidad*, y que unidos en este tercer ser vivan ambos seres opuestos su vida íntima bajo Dios y mediante Dios. Así como Dios es el Ser absoluto y el supremo, y todo ser es su semejante, así como la naturaleza y el espíritu son fundados supremamente en la naturaleza divina, así la humanidad en el mundo semejante a Dios, y la humanidad de cada cuerpo planetario es una parte de la humanidad universal, y se une con ella íntimamente. En el conocimiento y el amor de la humanidad universal puede el individuo, pueden las familias, los pueblos y las uniones de pueblos en partes mayores de la tierra y el pueblo humano en la tierra vivir algún día una vida entera y armónica. Cada parte y fin de esta vida sólo en forma social tiene su definitivo cumplimiento; por esto los hombres reunidos en la historia terrena están llamados a realizar su común naturaleza y destino en el concurso de todas las sociedades particulares y de cada individuo con ellas. A hacer efectiva esta universal asociación están todos igualmente llamados por Dios, por la razón y la naturaleza y por su carácter común de hombres sobre todas las diferencias históricas. La humanidad abraza eternamente todas sus sociedades antes de la división y oposición histórica de pueblos, familias, individuos; y aquí en la tierra junta en uno el hombre y la mujer, las edades sucesivas, las naciones, los pueblos en paz y en amor, para que todos unidos reconozcan su naturaleza y las ideas fundamentales contenidas en ella, y para que organizados en una sociedad ordenada en todas sus relaciones realicen en ciencia y arte su capacidad para todo lo humano, proyecten y ensayen una vez y otra el plan de vida en el todo y en las partes, y desenvuelvan este plan con progresiva perfección y belleza.»

Es decir: si el hombre está en íntima armonía consigo mismo (y no se siente escindido por una naturaleza y un espíritu en pugna interior), esta armonía íntima del hombre trasciende al cuerpo social: pues el hombre se armoniza con el prójimo. Y, por supuesto, con Dios, condición máxima de toda armonía, pues es el fundamento de ésta.

Si esta armonía se produce, el reino de Dios se realizará en la tierra. Habrá llegado la utopía. Lo vemos en este texto (29):

«Cuando sea conocida *la idea de la humanidad*, y se haya despertado el interés para realizarla, entonces brillará la luz de la verdad de un espíritu en otro; la sana doctrina se comunicará de un pueblo a otro pueblo; en todas partes se aunarán y se entenderán los que viven en esta idea; todo lo que hoy degrada a los hombres será reformado en la salud del todo y será convertido en nuevo vínculo de

(29) Sanz del Río: *Ideal de la Humanidad para la vida*, op. cit., pp. 39-40.

amor humano. Cuando la idea de la humanidad y *la sociedad fundamental humana* haya hechado raíz profunda en los pueblos, la vida individual y la social será elevada y embellecida en todas las personas de grado en grado; un estado y constitución política abrazará los pueblos en paz permanente, una alianza común con Dios traerá sobre ellos las bendiciones divinas; unidos en tendencia y obra uniforme, vivirán para la virtud, para la ciencia y el arte y en estas esferas realizarán la ley armónica humana cumpliendo el destino del todo y de las partes en el todo. Los pueblos que, unidos en sociedad fundamental, realicen en esta forma el destino común, serán entre todos los más libres y los más fuertes; ningún pueblo extraño tendrá poder sobre ellos; desde ellos se comunicará la vida y la luz a los restantes. En la plenitud de la historia serán todos los pueblos una familia de hermanos, formarán un hombre interior y armónico en alianza con Dios, con la razón y con la naturaleza y con superiores humanidades en la vida universal. Entonces comenzará en la historia una edad madura, bien concertada en todas sus relaciones, y esta edad se conservará y florecerá en su plenitud hasta que se haya cumplido aquí el día de la humanidad conforme a las leyes del mundo, y a su carácter peculiar, y cumplido este día sea recibida en mundos superiores de la vida.»

Es decir: a partir de una instancia profundamente mística, pero al mismo tiempo de pretendida racionalidad surge un concepto de armonismo entre ser natural y espiritual, y que se realiza en la historia por medio de la pugna personal por establecerla en la propia individualidad del ser humano. Por supuesto, esta pugna no es más que pura ética.

El desgarro del mundo actual, aún preso en la barbarie, se debe a la escisión entre naturaleza y espíritu. En la sociedad humana esta escisión provoca los conflictos que atañen tanto a la vida interna de la nación como a la política internacional. Es impensable la confraternización universal sin una previa revolución espiritual del hombre en tanto que individuo, y que se consigue por medio de la ética, del cumplimiento de la ley moral.

El progreso, la aspiración a esta fraternidad universal, está mediado por la perfectibilidad moral del individuo.

El fracaso de la armonía individual se traduce en un fracaso de la sociedad. La sociedad se revela como inarmónica. Lo que debería hallarse en concordancia —naturaleza y espíritu— se halla en discordia. Surgen los conflictos sociales. Una sociedad conflictiva, inarmónica, es una sociedad inorgánica: dicho con otras palabras, es una sociedad cuyos miembros —individuo, familia, pueblo, nación, unión de naciones— se comportan de forma insolidaria, sin comunidad de fines. La sociedad es un cuerpo, es un organismo regido por las leyes de la razón con un fin último: la realización de la idea de la humanidad.

El krausismo con la expresión de estos conceptos quiere, en último término, estabilizar un orden social basado en la racionalidad misma del sistema. Esta estabilidad se consigue si los miembros del organismo social cumplen racionalmente sus fines, es decir, se armonizan en torno a un fin superior. En esto consiste el progreso. La raíz de éste, una vez más, es de carácter ético.

Es decir: pretende un orden social estable basado en la razón. Se trata de racionalizar la sociedad, su sistema social y productivo.

El problema de la lucha de clases queda planteado por los krausistas en términos de desarmonía entre los miembros del organismo. De un lado, las clases propietarias pecan de orgullo; las clases trabajadoras, de servilismo. Con lo cual desaparece el espíritu de colaboración. Así lo veían los krausistas (30):

> «Si cada profesión fundada en un fin real y útil al todo, obrara en conformidad con este fin claramente conocido y fielmente cumplido, si todas guardaran entre sí las justas relaciones que resultan de su mérito y concurso en el destino social, entonces la misma oposición entre ellas contribuiría más a estrecharlas, a alimentar la vida común, y con esto a preparar el reino de la armonía humana, que lo que hoy conspira a alejar de nosotros esta armonía definitiva. Todas las profesiones sociales se reparten el organismo activo de nuestra sociedad, todas representan funciones efectivas, igualmente esenciales y respectivamente adecuadas para los fines comunes: y se reparten estas funciones por la razón fundamental y permanente, que un sólo sujeto no puede abrazar la naturaleza humana de todos lados ni cumplir todos los fines, y aun dentro de su fin no lo puede todo; a causa, pues, de la limitación esencial a todo individuo y a toda sociedad particular.»

Es decir: cada «profesión» ejerce un papel dentro del gran organismo, regido por la razón, que constituye la sociedad. Si una «profesión» cualquiera busca sus fines fuera de la finalidad suprema que lleva implícita la racionalidad misma del sistema, si sustantiviza sus fines, y se hace insolidaria, se produce el conflicto.

La solución de éstos es, pues, obra de reforma. El reformismo social es la meta de estas ideas expresadas a propósito de la cuestión social (31):

> «Así también, aquellos miembros de las clases inferiores que acompañan como domésticos a las familias acomodadas para el gobierno económico, deben ser tratadas como nuestros auxiliares y segundos compañeros, que esperan de nosotros la protección y educación humana que ellos en su desvalimiento no pueden alcanzar por sí. Los domésticos deben contemplar en la familia, a que se asocian, un ejemplo vivo de cultura y moralidad, mediante el que pueden elevarse a miembros de un orden más alto, con espíritu de amos y libertad.»

Lo cual pide un serio programa de reformas sociales, como puede ser, por ejemplo, las de enseñanza pública, instituciones penitenciarias, higiene en el trabajo, etc. Y un sistema político de tipo liberal, que permita la permeabilidad social.

Lo importante es que la clave de todo este pensamiento, cuyo fin es la armonía social, porque la sociedad es un organismo racional, es una instancia ética: el individuo en armonía consigo mismo, el cumplimiento ciego de la ley moral.

La expresión más clara del ideal humano que corresponde a toda esta sistemática la hizo Gumersindo de Azcárate (32). En último término, es el ideal humano del burgués: hombre trabajador, austero, equitativo, profundamente religioso, y cuya absoluta integridad moral tuviera por base un concepto de autonomía de las normas éticas en el individuo.

(30) SANZ DEL RÍO: *Ideal de la Humanidad para la vida*, op. cit., p. 103.
(31) SANZ DEL RÍO: *Ideal de la Humanidad para la vida*, op. cit., p. 106.
(32) *Minuta de un testamento*, Barcelona, Cultura popular, 1967.

Este ideal humano trataba de exproximar a la realidad común de los españoles de entonces en una serie de modelos de conducta lo suficientemente atractivos como para promover un considerable potencial de inteligencia y actividad con el fin de equipar al país para el moderno desarrollo capitalista industrial.

En muchos casos recuerda el krausismo los conceptos éticos baptistas, pietistas, cuáqueros, espiritualistas y humanistas que fueron precursores de los modernos movimientos ideológicos y religiosos que prepararon el espíritu de la revolución burguesa (33).

Aunque la peculiar virulencia de la conflictividad social en España les lleve a adoptar una radical aptitud reformista. Así lo vemos expresado, por ejemplo, en Juan José Gil Cremades (34),

«El motor de este reformismo es el divorcio, que se entrevé, entre sociedad y Estado, y que lleva vigorosamente a un predominio de la "cuestión social" sobre la "cuestión política". En esta reacción, que significa el intento reformador a fin de no caer en el socialismo a ultranza y salvaguardar así la autonomía del individuo, se intenta abrir una vía media, sirviéndose de los instrumentos que ofrece la filosofía jurídica krausista. El individuo, según eso, no puede entenderse aislado del conjunto, del organismo: el liberalismo a ultranza no es sino destrucción del orden. De otra parte, el socialismo, por querer modificar violentamente la situación actual, es una construcción artificial, sin raíces en la naturaleza humana, único fundamento del orden social para la metafísica krausista de Giner. Por todo ello, se trata de evitar cualquier polarización, cualquier exclusivismo, ya en lo social ya en lo político. Hay que lograr la síntesis, respectiva, entre lo "natural" y lo "artificial". Sin duda que, como veremos, la ley está precedida en su génesis, por la costumbre, y cristaliza en el momento en que una personalidad, reflexionando sobre esa situación consuetudinaria, la formula expresamente. Pero, por su contextura radical, la filosofía política del krausismo es determinista, puesto que niega —por disconforme con la naturaleza— la acción directa, ya provenga del individuo o de la clase social. El orden se realizará inexorable un día, y al individuo no le queda otra alternativa que fomentarlo, evitando ponerle obstáculos. Evolución; no revolución ni reacción. A la manera del organismo biológico, en la sociedad no se puede escapar a la teleología inmanente. Se ha de preferir a la acción revolucionaria la evolución moral, regular, inteligente, de las sociedades, de las formas sociales. No obstante, si voluntades injustas se oponen a dicha evolución, la revolución estallará fatalmente. Esto será, así, una lección moral que habrá que asimilar.»

O sea, que si bien el liberalismo doctrinario, y el krausismo tienen en el fondo una cierta identidad en su fondo idealista, el krausismo, ya desde dentro de la propia sistemática de sus conceptos introduce correcciones según una orientación reformista a través de su filosofía social y del derecho. En este sentido, hemos visto cómo operan los conceptos de armonismo y organicismo.

La idea de Estado en los krausistas, por tanto, sufre una transformación: no es tanto el defensor cerril de la propiedad como una fórmula armoni-

(33) Véanse, por ejemplo, los magníficos trabajos de Max WEBER: *La ética protestante y el espíritu del capitalismo*, Barcelona, Península, 1975, y de TROELTSCH: *El protestantismo y el mundo moderno*, México, F.C.E., 1967.
(34) *Krausistas y liberales*, op. cit., pp. 28-9.

zadora, con base en su función de órgano pedagógico y tutelar. Reformar la sociedad es armonizarla; esto lo hace el Estado, a través de la pedagogía.

El ideal humano krausista, así pues, es un ideal ético-religioso, de fuerte raigambre mística (35).

Valera, sin embargo, se halla lejos de este ideal humano. El krausismo pretendía, por encima de todo, proporcionar al país los contenidos espirituales que producen un moderno desarrollo industrial y mercantil. Su ideal humano se concreta en el «gentleman» inglés. Suele decirse que la figura de León Roch de Galdós es el tipo más caracterizado del krausismo español.

Valera, sin embargo, aunque las líneas generales de su pensamiento filosófico corresponden de una manera bastante aproximada a las del krausismo, por el hecho de que las fuentes de uno y otros son comunes, no desemboca en este ideal humano. Sin duda, también, porque los intereses son distintos (36).

Ambos parten de la aceptación del criticismo kantiano en sus líneas generales; y luego ambos dan ese salto hacia el irracionalismo por medio de la intuición. Terminan los dos en una mística. Sólo que en el krausismo es de carácter ético, y con pretensiones de absoluta racionalidad. En Valera, en cambio, la orientación es estética, y basado solamente en el buen sentido común. No pretende dar un alcance de racionalidad extremo, sencillamente porque las áreas de lo jurídico-político y de lo social le tienen sin cuidado. El krausismo se presenta como una forma de mesianismo social, de raíz utópica, porque sus motivaciones son de índole político-social. Es un intento de reforma y transformación social.

A Valera, en cambio, esto no le preocupa, y, por eso, no es tema esencial de su reflexión. Su pensamiento no deriva hacia la ética y la sociología porque él se siente a gusto con el sistema vigente. Pertenece a la clase social que lo había ordenado así. Aunque tema y se duela por España, nos dice muchas veces que más que reformar y cambiar, hay que dejar las cosas como están y cumplir con lo prescrito.

Sin embargo, la orientación estética de su pensamiento ejerce una función social, en dos sentidos. Uno de ellos, el más general, es el que ya hemos visto, justificar la novela idealista en la lucha ideológica contra el positivismo.

Pero de otro lado, a un nivel menos operante, más concreto y particular, pues se ordena sobre las vivencias de don Juan, sobre su experiencia más inmediata de la realidad, cumple la doble función de ilustrar y embellecer. El ideal humano de Valera ya hemos visto que es el de cortesano, el noble del espíritu elegante y culto. El aristocratismo espiritual de Valera hay que entenderlo así.

El esteticismo de don Juan es aristocratismo espiritual. Y se explica como producto de una insatisfacción de nuestro autor hacia su mundo social circundante, referido a su experiencia de la realidad más inmediata. Fun-

---

(35) Lo han dejado muy bien descrito en sus detalles López-Morilla: *El krausismo español*, op. cit., pp. 50-7. M.ª Dolores Gómez Molleda: *Los reformadores de la España Contemporánea*, Madrid, C.S.I.C., 1966, pp. 75-83. Donde queda descrito con todos sus colores es en la citada *Minuta de un testamento*, de Gumersindo de Azcárate.
(36) Véase la descripción del sistema filosófico krausista que hace López Morillas, en op. cit., páginas 31-47, y compárese con la descripción hecha por nosotros en capítulos anteriores.

dado sobre sus vivencias, el sustrato de la estética de Valera es esteticismo (37).

Hay que ilustrar a la alta sociedad, y hay que educar en la elegancia a los sabios españoles: este es el impulso pedagógico de Valera que dijimos páginas atrás que tenía su esteticismo.

Ya hemos visto, pues, cómo se desarrolla en sus dos niveles el pensamiento de Valera. El primero de ellos es el más explicativo. El segundo, el menos pertinente.

Sin embargo, no se dan separadamente. El segundo de ellos, el que acabamos de describir, sirve de mediación con respecto al primero. Y por eso hemos consignado esas notas que vienen a explicarlo. La integración de un personaje en una clase social se da a través de una serie de mediaciones, constituido por grupos y formas intermedias. En este nivel, las vivencias más inmediatas y más directas de la realidad tienen considerable importancia. La inclusión de don Juan Valera en un determinado mundo social se efectúa a través de la asimilación de los ideales y normas que constituyen la atmósfera espiritual de este mundo social. Por su parte, Valera exige a este mundo el cumplimiento, la actualización, de estas normas.

En la España del siglo XIX, este mundo, esta clase social, estaba constituida por una formación en cierto modo ambigua: pues era la fusión consolidada en la Restauración de aristocracia y burguesía, de viejos y nuevos ideales. Más de los nuevos que de los viejos, pero sumamente atemperados. Valera, hombre que vivió en su juventud la época romántica, conserva muchos de los elementos, siempre ambiguos y contradictorios, de ésta. Así, junto a un pragmatismo de profundas raíces escépticas, se da en él un idealismo de carácter bastante romántico. ¿Hay aquí una contradicción? ¿Se pueden conciliar estos términos? Intentarlo sería empezar a incurrir en mentalismos abstractos. Del mismo modo que es la filosofía estética de don Juan pura ideología, el esteticismo vital de Valera es el sobrepelliz elegante y fino, la ornamentacóin, que requiere una orientación pragmática de la vida. Si la filosofía de Valera «es una filosofía de adorno», en términos de Clarín, y ya hemos visto cuán verdaderos son, en la vida el esteticismo también lo es: se trata del adorno, del ideal que embellece la realidad. El romanticismo de don Juan es, pues, una pura apariencia.

Pero esto vamos a verlo mejor en sus novelas.

---

(37) Utilizamos el término de Jean Krynen porque es aquí, en el nivel de la experiencia, donde adquiere sentido. Estética es el pensamiento, la ideología; esteticismo, su sustrato vivencial.

SEGUNDA PARTE

El «esteticismo» de Valera no es propiamente su estética. Nosotros utilizamos y utilizaremos el término como la hace Jean Krynen en su trabajo arriba citado. Es decir: el «esteticismo» constituye el nivel de concreción vivencial del pensamiento de don Juan. Como hemos señalado antes, se expresa en su ideal humano. Es, pues, un deseo, la expresión de sus máximos anhelos en el campo de su concreta visión social. Lo que no debe hacerse es confundir estética con esteticismo, y asimilar lo primero a lo segundo, pues entonces es fácil incurrir, como hemos visto, en errores.

El esteticismo es una mediación que existe entre las vivencias de don Juan y su filosofía del arte. De este modo, este último puede encontrar una apoyatura en el primero, aunque nunca disfrutará del rango de factor determinante. La relevancia está del lado del pensamiento estético, sólo que la relación con sus vivencias es lo bastante intensa, a pesar de su oposición, como para no considerar desgajados estos dos niveles. Si los escindimos de forma absoluta, caemos en la abstracción. Ahora bien: el factor determinante de su pensamiento estético hemos visto que radica más bien en aquello que tiene por objeto el enjuiciamiento y toma de posición ante la conflictividad social.

Entre estética y esteticismo hay, pues, una relación muy estrecha: en el paso de la vivencia al pensamiento, el esteticismo ejerce el papel de punto de inserción de lo vivencial en la expresión conceptual. Por medio del esteticismo expresa Valera su ideal humano, su concepto de hombre perfecto en el grupo social cuya vida él consideraba que debería ser la perfecta. El pensamiento estético, por su parte, pero en otro nivel, pretende luchar contra aquellas fuerzas cuyo pensamiento se dirigen a la destrucción del ideal de vida que él consideraba como más excelso. Aquí está la relación entre los dos niveles, si bien el primero de ellos, el que constituye su esteticismo, el área de la concreción vivencial del pensamiento de Valera, contiene una radical dimensión «pedagógica», por llamarla de alguna manera.

Es decisivo en este sentido contrastarlo con la orientación del otro pedagogismo español de la época: el krausista. Y por eso hemos cotejado los dos ideales humanos, subrayando la dirección de cada uno de ellos. El cortesano y el «gentleman» comportan dos soluciones que, si bien no llegan a manifestarse como contradictorias, sí al menos tienen una caracterización lo bastante acusada como para permitirnos considerarlas como ajenas. El hecho de contrastarlas nos otorga la posibilidad de determinar la dirección de cada una de ellas, y avanzar así en el proceso de la determinación del pensamiento de don Juan.

Por otra parte, este contraste nos da pie a introducirnos ya en el mundo literario de nuestro autor. Conociendo ya sus criterios estéticos, y la mediación esteticista que pone en contacto la vida con el pensamiento, podemos internarnos ya en el campo de su obra literaria para explicarlo.

Pero aún hay que añadir que el hecho de que exista esta mediación, no invalida en absoluto la idea de que se da una contradicción radical entre pensamiento y vida en don Juan Valera. Pues aunque el ideal humano puede constituirse en punto de inserción entre vida y pensamiento, vemos que dicho punto se sitúa en un área muy diferente a la del pensamiento. Es preciso recalcar que estando estética y esteticismo radicados en el mundo social de don Juan, las funciones de uno y otro se desenvuelven en niveles que no llegan ni a tocarse: la estética se despliega en la lucha ideológica; el esteticismo también tiene sus raíces en el mundo social, pero considerado éste de una manera más directa y más concreta: en la empiría más elemental, se despliega con un carácter esencialmente «pedagógico», como hemos dado en llamarlo; es decir: no es arma, no hay lucha, a no ser que se considere como tal el hecho de que no coincida con el ideal krausista. En el nivel del pensamiento Valera defiende un mundo social, el suyo, que él quería salvar; con el esteticismo da algunos buenos consejos a ese mundo del cual él se considera partícipe. Es posible, pues, apreciar la diferencia de los campos en que uno y otro se despliegan, aunque sirva este segundo, el del esteticismo, de mediación con respecto al primer nivel, el del pensamiento.

Todo esto podrá verse más claro cuando afrontemos los problemas cardinales de sus obras narrativas. Que, en nuestra opinión, son dos: el primero de ellos, es el que atañe a los «contenidos». En el cual vemos en qué términos expresa Valera su ideal humano. Y en el segundo problema, incardinado en el anterior, estudiaremos cómo ese ideal humano se expresa en las novelas: es decir, cómo en la novela se han convertido en producto artístico los problemas planteados por don Juan.

Si una novela es, en general, un todo indiviso de expresión y contenido; si ambos elementos se determinan mutuamente, si la existencia y significación de uno viene dado por la existencia y significación del otro, si ambos términos acuden a marcar mutuamente su pertinencia, el nivel del «cómo» se expresa algo atañe constitutivamente a la esencia misma de este algo expresado. Y viceversa. Los dos términos no pueden estudiarse en su sustantividad sin caer en la abstracción. Si ambos mantienen una relación, es preciso estudiarlos según esa relación.

Ya vimos cómo en su pensamiento estético hay dos ideas que aparecen mutua y radicalmente cardinadas: son las de finalidad del arte y mímesis artísticas. Ambas aparecen mutuamente implicadas.

A la hora de practicar su literatura, a la hora de escribir sus novelas, pone Valera, o intenta poner, en práctica su concepto de mímesis. Independientemente de lo que resulte de ese intento de aplicación de esta idea suya —ya veremos que apenas lo hace—, el hecho es que está determinando con ello de alguna manera íntimamente lo expresado.

Lo cual quiere decir que de alguna manera está transformando, está determinando, el contenido a expresar. El planteamiento del problema corresponde a la realidad problemática expresada.

Estos problemas son fundamentalmente dos: el del amor y el de la quiebra de las ilusiones juveniles. En estos dos problemas expresa Valera su ideal humano.

Ahora bien: por exigencias de su estética, subjetivista, estos dos problemas —ya veremos que uno más que otro— se ven impelidos a no ser tratados según planteamiento realista, objetivos.

Si su estética, como hemos visto, obedece a la realidad de la conflictividad ideológica, lo expresado se ve forzado a implicarse en esa misma instancia. En una palabra: en defensa del esteticismo —el ideal humano— está la estética como ideología.

Veremos también que en este planteamiento subjetivista hay una renuncia de don Juan a sí mismo, a ser consecuente con sus íntimas convicciones: pues hubo de ceder a presiones sociales, por parte de los mismos que constituían su grupo, que no le podían permitir la expresión clara de ese ideal humano: atentaba contra la moral establecida.

Así pues, aunque no ejecutara del todo su idea de la mimesis artística, y menos aún pusiera en práctica su teoría del arte por el arte, podemos ver que en sus novelas aparecen cardinados con relativa intimidad, los dos elementos que según él son esenciales a toda novela: por una parte, una mimesis de lo real del carácter idealista y subjetivo, y por otra, y determinado por aquélla, una plasmación de un ideal humano en un universo imaginario de idéntico carácter. En esta coherencia se halla, en buena medida, su éxito o su fracaso como obra de arte.

Lo veremos en el estudio de sus novelas. Reservamos para el próximo capítulo las motivaciones biográficas de su ideal humano como elemento novelesco, y las dos maneras en que este ideal humano es expresado. Y en el siguiente, cómo se plantean, su plasmación artística, estos dos maneras de ser concebido como problema.

CAPÍTULO VI

LOS CONTENIDOS EXPRESADOS

En lo que respecta al concepto de armonismo, señala el profesor Gil Cremades que había en nuestro siglo XIX tres corrientes filosóficas que formulaban en su sistemática esta idea en un sentido más o menos preparatorio para una conciliación del conflicto social. Son tres los hombres que representan estas ideas. Dice así (1):

> «En la franja central del siglo XIX español tres hombres coetáneos simbolizan, en tres etapas sucesivas, los intentos de llegar a establecer una "armonía" en una sociedad dirigida hasta el extremo de la permanente guerra civil entre progresistas y conservadores. Estos hombres son Jaime Balmes (1810-1848), Nicomedes Pastor Díaz (1811-1863) y Julián Sanz del Río (1814-1868). Enumeremos sus propósitos respectivos de "armonismo": el intento de reconciliación de partidos liberales en 1843, la creación de la Unión Liberal en 1856, los deseos de ensamblar las fuerzas contrarias en el sexenio revolucionario incoado en 1868. (...) En cualquier caso se trata, a distinto nivel del tiempo y del clímax histórico, de una empresa discontinua, hecha en diverso tono, de "armonizar" contrarios.»

En torno a esta idea, puede buscarse un paralelismo entre el contenido social del «armonismo» y lo que Valera llamaba «panfilismo». Esto es lo que hace el crítico inglés Donal L. Shaw, que los sitúa a ambos en un plano de igualdad cuando dice(2):

> «It was (en esta época de 1868) dominated by the illusion of *armonismo* which Valera himself, his friend Campoamor ande a whole intermediary group between the romantics and the men of 1870s cherished.»

En cierto modo, puede interpretarse así si se tiene en cuenta que la vida de Valera es un constante clamor por la cordura en materia de política. Los krausistas especialmente, como hemos visto páginas atrás, plantean su proyecto de vida social armónica en su sistemática metafísica. Para los krausistas la convivencia armónica es una exigencia de su filosofía de la historia.

Sin embargo, no puede asimilarse de forma tan tajante a la idea de Valera de «panfilismo», o manía de armonizar contrarios, el concepto krau-

---

(1) GIL CREMADES: *Krausistas y liberales*, op. cit., p. 65.
(2) *Armonismo: The failure of an illusion*, en «La revolución de 1868. Historia, pensamiento, literatura», ed. por Clara E. Lida-Iris M. Zavala, op. cit., p. 354.

sista de armonía social. Para don Juan el «panfilismo» es algo más sentido que conceptualizado. No es razón, sino un buen deseo; y más para la vida privada que para la nacional y pública. La diferencia se acusa más si se tiene en cuenta que los krausistas pretenden asentar sobre este concepto una noción vinculante en materia de conflictividad social con el núcleo de la arquitectura lógica que constituye su sistema. Valera no es tan ambicioso, y con su «panfilismo» no fundamenta, ni trata de fundamentar, ningún proyecto de vida en común para la sociedad española. Si alguna proyección tiene sobre lo político, es más tratar de limar asperezas entre los grupos representativos de su clase social que de armonizar intereses más radicalmente encontrados en la vida social. Se orienta más a la posibilidad de evitar revueltas palaciegas que de construir, como hacían los krausistas, el futuro estadio de la utopía.

Donald L. Shaw señala a Campoamor y Valera como portavoces literarios del concepto de armonismo de los krausistas (3):

> «Two figures above all, Valera and Campoamor, representent the period in literature. Their response to it is articulate, objective and highly informative. Toghether they form a pair who, while fully alive to the issues, characteristically avoid extreme viewpoints. Neither rejecting analisis not accepting its full consequences, they remair serenely exempt from ideological disturbance, confidently anticipating the triumph of what Valera in 1860 called "un consorcio fecundo de la razón y la fe". Valera, supremely at home in what he called in the same year "la época presente, acaso la más grande de la historia", struck out impartially at *neos* and sceptics alike, cliging to an intellectual *juste-milieu*.»

Es bien cierto que algunos de los espíritus que contemplaron el desarrollo de las fuerzas sociales de la España del siglo XIX, clamaron, y a veces dramáticamente, por este armonismo. Se respiraba a trechos una atmósfera de conciliación. Y Valera participaba, naturalmente, de ella. Pero de aquí a que el «panfilismo» sea un concepto social va alguna distancia.

El «panfilismo» es más bien la actitud vital del escéptico. El «armonismo», un pathos de la mentalidad utópica burguesa.

En realidad la dimensión del «panfilismo» de Valera es muy otro. Aunque el último término tenga una proyección social, más bien se dirige hacia un terreno que lindando con la metafísica, es también objeto de materia novelesca.

Y es aquí donde nace la peculiaridad misma de la novelística de don Juan.

Dice el profesor Gil Cremades (4):

> «Lo que importa a Valera es, pues, poner de manifiesto esa armonía entre razón y mística, entre vida y ascética, realizada, en parte, en el krausismo, pero más consecuentemente en su "panfilismo", que tomará cuerpo en una situación novelesca: la de *Pepita Jiménez*.»

Efectivamente: es esta idea la que Valera lleva a su novela de Pepita Jiménez. Por lo general, todas las interpretaciones que se dan de esta obra suya coinciden en lo mismo: es una conciliación, una armonización, de dos

(3) *Armonismo: The failure of an illusion*, en op. cit., p. 359.
(4) *Krausistas y liberales*, op. cit., p. 131.

extremos: el mundo de la mística y el mundo de la razón. Aunque los términos a armonizar, para mayor exactitud y propiedad, se llaman naturaleza y espíritu (5).

Pues, como veremos más adelante, es esto lo que el propio don Juan Valera nos da a entender.

Por otra parte, dice el profesor López-Morillas a propósito del «panfilismo» de don Juan y su papel en la conciliación de estos dos términos, naturaleza y espíritu (6).

«A primera vista parece absurdo considerar la novela valeresca como precipitado de la ebullición intelectual que acompaña a la Revolución de septiembre; pero el hecho es que también Valera acusa el efecto de fenómenos ideológicos muy de su tiempo, subordinados a él, sin embargo, a preocupaciones de muy otra índole. Es, por lo pronto, notorio su interés por las cuestiones filosóficas que con tanto acaloro se debaten durante las épocas isabelina y revolucionaria, interés que no arguye aceptación de una escuela o sistema particular. Con la perspectiva de un hombre situado *au dessus de la mêlée*, Valera otea la palestra y, más que aquilatar el vigor de una doctrina, se fija en los aspectos de ella que no son fácilmente reducibles a un posible arbitraje. Sabido es que censura la intrincada metafísica y los desmanes léxicos del krausismo, el militante antirracionalismo de Donoso Cortés, y la seguridad espiritual de los positivistas y la torcida religiosidad de los neocatólicos; es decir, censura lo desmesurado y excluyente de estas escuelas. Lo que él llama su *panfilismo* le inclina a ver el cariz positivo de una determinada ideología, lo que en ella hay susceptible de articularse con ideologías discrepantes en una especie de humanismo armónico. (...) El amor de Pepita y Luis vendría a ser, pues, la síntesis de naturaleza y espíritu, mejor dicho, de una naturaleza enaltecida por el espíritu y de un espíritu atemperado por la naturaleza. Y si se acepta tal interpretación no habrá más remedio que aceptar su paradójica secuela, a saber, que Valera exalta en su fábula una imagen del hombre idéntica a la propugnada por los krausistas, contra quienes dirigió tan a menudo la suave ironía de su pluma.»

El juicio del profesor López-Morillas es bastante justo, exceptuadas las últimas frases. Ya hemos visto cómo para el krausismo el ideal humano que propone tiene una motivación esencialmente ética. Para Valera, sin embargo, la motivación última es más bien de carácter estético. Aunque puede existir alguna coincidencia entre el precipitado final de cada una de estas motivaciones, existe, sin embargo, una intencionalidad muy diferente en cada una de ellas. Aunque no se opongan los ideales del gentleman y el cortesano, no son éstos permutables más que en parcelas accidentales. Por lo general, la intencionalidad de cada motivación influye determinantemente en el contenido de cada uno de estos ideales humanos.

Pero lo que importa señalar de este texto es otra cosa: es el papel que ejerce el «panfilismo» de Valera, como actitud vital, en la reflexión en torno a una posible conciliación de los términos de naturaleza y espíritu. Papel que deja muy bien resaltado López-Morillas.

---

(5) Véanse también los estupendos estudios de Manuel AzaÑa: *La novela de Pepita Jiménez*, en «Ensayos sobre Valera», op. cit., especialmente pp. 236-8. Y Montesinos: *Valera o la ficción libre*, op. cit., especialmente pp. 85-8. Señalan el carácter antineocatólico de *Pepita Jiménez*.
(6) *Hacia el 98: literatura, sociedad, ideología*, Barcelona, Ariel, 1972, pp. 39-40.

Y que nos lleva directamente al problema, ya que se alude a su literatura, de biografía y novela en don Juan Valera.

Es preciso tener en cuenta que lo que importa de este problema, no es tanto si las novelas de Valera son autobiográficas o no, y menos aún importa señalar en qué puntos concretos lo son. Nos importa acudir a las determinaciones más relevantes de lo biográfico en cuanto a su literatura, entendiéndolas de una manera esencial y explicativa.

En particular, lo que tenemos que examinar es el papel que ejerce su panfilismo como actitud vital en el desarrollo de los conflictos planteados por nuestro autor en sus obras novelescas. En último término, se trata de ver cómo aparece motivado el ideal humano de don Juan en su literatura, es decir, cómo se origina el «esteticismo» y se convierte éste en asunto novelesco. Y sus posteriores implicaciones.

De una manera oblicua, nos lleva esto a señalar alguna de las relaciones de don Juan con los krausistas, puesto que es Valera mismo quien nos lleva a ello.

Recordemos, ya que estos autores, Gil Cremades y López-Morillas aluden a *Pepita Jiménez*, las motivaciones que dice Valera que le impulsaron a escribirla. En el prólogo, tantas veces citado, de don Juan a su edición de su obra maestra para los Appleton, nos dice (7):

> «Supusieron los racionalistas que yo desechaba los ideales antiguos, como el héroe de mi cuento ahorca los hábitos. Y los creyentes, con mejor acuerdo y más verdad, me compararon al falso profeta que fue a maldecir al pueblo de Israel, y sin querer le ensalzó y le bendijo. Lo cierto es que, si alguna consecuencia debe sacarse de un cuento, lo que del mío se infiere es que la fe en Dios, que asiste en el centro del alma, aun cuando faltemos a la más alta vocación a que nos induce y solicita, aun cuando, como don Luis, cometamos en una sola noche, arrastrados por violentas pasiones mundanas casi todos los pecados capitales, eleva el alma, purifica los oros amores, sostiene la dignidad humana y presta poesía, nobleza y santidad a los más vulgares estados, condiciones y maneras de vida.»

Del espíritu de estas palabras pueden extraerse los comentarios arriba citados de estos dos profesores. La consecuencia que se infiere de su novela, procede del planteamiento mismo de su motivación, que según don Juan es la defensa del krausismo, como posible escuela panteísta. *Pepita Jiménez* sería un caso práctico, posiblemente, y a nivel novelesco, de lo que en metafísica krausista era intrincado problema intelectual: la armonización, en la esencia divina, de los conceptos de naturaleza y espíritu. Lo cual se vincula al planteamiento del conflicto presentado en *Pepita Jiménez*. Si la conciliación de esos dos conceptos era realizada incurriendo en panteísmo, o «panenteísmo», como decían los krausistas, Valera se propone argumentar, como ya señalamos en una ocasión, con los términos de la mística española (8):

> «Entonces me empeñé en demostrar que si Sanz del Río y los de su escuela eran panteístas, nuestros teólogos místicos de los siglos XVI y XVII lo eran también, y que si los unos tenan por predecesores

---

(7) «Apéndice» de *Pepita Jiménez* en la ed. Clásicos Castellanos, Madrid, 1971, p. 227. Véanse también las citadas páginas de Manuel Azaña y Montesinos.
(8) «Apéndice» de *Pepita Jiménez*, op. cit., pp. 225-6.

a Fichte, Schellin, Hegel y Krause, Santa Teresa, San Juan de la Cruz y el iluminado y estático padre Miguel de la Fuente, por ejemplo, seguían a Tauler y a otros alemanes, sin que yo negara a ninguno la originalidad española, sino reconociendo en esta encadenada transmisión de doctrina el progresivo enlace de la civilización europea.»

Y si Valera escribió la novela «cuando más brava ardía la lucha entre los antiguos y los nuevos ideales» (9), y se inclina más por los nuevos que por los viejos, ello implica que esta vez no rehuyó el compromiso, aunque supo escamotear su manifestación flagrante con la habilidad que siempre le caracterizó (10). Ya vimos en un texto antes citado cómo expresaba don Juan a Menéndez Pelayo que en este prólogo se proponía defender a los krausistas, en compensación por lo mucho que de ellos se había burlado.

Sin embargo, lo que importa de todo esto es que es éste el punto en el cual su «panfilismo» empieza a concretar su función. No es un concepto filosófico, como el de «armonismo», y menos aún de carácter social. Es más bien una proyección de su manera de ser, que va a ejercer un papel de importancia en la expresión de su ideal humano, y, por tanto, en sus novelas, en la medida en que éstas son una expresión de aquél.

En este sentido, sus novelas contienen una motivación biográfica, de la misma manera que su ideal humano del cortesano en cierto modo lo ve Valera en sí mismo, ya como realización, ya como mera aspiración a ello (11).

De esta motivación biográfica importa señalar también los datos que le mueven a plantear una novela como la de *Pepita Jiménez*.

Si hemos de creer lo que dicen los dos autores arriba citados, don Juan está planteando en su novela un conflicto que tendría como resultado una conciliación entre naturaleza y espíritu, entre vida ascética y vida razonable. Si, también, hemos de buscar una motivación de índole personal a un planteamiento de este tipo, una raíz en las vivencias íntimas de don Juan, ésta la podemos hallar, por ejemplo, en estas palabras de Manuel Azaña (12):

«La materia sentimental (en *Asquepligenia*) si puede decirse, o el orbe afectivo de esta contienda es el amor, la esfera de los sentimientos eróticos, de dos modos: contraponiendo al amor otras aplicaciones y vocaciones de la vida que pretenden ser más graves y levantadas, y figurando la pasión amorosa escindida por una operación del juicio en dos tendencias: la primera, llamada pura, desinteresada, noble o como dicen, platónica, que el espíritu confiesa con orgullo; y la segunda, baja y grosera, un apetito de placer, común al reino animal. Proclo personifica la deformación del amor y su postergación. No podría representar la una sin la otra. Porque cree en la escisión del amor en aquellas tendencias, lo pospone a los placeres de la inteligencia, reservándose lo que a su parecer basta para colmar la vida: la pura contemplación del objeto en el fondo del alma. El fracaso de Proclo, su incurable amargura, constituyen el asunto y objeto de la comedia.

Valera padeció en la mocedad la misma escisión del erotismo, y lo admitió y consintió como ley natural inexcusable, aunque dolorosa

---

(9) «Apéndice» de *Pepita Jiménez*, op. cit., p. 224.
(10) Ello, por ejemplo, comprueba en el estudio de Robert Lott: *Language and psychology in «Pepita Jiménez»*, op. cit., p. 240.
(11) Véase *Juan Valera*, estudio preliminar de Joaquín Entrambasaguas a *Juanita la larga*, en «Las mejores novelas contemporáneas», vol. I (1895-1899), Barcelona, Planeta, 1957.
(12) *«Asquepligenia»* y la experiencia amatoria de Don Juan Valera, en «Plumas y palabras», op. cit., p. 96.

(...) Quedan en los borradores y tanteos literarios de Valera adolescente huellas de un ardimiento amatorio sin objeto, que en vez de alentar su inspiración y levantarla, la detiene, la falsea, la exravía. Transporta sus ensueños a una esfera que su gusto ineducado creía más noble, mortal para su auténtico lirismo: cantaba *a la tumba de Laureta*, a la maga de los sueños y otros lirismos ejemplares, muy distintos de los que su robusta capacidad amatoria concebía.»

Esta motivación se da en su juventud, en su mocedad. Según Azaña, fue Lucía Palladi quien le hizo poner los pies en la tierra a don Juan. Después, prácticamente toda su obra la dirige Valera contra esta manera de escindir los impulsos afectivos. Por eso estas palabras sobre *Asclepigenia* tienen validez para *Pepita Jiménez*, para *Doña Luz* ... y para la mayoría de sus obras.

Toda su obra está llena de datos biográficos. Sin embargo, el más determinante de todos ellos es esta experiencia juvenil suya del amor.

El «panfilismo» conviértese así, en cuanto a este planteamiento, en una aceptación cabal de la realidad de la afectividad humana. Aceptación que, por otra parte, no tardó en hacer suya.

En este punto es donde surge en Valera el ideal del hombre armonioso, no escindido, no fragmentado, que constituye el asunto de la mayoría de sus novelas.

La diferencia, sin embargo, que introduce en este ideal de hombre armonioso con respecto a los krausistas, por ejemplo, consiste, como ya dijimos antes, en la radical dimensión estética que éste contiene para don Juan.

Hay al final de *Pepita Jiménez* un párrafo que constituye un verdadero símbolo de esta orientación estética de su ideal del hombre en armonía afectiva (13):

«En la casa de mis hijos hay, pues, algunas salas que parecen preciosas capillitas católicas o devotos oratorios; pero he de confesar que tienen ambos también su poquito de paganismo, como poesía rústica amoroso-pastoril, la cual ha ido a refugiarse extramuros.
(...)
El merendero o cenador, donde comimos las fresas aquella tarde, que fue la segunda vez que Pepita y Luis se vieron y se hablaron, se ha transformado en un airoso templete, con pórtico y columnas de mármol blanco. Dentro hay una espaciosa sala con muy cómodos muebles. Dos bellas pinturas la adornan: una representa a Psiquis descubriendo y contemplando, extasiada, a la luz de su lámpara, al Amor, dormido en su lecho, otra representa a Cloe cuando la cigarra fugitiva se le mete en el pecho, donde, creyéndose segura y a tan grata sombra, se pone a cantar, mienras que Dafnis procura sacarla de allí.
Una copia, hecha con bastante esmero, en mármol de Carrara, de la Venus de Médicis ocupa el preferente lugar, y como que preside la sala.»

Esta vuelta, esta rememoración del mundo clásico grecolatino, por medio de las imágenes de la mitología y de la literatura clásica, hacen alusión

(13) O. C., T. I, p. 194 («*Epílogo*»).

a ese mismo concepto del hombre armónico por la estética, de Schiller, y que se sitúa en la antigüedad clásica.

Esta es la nota dominante del ideal humano de Valera. De ahí, ese ligero símbolo final de *Pepita Jiménez.*

De esta manera va surgiendo el ideal humano de don Juan en su caracterización esencial como concreción vital del «esteticismo».

La moraleja está clara en *Asclepigenia,* como en *Pepita Jiménez,* como en *Doña Luz...* Al margen de los particulares desenlaces de cada una de estas obras, la nota dominante es que la armonía afectiva es la base de toda felicidad humana, armonía que tiene lugar en la consideración de la felicidad como una realización de la belleza. El ideal de vida que propone Valera es pagano. Y de otro lado, consiste en la realización concreta de lo ideal. Lo mismo que para don Juan la obra de arte consiste en la realización sensible de la idea, la vida humana se hace posible en la medida en que la naturaleza sensible y el mundo ideal se compenetran en la unidad inquebrantable de la realidad amorosa. De esta manera la vida se convierte en belleza. La analogía con la idea de Schiller de una educación humana, para un hombre total, con base en su realización estética, es demasiado evidente como para pasarla por alto.

El esteticismo de don Juan como ideal humano recuerda mucho la solución de Schiller. Planteándose Valera de alguna manera la posibilidad de un hombre armónico, total, de un ideal de vida esencialmente estético, parece recoger esta idea de Schiller. El esteticismo de Valera tiene su raíz en el planteamiento pedagógico del poeta alemán.

Aunque no hable don Juan para nada del «impulso del juego», como medio de realización de este ideal humano, las analogías son demasiado evidentes. En este sentido, don Juan mantendría de nuevo la esencialidad del sistema de Schiller, sin detenerse, como buen escéptico, a considerar las posibilidades ejecutivas del «impulso de juego». El papel de dicho impulso en Valera lo ejercería algo menos conceptualizado, más simple, más pedestre, y quizá por eso más próximo y más verdadero: lo que él llama su «panfilismo».

Así, Valera recomienda un buen y sano sentido común. En el amor las cosas son así, y para nada sirven los platonismos. Siempre se burló de ellos. «Concupiscencia del espíritu» los llamaba, y lo rechazaba como pecado contra la vida, contra la vida material y contra la espiritual misma, pues esteriliza el poder creador, embellecedor y artístico del hombre.

Recordemos ahora aquello que dijimos ya en una ocasión con respecto a sus ideas estéticas: acaban aquéllas precisamente en la exigencia romántica del platonismo; sin embargo, la vida y obra de Valera son una recusación de todo misticismo y de todo platonismo como fragmentadores de la realidad humana.

Bien entendido también que, si Schiller dirige su «educación estética» al hombre en general, y que con ella pretende salvar a la humanidad toda de su actual estado de marasmo político-social, extrayendo con ello a las clases menesterosas del reino de la necesidad, y exigiendo de las clases dominantes la humillación de su orgullo de señores del espíritu, para Valera no hay, sin embargo, ninguna dimensión político social en esta idea suya del hombre armónico. Es, a lo más, una solución para los suyos, para aquellos que constituyen su ámbito de relaciones. Ya dijimos en una ocasión que no hay nada en don Juan de Hiperión, y que nunca se sintió poseso de impulsos prometeicos.

Lo que sí guarda también verdadera analogía con los krausistas, y con Schiller como precedente de ambos, es la idea de que este hombre total ha de hacerse efectiva por medio de la pedagogía. Don Juan achaca —sin duda por ser experiencia personal, propia— esta escisión, esta fragmentación del ser humano, de sus impulsos afectivos, a la mala educación que recibe éste en la juventud. En *Mariquita y Antonio*, novela que no acabó porque llevaba todas las trazas del fracaso artístico, pero que tiene la importancia de ser la precursora de todas las demás, tanto en sus planteamientos como en sus soluciones, dice (14):

«Y aquí no puedo menos de lamentarme de la miserable condición humana y de lo diabólicamente que están dispuestas las más de las cosas en este pícaro mundo. Porque, ¿quién habrá que no deplore el que todos aquellos dulcísimos ensueños de la primera juventud, y los tesoros intactos del alma que se abre al amor, y la flor y la crema de los corazones inocentes de los mancebos sean, por lo general y usual, presa, pasto y comidilla de alguna fregona, incapaz las más de comprender lo que tiene entre manos, de estimar y aquilatar como se debe tanta ventura? No sólo los mozos que cuando hombres no pasan de ser hombres vulgares, sino los mozos que vienen con el tiempo a ser héroes, poetas o artistas, tienen casi siempre la desgracia de no hallar nada que corresponda al anhelo primitivo del alma inocente, a aquel anhelo merecedor de que se les aparezca y los abrace la ninfa Egeria o el hada de Parabanú, y de que se los lleve consigo a un espléndido palacio y a sus fantásticos jardines. Pero no hay que pedir peras al olmo; no hay que exigir del mundo lo que en él no hay. Este anhelo no halla casi nunca satisfacción condigna, ni aproximada siquiera; y en vez de llevarnos a los jardines o al palacio referidos, nos hace caer vergonzosamente en un camaranchón o en una trascocina.

Por eso yo he sido siempre del parecer de que los niños deben ser educados con más recato que las doncellitas; y creo firmemente que la mayor parte de las melancolías, de los disgustos y del hastío que nos atormenta a los hombres de este siglo XIX proviene de aquella falta y descuido de nuestra primera educación y de las consecuencias que trajo.»

En este punto nos pone en relación directa con los anhelos pedagógicos reformadores de los krausistas. Esta novela, que es un anticipo de todas las demás, tiene la virtud, a pesar de ser peor, de hablar más claro que aquéllas.

Hay otro dato que aclara mejor el sentido real del esteticismo de Valera: no tiene ningún cariz sociopolítico. Es de índole mucho más próxima: es pedagogía para la única clase que tiene los medios económicos para ser la portadora de este ideal humano. Y recordemos, pues, esa contradicción que se establece entre lo que Valera dice respecto del amor platónico en sus novelas, y lo que resulta de sus ideas estéticas. La moraleja es, por llamarla de alguna manera, que todo platonismo conduce al fracaso en la vida, que impide toda realización de la felicidad y de la belleza. La imagen del anacoreta Proclo, de *Asclepigenia*, es elocuentísima: no sólo es infeliz, sino que está asqueroso y sucio. Esteriliza el misticismo. Sin embargo, usado éste de la manera como aparece en sus ideas estéticas, como ideología, es sumamente fecundo: es arma contra el positivismo y la revolución que

(14) O. C., T. I, p. 987.

lleva implícita. Por eso, Antonio, el héroe de la novela, puede decir con orgullo: «Yo no me enamoro como el vulgo se enamora» (15). Es decir: sea el amor lo que sea, sólo importa lo que se diga de él.

Lo malo es que, para don Juan, Antonio vive su amor tal y como lo explica. Así se ve que para Valera una cosa es lo que debe decirse, sobre todo si en alguna manera va implícito en ello la estabilidad social, y otra muy diferente lo que debe hacerse. Son «cosas de Valera», como decía Clarín.

A esto se refería Ortega y Gasset —a que es prerrogativa de los espíritus aristocráticos al hablar platónicamente del amor para don Juan— cuando en un texto que hemos citado antes decía que la filosofía para Valera es algo que sólo conviene que gasten los ricos. Es un lujo porque la conversación espiritualizada contribuye a embellecer la vida. Y, además, sirve para fundar toda una teoría del arte como «mentira poética» (16).

Es en *Pepita Jiménez*, en *Doña Luz* y en *Asclepigenia*, y, por supuesto, en *Mariquita y Antonio*, donde este planteamiento es más evidente, y el resultado se aprecia de un modo más claro. En estas novelas Valera plantea exclusivamente el problema del amor. El conflicto entre naturaleza y espíritu aparece presentado como conflicto entre amor sensible y amor divino o misticismo. Este último toma un cariz religioso católico, porque el personaje portador de la problemática es fraile o seminarista; y esto es importante. Bien lo veían los católicos de entonces, el padre Blanco García, por ejemplo (17). A Valera le interesaba menos el plantear una tesis directamente religiosa que un problema humano. Aunque en último término, este problema tenga una incidencia religiosa, sobre todo moral. En la determinación por don Juan en sus novelas de su ideal humano, va implícita en cierto modo una recusación de la moral católica en materia de amor. El ideal humano de Valera es el cortesano al clásico modo; es, en la esfera particular de su grupo social, el ideal paganizado de la idea de Schiller de hombre total. Para Schiller naturaleza y espíritu son términos sociológicos; para Valera, sólo humanos, en sentido psicológico. Son componentes de la afectividad humana, del amor: para Valera, el hombre total lo es para el amor, y es el ideal del aristócrata moderno. El ideal grecolatino de don Juan nada tiene de utópico o de mesiánico; no es un futuro de la humanidad, sino una moral para el nuevo cortesano.

Este ideal suyo incurre en una contradicción con la moral establecida. Valera lo sabe, y él, que nunca quiso oponerse a la religión y a la moral católica, debe hacer verdaderas maravillas de equilibrio para sostenerse más o menos ajeno a un enfrentamiento. Que en sus obras de este tipo había una recusación del catolicismo y su moral, lo vieron los sectores clericales de la época. Es a ésto aquello a que se refería Clarín cuando decía (18):

> «Don Juan Valera es en el fondo mucho más revolucionario que Galdós, pero complácese en el contraste que ofrece la suavidad de sus maneras con el jugo de sus doctrinas.»
> «A vueltas de mil alardes de catolicismo, de misticismo a veces, Valera es un pagano; tiene toda la graciosa voluptuosidad de un es-

(15) O. C., T. I., p. 960.
(16) La función social y pedagógica de su esteticismo, por otra parte, pocas veces, y confusamente, se ha notado.
(17) *La literatura española en el siglo XIX*, vol. II, Madrid, Sáenz de Jubera, 1891, páginas 477-92.
(18) *El libre examen y la literatura presente*, en «Solos de Clarín», op. cit., pp. 73-4.

píritu del Renacimiento y todo el eclecticismo, un tanto escéptico, de un hombre de mundo filósofo del siglo XIX. Es como el Eumorfo de su *Asclepigenia*, un *lyon* que ha creído necesario estudiar filosofía. La filosofía de Valera es una filosofía de adorno. Hay demasiadas vueltas y revueltas en el pensamiento que se oculta en cada novela de Valera para que puedan penetrar, sin perderse en al laberinto, los espíritus sencillos y no muy agudizados del vulgo. Por eso sus libros, que a un reducido público le embelesan, no son pasto común de los amantes de la novela. Pero ningún autor como Valera señala el gran adelanto de nuestros días en materia de pensar sin miedo. Su humorismo profundo, sabio, le ha llevado por tantos y tan inexplorados caminos, que bien se puede decir que Valera ha hablado de cosas de que jamás se había hablado en castellano, y ha hecho pensar y leer entre líneas lo que jamás autor español había sugerido a lector atento, perspicaz y reflexivo. Por los subterráneos del alma, como decía Maine de Biran, camina Valera con tal expedición «como Pedro por su casa»; y el lector que tiene alientos y voluntad para seguirle, visita con él regiones del espíritu que jamás fueron reveladas a esta literatura española, que por siglos tuvo prohibida la entrada en tales abismos. La libertad de Valera en este punto llega a veces a la licencia; licencia que se acentúa más con el contraste de la forma percatada y meticulosa. Pero todo esto sirve para ahondar en la misma y extraer nuevas riquezas para la literatura patria y para la obra grandiosa del pensamiento libre. Descubridor atrevido, quizá temerario, es Valera uno de los autores que a pesar de sus humorísticas protestas de ortodoxo, más trabaja y más eficazmente por el progreso y la independencia del espíritu.»

A pesar de lo cual, como nunca escandelizó, como nunca fue popular, y no le entendieron más que aquellos que incluso «en el país de Jauja» eran más afines a su pensamiento, se le perdonó todo. Aunque no tanto como para que le permitieran ir a Roma de embajador.

Como dice Clarín, a pesar de sus protestas de ortodoxo, sus novelas son una recusación del ideal católico en materia de amor. Por su parte, el humor sirve de ocultación, y en otras ocasiones también de secreta reconciliación.

Valera ve entonces necesario argumentar en favor de un cristianismo reconciliador de alma y cuerpo, y rechaza el concepto tradicional ascético del catolicismo español. En defensa del lujo y de la sensualidad como vistudes de los tiempos modernos, del desarrollo económico y político, del progreso liberal, don Juan argumenta con una idea, igualmente modernizante, del cristianismo. Dice así (19):

«Hasta la propia molicie y el lujo y lo exquisito, peregrino y alambicado de los deleites, que no parece sino que debieran ser forzosos compañeros de una excesiva cultura, acompañan y afean más las costumbres de los pueblos semibárbaros que las costumbres de los pueblos cultos y artísticos, donde el deleite sensual se olvida y menosprecia por el deleite del alma, y cuando no se olvida, al menos se limpia, se encubre o se hermosea. (...) No imagine que la depravación de Roma en tiempo de los césares era efecto de la cultura, de la filosofía, de las artes y de la literatura, sino que era a pesar de todas estas cosas. Repetimos que el lujo, la molicie, el refinamiento y los caprichos más extraños del hastío voluptuoso se dan y se han dado

(19) O. C., T. II, pp. 1454-5 (*Recepción de Pedro de Madrazo en la Real Academia de la Historia*).

más comúnmente entre los bárbaros, y aun entre los salvajes que entre los pueblos cultos (...).

Una gitana arrebujada en una manta vieja excita peores y más bestiales instintos en un hombre ordinario que las tres Venus de Milo, de Médices y del Capitolio, en una persona culta. Cualquier mujer elegante y joven de ahora podrá tener una mala tentación al ver pasar por la calle a un buen mozo, bien vestido y hasta con gabán y bufanda; mas para que tenga esa mala tentación delante del Apolo de Belvedere y para que no sienta en toda su pureza la limpia y serena admiración de la ideal hermosura humana, será menester que esté poseída de todos los demonios o que la domine el más brutal y grosero temperamento.»

Esta idea suya de que la cultura se manifiesta en formas bellas, y que la hermosura de la vida cotidiana, con su lujo y su sensualidad, es manifestación de progreso espiritual, va a apoyarse en una idea que él se forja del cristianismo, según la cual éste no atenta nunca contra el mundo sensible, contra el *comfort* de los tiempos modernos. Dice así don Juan en este mismo discurso (20):

«El señor Madrazo condena, en nombre de la religión cristiana, el naturalismo, la representación de la hermosura. El señor Madrazo ha tomado en sentido muy lato que la carne es uno de los tres enemigos del alma. Su pudor se semeja un tanto al de aquella beata que estaba apuradísima porque tenía que aparecer desnuda el día del Juicio Final.

¿Cómo hemos de negar nosotros la concupiscencia de la carne contra el espíritu? Pero tampoco nos podrá negar el señor Madrazo la del espíritu contra la carne, que es la suya. ¿De dónde ha sacado ese ultraespiritualismo y ese amor a la fealdad física, o, por lo menos, ese aborrecimiento a la hermosura del cuerpo, que supone en nuestra religión? Pues qué, ¿nuestro Señor resucitó acaso con un cuerpo feo, o resucitó con un cuerpo hermoso? ¿Y no subió con él al cielo y no le hizo participante de su divinidad y de su gloria? Nuestros cuerpos, ¿no han de resucitar también adornados, si lo merecemos, de peregrina hermosura? ¿El vicio es acaso la belleza, y la fealdad es acaso la virtud? ¿Ha de volver el arte, para que sea cristiano y no pagano, a la *sublime sequedad* de los pintores bizantinos?

(...)

Cierto espíritu mojigato se ha difundido por toda España de algún tiempo acá y ha turbado los más claros ingenios. No se extrañe, pues, que tratemos de combatirlo hasta donde alcancen nuestras débiles fuerzas.»

Textos como éste pueden encontrarse muchos a lo largo de su obra. Contra todo ascetismo se dirige don Juan, y en este sentido esteticista hemos de entender la crítica. Para don Juan, los tiempos modernos no son compatibles con el «olor de santidad», que para él, según la poca limpieza que solían usar los santos, no debía ser demasiado bueno. Un mundo que progresa en cultura, lo hace también en refinamiento y lujos. Estos no son malos. El nuevo ideal de hombre culto, de cortesano, es el hombre que usa de esos lujos y refinamientos, que hermosea su vida con ellos. El buen gusto artístico es el fundamento del hombre nuevo y culto, del hombre del

(20) O. C., T. II, p. 1455.

país de Jauja. El esteticismo es el ideal valeresco de las clases más elevadas.

También el final de *Pepita Jiménez* expresa estas ideas según el concepto que Valera adopta del cristianismo en este asunto. Dice así (21):

> «Luis no olvida nunca, en medio de su dicha presente, el rebajamiento del ideal con que había soñado. Hay ocasiones en que su vida de ahora le parece vulgar, egoísta y prosaica, comparada con la vida de sacrificio, con la existencia espiritual a que se creyó llamado en los primeros años de su juventud; pero Pepita acude solícita a disipar estas melancolías, y entonces comprende y afirma Luis que el hombre puede servir a Dios en todos los estados y condiciones, y concierta la viva fe y el amor de Dios, que llenan su alma, con este amor lícito de lo terrenal y caduco. Pero en todo ello pone Luis como un fundamento divino, sin el cual, ni los astros que pueblan el éter ni en las flores y frutos que hermosean el campo, ni en los ojos de Pepita, ni en la inocencia y belleza de Periquito, vería nada amable. El mundo mayor, toda esa fábrica grandiosa del Universo, dice él que sin su Dios providente le parecería sublime, pero sin orden, ni belleza, ni propósito. Y en cuanto al mundo menor, como suele llamar al hombre, tampoco le amaría si por Dios no fuera. Y esto, no porque Dios le mande amarle, sino porque la dignidad del hombre y el merecer ser amado estriban en Dios mismo, quien no sólo hizo el alma humana a su imagen, sino que ennobleció el cuerpo humano, haciéndole templo vivo del Espíritu, comunicando con él por medio del sacramento, y sublimándole hasta el extremo de unir con él su verbo increado. Por estas razones, y por otras que yo no acierto a explicarte aquí, Luis se consuela y se conforma con no haber sido un varón místico, extático y apostólico, y desecha la especie de envidia generosa que le inspiró el padre vicario el día de su muerte; pero tanto él como Pepita siguen con gran devoción cristiana dando gracias a Dios por el bien de que gozan, y no viendo base ni razón, ni motivo de este bien, sino en el mismo Dios.»

Vemos, pues, cómo Valera se esfuerza, siempre con la expresión, ya que no con su intimidad, con sus vivencias religiosas, por conciliar el mundo moderno y el ideal humano del esteticismo que él propone, con la ortodoxia católica, a pesar de que él no la vea como posible. Pues ya conocemos sus sentimientos con respecto a la religión, y también su actitud externa ante ella.

Lo que pretende con esto es evitar el escándalo con la presentación de su ideal humano, para que no le salga ningún padre Coloma con la insana intención de ponerle los puntos sobre las íes.

La valoración que Valera hace del catolicismo no es nada halagüeña para éste. Según Valera, no sirve ya para el mundo moderno, para la vida actual. Confiesa en uno de sus textos íntimos (22):

> «Usted sabe que yo no soy indiferente en materias de religión. Soy tan apasionado como sujeto a dudas y vacilaciones, si bien me inclino al deísmo racionalista, al espiritualismo con la creencia en un Dios personal. Estas cosas, aun en vísperas de casarme, y aun en vísperas de morirme, absorben y absorberán siempre mi atención. si bien cada día me separo más, allá en el fondo de mi conciencia,

---

(21) O. C., T. I, pp. 193-4 *(Epílogo)*.
(22) Citada en Luciano GARCÍA LORENZO: *Estudio preliminar a «Pepita Jiménez»*, Madrid, Alhambra, 1977, nota p. 33. La carta es de 4 de diciembre de 1867.

de la religión católica. Sólo una revolución completa, una verdadera transformación en el seno de esta religión misma, puede llevarme a ella de nuevo. Es más, yo doy por seguro que el porvenir del mundo no es de esta religión, si no se transforma y rejuvenece. Por de pronto se ha divorciado de la civilización, la ha echado fuera de su genio, ha excomulgado el movimiento progresivo de la humanidad.»

Y es por eso por lo que, temiendo escandalizar a un público en exceso timorato, intenta buscar una conciliación de su ideal humano y la vieja religión. El mundo al que Valera dirigía su tipo ideal lo aceptaría sin ningún problema si no fuera por ese impedimento. Sin embargo, a lo que parece «en el país de Jauja», según el padre Coloma, por ejemplo, ya se arreglaban ellos bastante bien para, por medio de un buen «panfilismo» general —léase holgura de conciencia— para conciliar los dos extremos, de la misma manera que don Juan. La contradicción entre *Lex Naturae* y *Lex Dei* no debió inquietar nunca demasiado a aquellos próceres. Don Juan se decide, como hemos visto, íntimamente por la primera. Aunque por temor a la mojigatería desatada buscara arreglos que a sus propios ojos no debían ser más que sofisterías.

Pero don Juan es así.

Esta es la lección —por llamarla de alguna manera— que puede leerse entre líneas en *Pepita Jiménez* y en las demás novelas de tema amoroso. Nadie como Clarín supo leer dónde radicaba lo revolucionario de Valera.

Es esta idea suya del esteticismo, como hemos dado en llamar a su ideal humano, la clave de comprensión del significado de sus novelas.

Entiéndase que, por lo demás, el ideal que Valera quiere enseñar es para él auténtico, válido: es decir, que no está determinado por ningún tipo de conflictividad social. No tiene enemigos dentro de su ámbito, a no ser entre los sectores más extremistas de la derecha española de entonces. Valera propone lo que sinceramente creía un ideal de vida moderno para el hombre culto, y acomodado, español de la época, para el cosmopolita de entonces, para la gente que quería ser verdaderamente elegante. De ahí su orientación hacia la pedagogía, y su recusación de determinado tipo de educación, romántica ya, y a la antigua usanza, que introducía, con sus conceptos retrógrados, desajustes psicológicos en la personalidad capaces de esterilizar todo impulso creador.

El ideal humano de Valera es un ideal «pagano», como le suelen llamar los críticos. Busca don Juan un cortesano cosmopolita, el único tipo capaz de procurarle la vida que él anhela llevar.

Por su parte, Valera se preocupó él mismo de realizar en sí este ideal humano. Puede decirse que lo cumplió a la perfección. Toda su vida fue una aspiración constante a hacer eficaz en sí mismo este principio. Su peor enemigo era la mojigatería del mundo que le tocó vivir; en este sentido, Valera, que conocía la realidad de su mundo, tiene el valor de pedir más autenticidad y menos hipocresía (23):

«Yo creo a pie juntillas que hay en la época presente más recato, más honestidad y más decoro que en las pasadas; pero creo también, y tengo, o por resabios de la antigua corrupción, o por síntomas ominosos de alguna decadencia moral de que estamos amenazados, esa jactancia de virtud, esa fingida rigidez, y esa propensión a escanda-

(23) O. C., T. II, p. 173 *(Revista de teatros).*

lizarse y a tachar de inmoral hasta lo más inocente, que muestran muchos en el día.»

En otro lugar, en el «Prólogo» a los *Apuntes sobre el nuevo arte de escribir novelas*, dedicado a Alarcón, dice don Juan algo que viene a ser su ideal de vida, su esteticismo. Que por otra parte, también atribuye a Alarcón. Dice así (24):

> «Ambos somos espiritualistas, idealistas hasta rayar en misticismo, y a la vez muy aficionados a lo real y sólido, procurando no atizar la discordia, ni sembrar la cizaña, ni mantener la guerra entre el alma y el cuerpo, sino conservarlos en paz y en la más suave, rica y fecunda armonía.»

Nótese el aire jocoso y jovial de la confesión. Consiste en el humorismo de *Pepita Jiménez*, en la suave ironía de alguno de sus párrafos. Pues conociendo don Juan que este conservar en paz y buena armonía el alma y el cuerpo atentaba de alguna manera contra la *Lex Dei*, tal y como solía entenderse, era preciso buscar la secreta introducción de este nuevo ideal con el humor, la sonrisa que le diera cierto aire de inocencia e inofensividad.

Pues en último término, este nuevo ideal es como ley histórica ineluctable, es obra del progreso: es inútil tratar de rechazarlo. Por eso Valera valoraba el catolicismo en aquel texto que vimos antes como algo desfasado y retrógrado. El ideal del esteticismo es un ideal para el mundo de hoy, mundo infinitamente más hermoso que el antiguo, en palabras de Valera (25):

> «Las ideas son inmortales. No es verdad que *esto matará aquéllo*. Las facultades humanas no crecen unas a expensas de otras. Todas se desenvuelven sin perjudicarse. Y este mundo en que habitamos es, por naturaleza, no menos hermoso en el día que cuando nuestros primeros padres despertaron a la vida en el paraíso; y, por arte, por habilidad nuestra, está ahora mil veces más hermoso, gracias a los jardines, palacios, teatros, ferrocarriles, barcos de vapor, elegantes salones y demás adornos que le hemos colgado.»

En definitiva: el ideal del esteticismo obedece, según Valera, a las necesidades espirituales de los tiempos modernos. Sus novelas, por eso, son una verdadera revolución en el campo de la nueva constitución ética del individuo llamado a dirigir la nueva sociedad que en la España del siglo XIX estaba tomando cuerpo. Frente a la idea krausista del gentleman, cuya característica dominante es la eticidad, y que considera sus caracteres estéticos como derivados de aquélla, don Juan pone por delante, en la base, la dimensión conducta que exigen los tiempos nuevos. Tanto los krausistas como Valera, cada uno a su modo innovadores, chocaron con la ortodoxia católica. Vieron en ella un impedimento para la modernización del país. Los krausistas, que estaban fuera del poder, se vieron obligados en su lucha a chocar de frente con la ortodoxia, y a combatirla. Valera, en cambio, que estaba bien avenido con el sistema, que no pretendía reformar «in toto» absolutamente nada, sino más bien dar elegancia, cultura y belleza al grupo con el cual se identificaba, y que detentaba el poder, no puede chocar frontalmente con la moral y la religiosidad estabecida desde siglos por este mismo grupo;

(24) O. C., T. II, p. 611.
(25) O. C., T. II, pp. 611-2 («Prólogo» a los *Apuntes sobre el nuevo arte de escribir novelas*).

esta ortodoxia debía defenderla él si no quería «hundirse para siempre», y por eso, con buen humor, y mucha habilidad, y variando constantemente de actitudes y de expresión, según sea lo que escribe, cartas o tratados, trata de conciliarla con su idea del hombre elegante, con sus nuevos ideales.

De ahí surge la enorme dificultad de interpretar a Valera, de conocerle hasta el final. La nota dominante de su personalidad humana y literaria es la ambigüedad. Es preciso desmenuzar, desmontar sus palabras hasta las raíces últimas y más íntimas para que éstas aparezcan desnudas, y para que así podamos ver, comprender, y llegar a la verdad.

Por lo demás, si alguna proyección más general en el ámbito de la sociedad quiere dar a su ideal humano del esteticismo, ésta es más bien indirecta, según el concepto de clase elevada que tenía Valera como única rectora de la sociedad. La misión de la élite dirigente es promover, con el buen ejemplo, la elevación de los súbditos, ser ideal a seguir, ejemplo a imitar. A esto se reduce toda su filosofía social. Así lo podemos leer en el siguiente texto, por ejemplo (26):

> «Cierta democracia filosófica y *elegante* me enamora. En un porvenir más o menos remoto, casi la creo realizable. Si por democracia hemos de entender, no el dominio del populacho ignorante y grosero, sino su desaparición, o dígase su transformación en gente culta y urbana, capaz de toda virud y de todo saber, y su advenimiento a la soberanía; y la extinción de todo privilegio, que ya entonces no tendría motivo ni disculpa; y la inmediata libertad de industria, y la de comercio y la de pensamiento, a fin de ir elevando todos los espíritus y haciéndolos en lo posible iguales; si por democracia hemos de entender todo esto, y que no haya despotismo ministerial y que mande la ley y no la fuerza, la toga y no la espada, hace muchísimo tiempo que yo soy demócrata político; pero en literatura, si voy a decir verdad, confieso que soy aristócrata, ya que tal es motejado quien adolece de cierta inapetencia y delicadeza de gusto, y se condena a sí mismo para tener el derecho de condenar a muchos otros como plebeyos y vulgares.»

En otro lugar precisa Valera todavía más este concepto suyo de la misión de las clases altas, y el concepto que, por éstas, tiene Valera de la democracia (27):

> «La democracia optimista y sana consiste, sin duda, en creer que la mejor *educación* de la primera infancia, el buen ejemplo y nombre de padres y abuelos, la obligación de no deshonrar ni deslustrar este buen nombre y el vivir en medio más urbano y culto, deben ser espuela e incentivo eficaz para ser virtuosos, o discretos, o seductores, o dignos, o todo a la vez. En igualdad de índole y de luces intelectuales, debe, por consiguiente, valer mucho más quien posee los dichos exteriores requisitos que aquel que no los posee; en igualdad de condiciones internas, la hija de un marqués, por ejemplo, aun cuando sea bastarda, debe conducirse mejor que la hija de un pelafustán. De entender lo contrario por espíritu democrático, se seguiría que lo que debemos desear es la igualdad bajando y no subiendo: la nivelación en la ignorancia, la abyección y la miseria, y no la nivelación y elevación posibles, en todos aquellos medios, en toda

(26) O. C., T. II, p. 323 *(Cartas dirigidas a don Francisco de Paula Canalejas, sobre la crítica que éste ha hecho de los discursos leídos ante la R.A.E. por los señores Campoamor y Valera).*
(27) O. C., T. I, p. 42 *(Doña Luz).*

aquella acumulación de recursos hecha por las pasadas generaciones, a fin de que con su auxilio sigamos ascendiendo hacia el bien, hacia la luz y hacia la belleza.»

La idea que expresa en estos textos es muy diferente a la del Estado pedagógico de los krausistas, aunque haya un fondo similar. Por otra parte, el tipo de democracia *elegante* de Valera va muy bien con su concepto aristocrático de literatura. Como vemos, la nota dominante de Valera en todo es la elegancia, la belleza, el esteticismo. Es, en definitiva, elitismo social que se transcribe en términos de elitismo estético.

Pero no es éste el único asunto que nos ofrece Valera en sus novelas. Hay otro que, vinculándose a ese intento suyo de armonizar, según el buen sentido común, los impulsos espiritual y corporal de todo afecto humano, va a desarrollar. Se trata del problema de las «ilusiones». Como buen pedagogo, había aprendido en cabeza propia. De nuevo puede encontrarse aquí otro rasgo biográfico de don Juan en su obra.

Hemos visto en algunas de sus cartas, citadas en el primer capítulo de este trabajo, que el afán de gloria y triunfo de Valera era ilimitado. Sus ansias de vencer en la sociedad que le tocó vivir fueron los primeros impulsos hacia la literatura y la política.

Estas ilusiones juveniles, ilusiones de dominio, de gloria, de dinero, de amor... de todo cuanto podía ofrecerle la sociedad de su tiempo, poco a poco se van disipando. Hasta el punto de que cuando llega el año de 1874, y Valera escribe *Las ilusiones del doctor Faustino*, no sólo ya no conserva don Juan esas ilusiones juveniles, sino que recomienda a la nueva juventud no tenerlas nunca más.

Valera es ahora un hombre maduro y razonable: es el don Juan Fresco de la introducción que escribe a esta novela suya. Aparece ya convertido en sesudo pedagogo, aunque nunca falto de su gracia mundana y su buen humor.

Para este contenido novelesco don Juan elige siempre los finales trágicos. Faustino, como don Braulio (*Pasarse de listo*) y fray Miguel de Zuheros (*Morsamor*) acaban mal. Aunque este último quizá no: es el único que no se suicida, y quizá el único que al final parece sostener una cierta esperanza..., pero ya totalmente trascendente, heterónoma: es una esperanza en la muerte y en el más allá.

Por lo que respecta a la historia de Faustino, no es preciso insistir mucho: sean cuales fueren las razones para el desengaño de don Juan, el caso es que están expresadas en esta novela. Aunque de una forma muy peculiar, muy diferente a como se expresa el contenido de *Pepita Jiménez*, y que ya tendremos ocasión de comentar.

Interesa señalar de estas novelas que el contenido se resuelve en una «moraleja»: la que don Juna Valera pone al principio de la *Introducción* a su novela. Dice así (28):

«Entre las infinitas cosas que yo censuraba, era una la afición de ciertos poetas y escritores a encomiar la áurea medianía, el retiro, la vida campestre y el encano del lugarcillo en que nacieron, así como la propensión que muestran en volver a dicho lugar, y a vivir y morir allí tranquilos, ni envidiados ni envidiosos, lejos del mundo y de sus pompas vanas.

(28) O. C., T. I, pp. 195-6.

Cuantos así hablaban o escribían se me antojaba que eran hipócritas, que eran como el usurero Alfio, o poco menos. Aquello de
Martínez de la Rosa, que dice:

> Padre Darro, manso río
> de las arenas doradas,
> dígnate oír
> los votos del pecho mío,
> y en tus márgenes sagradas
> logre morir.

me excitaba la bilis de un modo superlativo. "¿Por qué —murmuraba
yo— ha de atolondrarnos este señor con sus ayes y suspiros, estando,
como está, tan en su mano dejar la embajada de París, o la presi-
dencia del Consejo de Ministros, o su brillante puesto en las Cortes,
y retirarse a los cármenes umbríos y a los solitarios vergeles que
están entre los cerros del Generalife y del Sacromonte, por donde
corre mansamente el Darro y donde la Fuente del Avellano vierte
sus cristalinos raudales?"

Más tarde me he convencido de que Martínez de la Rosa no sus-
piraba sin pasión por su Granada. He incurrido, en mi tanto, en el
mismo defecto, si defecto es. Desde hace años, lo confieso, ando
siempre diciendo que me voy a mi lugar, que deseo vivir allí, *ut
prisca gens mortalium*, cuidando del pobre pedazo de tierra que me
dejó mi padre en herencia, y casi haciéndolo arar yo mismo por mis
bueyes, como Cincinato y otros personajes gloriosos de las antiguas
edades. Esto lo decía yo, y lo digo, con sinceridad, hallando preferible
a toda aquella *descansada vida*, deseando ser uno de *los pocos sabios
que en el mundo han sido*, y no cumpliendo, sin embargo, mi deseo,
cuando, al parecer, sólo de mí depende cumplirlo y satisfacerlo.»

En esta novela pretende don Juan demostrar que el mal metafísico de
los jóvenes de su tiempo, y acaso del suyo propio, no procedía sino del
fracaso de sus ansias de poder, gloria y amor mundado. Así se ve también
en *Morsamor*. Dice en la ya citada *Introducción* (29):

«Va a Madrid un joven bien plantado, chistoso, ameno, que se
viste con el mejor sastre y se pasea en la Castellana. No se enamoran
de él las duquesas ni las marquesas; las ricas herederas le dan ca-
labazas, y sólo se le muestra propicia, si acaso, la hija del ama de
la casa de huéspedes donde vive. Este joven pierde también sus
ilusiones, y decide que las mujeres del día no tienen más que vanidad
y soberbia y carecen de corazón. Pierden, por último, las ilusiones,
el coplero insufrible que presume de poeta y no halla quien lea sus
versos; el periodista ambicioso que no llega a ministro; el autor
dramático que es silbado; el médico que no tiene enfermos; el abo-
gado que no tiene pleitos; el hipócria a quien no creen sus embustes,
y hasta el que juega a la lotería y no saca el premio gordo. Para
todos éstos, la corrupción de nuestro siglo es espantosa, la falta de
ideal, evidentísima; la carencia de religión, horrible, y un destino
ciego y perseguidor de la virtud gobierna y dispone los aconteci-
mientos humanos.»

Esto es, para Valera, poner las cosas en su punto justo: la verdad es
que toda congoja ontológica o metafísica no pertenece sino a la más pobre
realidad, a la cotidianeidad más vil. En el fondo, las angustias de Leopardi

(29) O. C., T. I, p. 206.

no son más que el producto de un espantoso complejo de inferioridad físico. Esto es lo que nos dice Valera.

Todos estos «ilusos» lo son en el peor sentido de la palabra. Hay para don Juan otro tipo de «ilusiones» más elevadas: las de la poesía, la fe, la imaginación... que ya conocemos en su desarrollo y en su función.

La circunstancia vital desgraciada es lo que se traduce en una experiencia angustiosa. Eso es lo que conduce al ateísmo de Leopardi. Dice así Valera (30):

> «Coincide con esto, en la mente de los así ilusionados, un concepto pueril del orden del mundo y de la Providencia divina, la cual ha de estar siempre premiando al bueno y castigando al malo, y disponiendo las cosas de suerte que lo pasemos muy bien. Los que así discurren están de continuo pleiteando con Dios y pidiéndole cuenta de todo. "¿Para qué me criaste? ¿Por qué he de morirme? ¿Por qué me he de poner viejo? Esta muela, ¿por qué me duele? Este mosquito, ¿porqué me pica y arma una música tan molesta? ¿Por qué las perdices no se vuelven todo pechuga? ¿Por qué ha de tener el jamón menos magras que tocino y hueso?".»

Estas son las preguntas que pone Valera en boca del desesperado, del desilusionado.

Y la respuesta que da don Juan, por boca de Braulio, en *Pasarse de Listo*, es ésta (31):

> «Mi teoría es como sigue: yo creo que el entendimiento es uno, y me figuro un instrumento para medirlo semejante al termómetro. Pongamos en él cien grados, que es número redondo, y con veinte, en mi sentir, bastará para todo lo práctico de la vida, si la fortuna sopla y las circunstancias son favorables. Con los veinte grados se llega a ser ministro celebradísimo, príncipe de gran mérito, presidente de república, banquero poderoso y hasta cardenal y Papa. Para hacer todos estos papeles medianamente, basta con la mitad de los grados; basta con diez. Seamos, no obstante, pródigos y concedamos veinte las más altas notabilidades de la vida social y política. Todos los grados del entendimiento que tengas por encima de los veinte, no sólo le serán inútiles, sino nocivos; te distraerán de lo que importa a tu interés; te harán pensar en multitud de asuntos inútiles, en que no piensan los tontos; te concitarán al odio de los demás hombres, o harán que te miren como bicho raro o estrafalario; y de nada podrán servirte si no llegan a los ciento, que son ya los grados del *genio*.»

Lo cual significa reconocer tácitamente que, si sólo los tontos llegan a presidente o a cardenal, hay que ser bastante tuno para conseguirlo. Intencionado o no, esto es un «lapsus» de Valera. Recordemos lo que decía don Juan en un texto antes citado, de su artículo *La terapéutica social y la novela profética* (32). Ambos, aquél y éste, están en franca contradicción, por lo que aquél significa tácitamente que los tontos, y por tanto los malvados, son los que gobiernan el mundo.

---

(30) O. C., T. I, p. 207.
(31) O. C., T. I, p. 478.
(32) O. C., T. II. El texto es de las pp. 1140-1.

Pero lo que importa es el planteamiento de la respuesta: es siempre el individuo iluso el culpable de su fracaso. El que se hace ilusiones, careciendo de genio para llevarlas a cabo, fracasa, y ese pecado lo habrá de expiar. El suicidio de Faustino, o de Braulio, es obra de sabe Dios qué misteriosa «némesis».

Pero esa experiencia de la «némesis» no la conoció Valera. El desengaño, si bien debió ser doloroso. no se materializó en otra cosa que en sentido común, serenidad, y una amable ironía. Y en buenos consejos para la nueva juventud, también. Según se ve en *Morsamor*, don Juan asumió su desengaño. Ya vimos que siempre estuvo «bien avenido con todo».

Escribe la novela de la derrota del individuo, aunque le echa la culpa a éste. El final y la moraleja es un añadido. El héroe problemático derrotado —el fracaso del liberalismo— es lo que importa.

No tienen otro sentido las novelas de *Las ilusiones del doctor Faustino*, *Pasarse de listo* y *Morsamor*.

En estas obras, como vemos, aparece una moraleja —por así decirlo—, como en *Pepita Jiménez*, *Doña Luz* y *Asclepigenia*. Un grupo y otro de novelas presentan conflictos que, aunque en algunos aspectos importantes son diferentes, tienen que ver en el fondo unos con otros.

Tanto en *Pepita Jiménez* como en *Las ilusiones del doctor Faustino* se ve la quiebra de unos ideales, de unas «ilusiones». Como dice Montesinos (33):

> «El drama humano que más le interesa contemplar —y en cuya contemplación aspira a interesarnos— es este de la quiebra de los ideales extremosos. Extremosos en cualquier sentido.»

Extremosos eran los anhelos de santidad de don Luis de Vargas, y extremosos los de gloria, poder, dinero y amor del doctor Faustino. Pero hay diferencia entre uno y otro: en *Pepita Jiménez* hay un planteamiento, y en el *Doctor Faustino*, otro. Ambos son pedagógicos. Pero en el primero se limita don Juan a considerar el problema del amor, y en el segundo se extiende hasta el fondo mismo de la realidad de una generación que sufre congojas metafísicas por cuestión de «ilusiones» mundanas.

Pero la diferencia entre uno y otro viene marcada no tanto por la naturaleza de la «moraleja» —por así llamarla— que quiere expresar don Juan, como por el planteamiento mismo de estos temas, es decir, por la actitud del autor respecto de la materia que tenía delante y la *forma* de expresarla.

Es una cuestión de planteamiento, de actitud ante la temática lo que lleva implícito las diferencias entre uno y otro contenido. Los contenidos difieren y sus planteamientos también.

Esto no ha sido notado y es preciso hacerlo; no hay una homogeneidad ni de planteamientos ni de contenidos en las novelas de Valera. Hay diferencias entre *Pepita Jiménez* y el *Doctor Faustino*. Estas diferencias están en el asunto mismo a tratar y en la actitud misma de don Juan ante la novela como expresión de ideas.

Bien entendido que el «estilo» es siempre el mismo. Pero a nuevos temas, nuevos planteamientos. Aunque, claro está, en lo que éstos tienen de dife-

(33) *Valera o la ficción libre*, op. cit., p. 187.

rencial. Pueden, en último término, tratar de lo mismo: quiebra de ideales. Pero no se trata de la misma quiebra de ideales, ni se expresa ésta del mismo modo.

Y todo ello, sin perjuicio de que la plataforma expresiva última sea siempre más o menos la misma: la que está implícita en el ideario estético páginas atrás descrito.

Vamos a estudiar, pues, estos dos diferentes planteamientos.

Capítulo VII

LA PLASMACION ARTISTICA DE LOS CONTENIDOS

Es indudable que todo escritor, quiéralo o no, habla de alguna manera de sí mismo. No puede abstraer, aunque quiera, su experiencia de la vida. Y ésta permanece siempre presente, de una manera u otra, en su obra. Descubrir esa experiencia personal del autor es deber de la crítica, pues la obra, sin este primer análisis, no se entiende.

Sin embargo, esta experiencia personal, propia y directa de la vida de un escritor no es todo. Hay otra experiencia que se desarrolla incluso para el escritor mismo en un nivel mayor de generalidad y amplitud. Y que puede ser inconsciente para el propio escritor. De hecho, para que exista una verdadera cultura, ha de haber en ella un momento autoconsciente. Es más: la cultura consiste en autoconsciencia. Por medio de ella, los límites de las vivencias se amplían, se dilatan. Y se asimila como propia experiencia la experiencia ajena, que se encuentra en la historia y en la sociedad. En este sentido, el momento autoconsciente tiene lugar cuando se reconoce el escritor como ser social y ser histórico.

En este primer nivel, ateniéndonos a Valera ya, se sitúa el esteticismo como producto de su experiencia directa de la vida. *Pepita Jiménez* y *Las ilusiones del doctor Faustino* son obras de sentimientos y vivencias juveniles de don Juan.

En el segundo nivel se sitúa, aunque no directamente, sino a través del conjunto de ideas que constituía el universo mental del grupo social en el cual se desenvolvía nuestro autor, y que él conscientemente aceptaba, se sitúa, decíamos, el planteamiento de los problemas presentados en sus novelas, el planteamiento de los contenidos de ésta.

No se refiere este nivel al estilo, sino a la manera, al modo especial de presentar don Juan estos problemas.

Dicha manera tiene lugar en la función del mundo conceptual de don Juan en sus ideas estéticas, arriba analizadas. Por tanto, estos planteamientos vienen a ejercer la misma función que aquéllas. Pues, como veremos, su idea de la mimesis artística en ocasiones determina en buena medida el planteamiento de los contenidos éticos y pedagógicos que hemos visto que presenta en sus novelas.

Vamos, pues, a analizar brevemente estos planteamientos.

Don Juan Valera no hace novelas de tesis. Tampoco hace arte por el arte, como él dice, pero eso no quiere decir que no sea cierto lo anterior. Valera plantea, y en profundidad, problemas humanos. Si no, no sería novelista. Lo que hace, no es defender con un simbolismo maniqueo, y subjetivamente por tanto, ninguna tesis moral, ni filosófica. En Valera el problema no es una abstracción: sino que *está* en los personajes, en su acción y en la atmósfera toda del universo imaginario. El problema, el asunto, está radicado en el desarrollo de la novela.

Pepita Jiménez es una novela de amor. Hemos visto que lo que hace Valera en ella es un análisis de la realidad de este sentimiento humano. Y hemos visto cómo el concepto que don Juan tiene de éste en cierto modo se opone a la idea que, según él, la religión católica tiene de él. Valera no cree en absoluto en el amor platónico. Es más: podemos ver en la historia de *Doña Luz* que esta manera de sentir el efecto por una mujer conduce a daños psicológicos, e incluso físicos, irreparables. Conduce a un sentimiento de angustia, que don Juan considera como antinatural. Recordemos cómo en *Mariquita y Antonio*, por no citar más que obras literarias de don Juan, y no ensayos, recusaba don Juan esta manera de concebir el amor. *Asclepigenia* es otro alegato contra el amor platónico. En este sentido, es en *Pepita Jiménez*, y sobre todo en el *Dafnis y Cloe*, donde de una manera más bella expone sus ideas a propósito del amor. El *Dafnis y Cloe*, ciertamente, no es obra de don Juan. Solamente la tradujo. Pero si lo hizo, y de forma tan bella, fue porque de alguna manera expresaba esta novelita sus ideas a propósito del amor. Aunque no expresa ésta de una manera total y pura la naturaleza de la relación amorosa, sí se aproximaba mucho a la idea que don Juan tenía de ésta. En sus cartas desde el Brasil a Serafín Estébanez Calderón, editadas por Sáenz de Tejada, no parece que Valera haya sentido serios sentimientos de culpa en su vida amorosa (1). Imaginamos que de viejo, en sus relaciones con Catherine Bayard, tampoco los sintió.

El intento de Valera de *conciliar* la religión cristiana con su idea del amor demuestra que, con ello, tenía que entendérselas con un concepto dominante de moral católica bastante más estrecho que el suyo (2). Tuviera razón o no Valera, el caso es que los neocatólicos, por ejemplo, no entendían el amor, en la moral católica, de la misma manera que don Juan.

Valera se enfrentaba a esta idea del amor, que más o menos era la defendida por los sectores clericales, neocatólicos y moderados. Para don Juan, eran éstos moralistas estrechos e hipócritas. Aunque nunca defendió el escándalo —recordemos la graciosa carta de Currita de Albornoz al padre Coloma—, siempre estuvo por un concepto más abierto de las relaciones amorosas.

Cuando Clarín ve en ello uno de los aspectos más revolucionarios de don Juan, tiene razón.

Ahora bien: hay algo que le impidió llegar hasta el final. Y esto es el planteamiento mismo del conflicto en sus novelas.

Llegar hasta el final hubiera sido plantear abiertamente la contradicción entre su ideal humano, armónico en los afectos, y la moralidad hipócrita y retrógrada de los que según Valera defendían un concepto de amor ascéticamente entendido. Llegar hasta el final hubiera sido hacer a la inversa de lo que hizo el padre Coloma, con el mismo valor y el mismo arrojo: o sea, plantear su nuevo ideal humano, que obedece a las necesidades de un mundo nuevo, moderno, creciente, como radicalmente contrario a los viejos ideales. Pero asumiendo todas las consecuencias. Del mismo modo que para don Juan, como ya vimos, es el catolicismo una religión del pasado, caduca, que ha condenado al mundo moderno, y que no sabe convivir con él, y que por

---

(1) *Juan Valera. Serafín Estébanez Calderón (1850-1858)*, op. cit.
(2) Recordemos la citada polémica con el señor Madrazo.

eso íntimamente lo rechaza, llegar hasta el final hubiera sido exteriorizar francamente esta idea suya.

Pero es lo cierto que los viejos ideales habían sido ya asumidos por las nuevas fuerzas. Es decir, la burguesía, portadora de estos nuevos ideales, había aceptado, aunque no sin ambigüedades, los viejos ideales, los del antiguo régimen. Si la burguesía más radical y consecuente del siglo XIX español, la krausista, llega sin temor a la ruptura con la ortodoxia católica, seguramente porque poco tenía que perder en la liza, el sector más conservador de la misma, debido al temor que introduce su propia debilidad, ve más razonable aliarse —la presencia anarquista es determinante— con las fuerzas del antiguo régimen. El fracaso revolucionario de 1868 condujo a ésto.

Es decir: si esta plataforma social e histórica es cierta, Valera no pudo levantarse contra los propios ideales y consignas que su grupo social defendía.

Así, se da la paradójica circunstancia de que sintiendo íntimamente don Juan la necesidad de abrir, al menos un poco, la amplitud de la conciencia moral en un sentido cada vez más autónomo, se ve en la necesidad de renunciar a este íntimo convencimiento suyo en favor del ideario ético que sostiene su grupo social. No podía «hundirse para siempre» don Juan.

Vemos, pues, que la eterna contradicción entre convencimiento propio y grupo social aflora de nuevo, y alcanza también al plano de lo literario en Valera. Don Juan no podía decir claramente que en religión era escéptico; que el catolicismo para él había pasado, y que había, por lo menos, que actualizarlo; que en política no creía ni a Cánovas ni a Sagasta, ni a partido político alguno; que Campoamor y Núñez de Arce, tan idolatrados por los de su grupo, eran unos bárbaros copleros.

El drama de don Juan es siempre éste. Llegar hasta el final hubiera sido radicalizar la oposición entre *Lex Naturae* y *Lex Dei;* y habría sido radicalizar, en momentos en los cuales esto no era posible, la oposición entre los defensores del antiguo régimen y del nuevo, por la sencilla razón de que unos y otros se habían unido para defenderse de la posibilidad, cada vez más amenazante, de la revolución social.

En principio, *Pepita Jiménez* es una mera confrontación psicológica. Además de paisajes de excelente factura, y de agradabilísima imagen, no hay otra cosa que psicología: la de Pepita y la de don Luis de Vargas. Es una novela de amor, y sólo y exclusivamente aparece la psicología de esta pasión.

A través de las cartas de don Luis, que es donde yace, por así decirlo, el peso de toda la novela —pues el desenlace lo es de la trama, no de la pasión en sí— vemos sola y exclusivamente el desarrollo de una conciencia problemática. Es decir: en don Luis, en su conciencia, se desarrolla una lucha entre dos fuerzas: el amor humano y el amor divino.

Pero, sabemos de este último que es obra de la educación del héroe en un seminario: es la única determinación exterior de este impulso, de esta fuerza. Si bien es ésta muy significativa.

Si por el amor divino hemos de entender la norma ética, ésta no aparece en su nuda sustantividad, ni en su más pura indeterminación.

Es decir: el amor humano aparece tal cual es, sin determinación alguna. Pero el amor divino sí la tiene: allí aparece una noción pedagógica que le vincula a la existencia de un mundo exterior.

Toda la parte epistolar de la novela es la descripción y narración del desarrollo del conflicto entre estas dos fuerzas.

En Pepita la pasión amorosa no entra en conflicto con nada. Y por eso se presenta en su mera desnudez, y más bien fuera de la parte epistolar de la obra. El autor no necesita ocuparse de Pepita más que para describir su pasión y para narrar los efectos que produce en ella.

Pero el conflicto no está en ella, sino en don Luis, que es, así, el verdadero héroe.

Sin duda, la pasión amorosa, como fuerza elemental, instintiva, no precisa de determinaciones. Se halla pura, tal cual es. Como impulso natural, no contiene en sí más determinaciones que las que su función le asigna.

Pero el amor divino sí tiene una determinación: no es, según don Juan, algo natural, instintivo. Es algo que es fruto de un sujeto externo al alma misma del héroe. El amor divino, y precisamente *ese* amor divino, el de don Luis, es obra de un sujeto característico en la sociedad española de entonces: el seminario.

No es que Valera diga, con ello, que el amor divino en sí sea antinatural. Aunque su fe no fue nunca algo realmente sentido, sino más bien objeto de duda, en sus cartas nunca llegó a negar su existencia. Y menos aún en una obra dirigida al gran público.

El amor divino que presenta Valera en la mente de don Luis, es el que éste ha aprendido en un seminario. Quiere ser misionero, santo, gran teólogo... Quiere ser lo máximo en la escala de santidad que le ofrece el *catolicismo*.

El amor divino de don Luis de Vargas es católico. Esta es la determinación que decíamos que tenía, y que es importantísima.

Pues, como hemos visto ya, es aquí donde se entabla el conflicto entre la moral católica y el impulso amoroso natural de esta novela de Valera.

Es esta determinación lo que le confiere carácter revolucionario a su obra. Si ésta no existiese, Clarín no podía haber dicho lo que dijo. Tampoco los críticos de Valera hubieran dicho que el misticismo de don Luis era un falso misticismo (3).

Pero volvamos a nuestro conflicto: el amor divino está determinado por su carácter de seminario. Y ésta es la única determinación que aparece.

Sin duda, en sí misma es inesencial. Pero es una clave: pues el seminario es la institución maestra de los ideales representados por las fuerzas del antiguo régimen: en él están representados, o mejor, aludidos, los sectores clericales y su doctrina.

El amor divino de don Luis de Vargas es la enseñanza del clero, y lo que se somete a crítica es tanto los contenidos de su educación, distanciadores de la realidad, y por tanto segregadores de la personalidad individual, como la forma misma de esa educación.

Desde luego, Valera no va más lejos. La alusión del seminario le basta: es lo suficiente como para no escandalizar, y «a buen entendedor...». Ir hasta el final hubiera sido señalar esas fuerzas y sus motivaciones, la forma misma de esa pedagogía... Pero esto era demasiado para don Juan. Con una leve insinuación le basta al espíritu inteligente.

El amor humano en sí carece de determinaciones, es una fuerza pura. Es, por tanto, amoral.

---

(3) Francisco BLANCO GARCÍA: *La literatura española en el siglo XIX*, op. cit., pp. 477-92 (vol. II).

El amor divino es la ética, la moral, que es norma social. El amor divino entendido a la manera de don Luis es norma social caduca y vieja, según don Juan.

Es preciso, pues, salvar la contradicción entre una y otra. Y de ahí el desenlace de *Pepita Jiménez*, con sus estatuas de Psiquis y Venus, su Dafnis y Cloe.

Basta con esto para clasificar, entonces, de realista esta obra de Valera. El planteamiento lo es. Por eso habíamos dicho páginas atrás que la estética de don Juan, su pensamiento sobre filosofía del arte, era ideológica. Ni él mismo la pone en práctica.

Su famosa teoría del arte por el arte, llevada a la práctica, le hubiera conducido a las insulseces arqueológicas de un Théophile Gautier, por ejemplo, en su *Roman de la momie*.

Ahora bien: el realismo no está ni en los paisajes, ni en el lenguaje, ni en los vestidos, ni en los gestos... de los héroes. El concepto de Valera de la mimesis sí interviene aquí de manera decisiva. El realismo, por lo demás, no es eso: realismo es la transcripción literaria de la realidad en sus fuerzas y conexiones más elementales. Así se le puede entender, al menos. Pero transcripción de fuerzas reales. Y eso lo hace don Juan. El realismo de esta novela es psicológico: la psicología de don Luis de Vargas revela un proceso real. Ello se comprueba mediante el hecho de que en él el amor divino aparece determinado por su cualidad de seminarista católico.

Claro que, también, Valera se limita a eso: a la psicología. Aunque ésta no esté hipostasiada, sino que, por el contrario, se halle empíricamente determinada, más que revelar el proceso de las fuerzas reales, las insinúa.

Por eso, también, es un realismo limitado. Sostiene una cierta ambigüedad. Lo mismo que el desenlace: el intento de conciliación por parte de Valera del amor profano y del amor divino. Recordemos cómo al final de la novela el padre de Luis de Vargas escribe una carta a propósito de su hijo, en la que dice cómo se consuela éste de no ser un santo varón. También vimos cómo Valera mismo en otros lugares de su obra, en artículos por ejemplo, intenta conciliar su idea del hombre moderno con la vieja tradición moral católica, tratando de cambiar el concepto que de ésta se tenía.

La conclusión es que Valera transcribe a través de la psicología de don Luis un proceso real, un conflicto que tiene lugar en la realidad. Aunque el alcance de su expresión es bastante limitado también. Sin duda, fueron las eternas presiones que padeció nuestro autor las que le forzaron a actuar, en literatura, de esta manera.

Desde luego, Valera no podía, ni aun en sueños, para «no hundirse para siempre», plantear el asunto como lo planteó doña Emilia Pardo Bazán en *La madre naturaleza*. Aunque hay que salvar alguna buena distancia dentro del tema mismo, hay que reconocer mayor franqueza en la gran escritora gallega, menos temerosa de incurrir en faltas. Su enfoque no se hace a través de la psicología del héroe. Más bien trata de hacer, con importantes salvedades y de un modo muy general, una exposición objetiva del tema.

Que Valera en cierto modo pensaba que las cosas eran tal y como la Pardo Bazán las expuso, lo demuestra la traducción del *Dafnis y Cloe*.

Pero Valera lo hace a través de la psicología, de modo realista, sí, pero limitando el alcance de este realismo, que de suyo es, por así decirlo, menos directo.

Desde luego, don Juan hizo todo lo posible por evitar la presentación de la contraposición de *Lex Naturae* y *Lex Dei* tal y como lo hace doña Emilia en el capítulo XXXV de la novela *La madre naturaleza*. Pero ya hemos dicho que hay alguna distancia en el tema mismo.

Y mucho menos aún tal y como lo hace Zola en novelas como *La fortuna de los Rougon, La carnaza, El vientre de París...*, donde, aunque no son novelas amorosas, como éstas, hay también un concepto del amor.

Vemos, pues, que es cuestión de planteamientos, y el de *Pepita Jiménez*, aun siendo realista, obedece a un sistema expresivo diferente.

La mejor bibliografía sobre *Pepita Jiménez* sigue siendo la tradicional, hoy ya clásica. Nos referimos a Manuel Azaña y a Montesinos (4). Sin embargo, poco se ocupan estos autores del planteamiento de sus novelas, teniendo en cuenta estos factores que hemos enunciado nosotros, y que nos parecen determinantes.

Es Manuel Azaña quien, en una consideración general sobre las novelas de don Juan, dice algo de sumo interés: se refiere a que no hace Valera novelas de acción, sino de psicología (5):

> «Valera se aplicó en las novelas a escudriñar los sentimientos de sus personajes, más que a mostrarlos directamente representados en una acción. Si en sus ficciones quedan en segundo término los valores plásticos del naturalismo, e incluso las notaciones típicas de lugar y tiempo aparecen rebajadas, desleídas en la linfa inalterable de su prosa, tampoco la acción aspira en general a hechizar al lector ni a mantener suspensa su curiosidad de un lance a otro lance. Hay novelas —había dicho Valera antes de ponerse a escribirlas— en que a los personajes, exteriormente, nada les ocurre digno de contarse; pero en lo íntimo de su alma hay un caudal de poesía que el autor desentraña: es la novela "que podemos llamar psicológica".»

Lo cual es cierto: la idea de la mimesis de Valera sirve tanto para idealizar lo real, por feo que sea, como para no hablar de todo aquello que pueda dar lugar a una interpretación ajena a los intereses de su ámbito de relación. Con más relevancia, como es natural, en este segundo plano que en el primero, que atañe a lo más epidérmico de la construcción novelesca.

Y cuando Valera en *Las ilusiones del doctor Faustino*, quiere entretener con una acción, tiene que introducir a Joselito el Seco y sus aventuras, como una especie de trama subsidiaria que, en el fondo, echa a perder toda la novela.

Montesinos, por su parte, viene a decir algo en el mismo sentido, pero que resulta exagerado: Veamos (6):

> «Lo más evidente es esto: que el personaje central de las obras de Valera mismo, o, por mejor decir, una encarnación de su mayor inquietud en el momento de ponerse a escribir; que lo primario es el "problema", y no la anécdota; y que *los personajes se subliman hasta parecer categorías*: el hombre, la mujer, antagonistas apasionados.»

Si bien la primera parte tiene bastante de verdad, lo que hemos subrayado resulta exagerado: no son esencias puras sus personajes. Por sibilino que sea el procedimiento, el caso es que Valera determina a sus personajes.

(4) Manuel AZAÑA: *La novela de Pepita Jiménez*, en «Ensayos sobre Valera», op. cit., páginas 199-243; MONTESINOS: *Valera o la ficción libre*, pp. 85-120.
(5) Op. cit., p. 213.
(6) *Valera o la ficción libre*, op. cit., p. 84.

De otro lado, consideramos un error de Montesinos el que considere el núcleo del problema de esta novela en la confrontación entre don Luis y Pepita. A nuestro entender, hay problema sólo en la parte epistolar, y es entre amor humano y amor divino a lo seminarista en don Luis, en su psicología. No queda expresada como una categoría por el hecho de que todo el mundo exterior está impreso en ésta, pues el amor divino se caracteriza por ser obra de una muy concreta pedagogía.

Y esto que decimos vale incluso para *Las ilusiones del doctor Faustino*, novela en la cual, como veremos, domina mucho más la ambigüedad y el subjetivismo.

Sin duda alguna, el propósito es muy diferente. En la *Posdata* a esta novela, publicada por Valera en 1879, leemos cuál es el propósito de ésta (7):

> «Aunque yo soy poco aficionado a símbolos y alegorías, confieso que el doctor Faustino es un personaje que tiene algo de simbólico o de alegórico. Representa, como hombre, a toda la generación mía contemporánea: es un doctor Fausto en pequeño, sin magia ya, sin diablo y sin poderes sobrenaturales que le den auxilio. Es un compuesto de los vicios, ambiciones, ensueños, escepticismo, descreimiento, concupiscencias, etc., que afligen o afligieron a la juventud de mi tiempo. En él reúno los tres tipos o formas principales bajo que se presenta el hombre de dicha generación y de cierta clase, si clase pueden formar los que gastan levita, y no chaqueta. En su alma asisten la vana filosofía, la ambición política y la manía aristocrática. Ya sé que hay hombres mejores; pero yo no quería escribir la vida de un santo. Sé también que los hay más ridículos; pero no quería yo hacer una novela enteramente cómica y de figurón. Y sé también que los hay mil veces más odiosos y malvados; pero si don Faustino lo fuere, dejaría deser algo cómico, como yo quería, y dejaría también de tener algo de interesante y de patético como me convenía que tuviese para mi plan de novela, o de lo que yo entiendo por novela, a pesar de los críticos. Don Faustino, dado mi plan, no podía ser sino como es. Fausto es más grande; pero también es más egoísta, más pervertido y más pecaminoso.»

O sea: es deseo e intención concreta de Valera transcribir una conducta social típica y, con ello, y también por medio de alusiones, sus motivaciones.

Para ello, se ha fijado don Juan en la realidad propia y ajena. Así lo dice Valera (8):

> «En suma, y sea del valer moral de mi héroe lo que se quiera (o, mejor dicho, lo que se les antoje a quienes quizá no se ven, y se juzgan la virtud misma), para pintar lo interior del alma de mi héroe, prescindiendo de lo que le sucede en el mundo, no he tenido más arte que mirar en el fondo del alma de no pocos amigos míos y en el fondo de mi propia alma, y analizar allí afectos, desengaños, pasiones e ilusiones.»

Desde el momento en que Valera se decide a realizar literariamente estos propósitos, su teoría del arte por el arte se desvanece. Pues Valera pretende, de un lado, presentar los vicios, ambiciones, etc., de su propia generación. Y de otro, ser vivo ejemplo para los jóvenes de la época. Pero no se presenta

(7) O. C., T. I, p. 362.
(8) O. C., T. I, p. 362.

el héroe de un modo abstracto: la primera determinación, y más esencial, es que el héroe pertenece a su clase social.

En torno a este héroe giran, según Valera, tres grandes vicios que le caracterizan: el primero de ellos, la «vana filosofía». Observemos que, en cierto modo, es éste también un lapsus de Valera: lo que aquí entiende por vana filosofía es la suya propia, aunque un poco exagerada. El doctor Faustino es un teósofo. Valera nunca lo fue: siempre se rió de la teosofía. Pero a la teosofía fácilmente se llega por el camino del idealismo románti- co que Valera manifiesta mesuradamente profesar. Por eso es sólo un lapsus en cierto modo. Valera se rio de los teósofos, como del propio amor platónico de Faustino. Sus ideas estéticas, sin embargo, enraízan en una filosofía del amor platónico, como ya vimos.

En cuanto a la ambición política, y a la manía aristocrática, en cierto modo van juntas. Y refiérense las dos a anhelos juveniles de don Juan. Re- cordemos de nuevo su epistolario (especialmente la citada carta de 3-mayo- 1850) (9). Con respecto a la primera, pronto se desengañó Valera. Y con res- pecto a la segunda, también parece que pronto se convenció de que no había más aristocratismo, para el que no tiene medios, que el del espíritu.

Pero lo que importa es el hecho de que para don Juam ambas cosas son obra, no tanto del ingenio, como del dinero. Recordemos lo que decíamos en el capítulo primero de este trabajo: para Valera, como para la mentalidad de entonces en general, hace falta dinero para ser algo en el «País de Jauja». Don Juan nunca lo tuvo suficiente.

Y, de otro lado, también conocemos ya la teoría de los grados de don Braulio (*Pasarse de listo*). Sea dicha teoría verdadero lapsus, no intencionado, o sea obra de un verdadero gesto de acritud por parte de don Juan, es el caso que muestra de forma muy plástica y significativa su teoría del triunfo social. En don Braulio hay mucho de Valera: en general, el tono de insatis- facción con respecto a sí mismo, y con respecto a su mundo. La amargura de esta novela denota el escaso entusiasmo de don Juan en aquellos mo- mentos.

En general, la insatisfacción de Valera con respecto a la sociedad que le tocó vivir en una constante de su vida.

El triunfo social es el máximo anhelo del doctor Faustino. Su derrota se produce en este campo. Su fracaso se debe a su falta de dinero. Los pri- meros capítulos del libro nos relatan su penuria. Faustino podía haber vivido con sus recursos magníficamente. Pero en su pueblo natal, sin salir de él. Pero le habían enseñado que había algo más que la vida anodina que su pueblo le podía proporcionar. La gloria literaria, política, amorosa... la for- tuna, también, eran para él.

El problema de Faustino no es amoroso. Si lo hubiera sido, en Villaber- meja hubiera encontrado alguna que otra Pepita Jiménez. Su problema es de ambición, de triunfo, de dominio. Don Luis de Vargas llevó, suponemos, después de su boda con Pepita, la vida que había de llevar el doctor Faus- tino en su pueblo y con su hacienda.

Sin embargo, Faustino no se resigna a este tipo de vida: el «aurea me- diocritas» no es su sino. Ya sabemos que tampoco lo fue para Valera.

Según la teoría de los grados, el triunfo es obra del genio o del mal. Quien, por sus recursos, no pertenece al gran mundo, debe conquistarlo por

(9) O. C., T. III, pp. 35-7.

alguna de estas maneras. La política, la milicia, la literatura... eran los caminos más trillados por quienes, careciendo de medios, tenían la inteligencia —el genio— o la habilidad para llegar.

Ahora bien: Faustino no es un genio. Es un Fausto en pequeño. Carece también de la maldad para el triunfo. El mundo es o de los genialmente buenos o de los genialmente malvados, por tontos que sean estos últimos. Esa es su teoría de los grados. Faustino no era ni lo uno ni lo otro.

Valera lo que hace, por medio de este personaje, es someter a examen dos cosas: de un lado, a su propio héroe. Y de otro, a la sociedad a la cual el héroe quiere conquistar.

Pero podemos comprobar que en la novela no aparece este segundo término. Esto es importante, pues en la medida en que toda novela era, en el siglo XIX, una biografía y una sociología, el segundo término de la relación aparece prácticamente desapercibido.

Y es que el caso de *Las ilusiones del doctor Faustino* es muy diferente del de *Pepita Jiménez*.

En don Luis de Vargas, Valera plantea el problema del amor. A la materia tratada corresponde un planteamiento coherente. En *Pepita Jiménez* se materializa en gran medida.

En cambio, en *Las ilusiones del doctor Faustino*, no. Con lo cual, volvemos de nuevo al carácter de lapsus de su teoría de los grados. Hay que hacer referencia constante a ella.

Pues bien: Valera se ocupa de hacer muy detalladamente la radiografía moral del héroe, identificando con él a toda una generación, el destino de toda ella. Hace, pues, una magnífica biografía.

Sin embargo, en la novela de Valera falta el segundo término de la relación. Un héroe no es tal si no tiene un mundo al cual enfrentarse. Todo héroe novelesco busca una orientación en la vida. Pero se da la paradoja de que tenemos al héroe, pero no a su mundo.

Con lo cual, al faltar el término hacia el cual se dirige su acción, aparece ésta como indeterminada. Es decir: desaparece la acción, que queda reducida, a pesar de la posible abundancia de trama, a sucesión de estados psicológicos. En *Las ilusiones del doctor Faustino*, se da el caso de que hay trama, pero no acción.

Es la novela de un fracaso, pero que aparece, así, como consustancial al héroe.

De hecho, Valera no se propuso más. Es decir: en su planteamiento, le basta con el héroe. Pues de alguna manera «sobreentiende» su mundo. Lo que le interesa a Valera es poner al héroe con sus determinaciones, y ver cómo así, según aquéllas, no puede triunfar. Pues está predeterminado, por su educación o por lo que sea. En cierto modo, hace como Zola. Parece uno de sus «experimentos».

Pero la esencia de lo novelesco, que es la relación entre el héroe y el mundo, la acción, desaparece.

Podría decirse que esto pasa también en *Pepita Jiménez*, que la acción desaparece, pues don Luis, en tanto que héroe, sólo actúa al final de la novela, en la peripecia, y no como enfrentado a un mundo. Pero no es así: la acción más importante está internalizada en la psicología de don Luis: la acción se desarrolla en el choque de su impulso amoroso hacia Pepita con el amor divino a lo seminarista, que es lo que constituye el mundo hacia el cual se dirige el héroe, y recusándolo por el amor de Pepita. El mundo en esta novela lo constituye no tanto el ambiente de la aldea —este es el medio de la peripecia, el escenario de la trama— como el seminario en el cual estudió don Luis y que está más presente aún que la aldea. Y así, como novela de amor que es, *Pepita Jiménez* es novela psicológica: y a través de la psicología, como una determinación que introduce en ésta, aparece el mundo. El seminario es el determinante exterior del mundo psicológico de don Luis. Con ello, el planteamiento es esencialmente realista.

En cambio, en *Las ilusiones del doctor Faustino* el mundo ha sido escamoteado.

Don Juan quería hacer una radiografía moral de un personaje, y para ello, aunque éste contiene las suficientes determinaciones como para que no quede convertido en un mito —el de Fausto, en este caso— le falta, sin embargo, el segundo término, y con él la relación que necesariamente debía mantener para que fuera captado en su actividad. No hay acción, sino, como hemos dicho, trama y sucesión de estados psicológicos.

Es indudable que Valera, de nuevo, no quería comprometerse. Conociendo su teoría de los grados, buena parte del fracaso de Faustino se hubiera debido no tanto a su abulia, y a su caracterización en general, como a la perversidad del mundo que quería dominar. Los valores que busca nuestro héroe son los comúnmente aceptados como válidos en aquella sociedad: amor, gloria, dinero, poder... Estos valores constituyen «ilusiones» para Valera si no se tiene antes con qué conseguirlos: dinero o genio, o la perversidad suficiente para actuar maniobreramente en ese mundo, y conseguirlos.

El doctor Faustino está condenado al fracaso desde el principio. Valera ha querido condenarlo para darnos una lección: el mundo sólo es para aquellos que tienen dinero o genio. Faustino no los tiene, y fracasa. Así, aparece él como el único culpable de su fracaso.

Así, incurre Valera en cierto modo en el determinismo que él mismo reprochaba a Zola. Pues don Juan, para justificar el libre albedrío, tiene que largar un párrafo extemporáneo sobre la culpabilidad del fracaso individual a propósito del bandido Joselito el Seco.

Este párrafo, como la teoría de los grados en *Pasarse de listo*, con ser un excursus fuera de lugar, viene a aclarar muy bien, indirectamente, cuál es el verdadero sentido de esta novela, confirmando lo que venimos diciendo.

Por eso no parece que podamos admitir aquello que decía don Manuel Azaña en lo relativo al respeto de Valera hacia el libre albedrío de sus personajes. Dice así (10):

> «Ningún personaje importante deja de amontonar razones más o menos especiosas para querer lo que quiere, para determinarse a lo que hace. Es que Valera mantiene a salvo la claridad de la conciencia del individuo y el poder arbitral de la voluntad: ningún influjo, físico ni metafísico, la determina fatalmente. Admite que la personalidad concluye en la linde de la conciencia iluminada por la reflexión.»

Sin embargo, el hecho mismo de que Valera haga esto *desde fuera de la novela*, aunque sea por boca de Faustino, y en el nivel explícito de ésta, demuestra que lo que dice Azaña no es así. Y en general, como vemos, la estructura misma de la novela lo confirma.

Al eludir el segundo término de la acción, el mundo, don Juan lo que hace es culpabilizar al héroe, hacerle a él el único responsable de su fracaso. Con

---

(10) *La novela de Pepita Jiménez*, en «Ensayos sobre Valera», op. cit., pp. 213-4.

lo cual, salva la posible responsabilidad que su mundo tuviera para con él. Pero incurriendo un poco en pecado de determinismo.

El fracaso de Faustino es obra de sus determinaciones, de su caracterización, de sus condiciones para la vida y obra de una mala pedagogía. No del mundo con el cual se enfrenta. Aquí no hay mundo, y por tanto no hay confrontación. Faustino es, pues, el único culpable. La sociedad, como no está, salva su responsabilidad.

A esto se llega conociendo la teoría de los grados de don Braulio. Sólo que ésta le traiciona: pues queriendo ser también una inculpación del individuo, paradójicamente implica, como hemos visto, una condenación de la sociedad.

Eso no podía hacerlo Valera, de nuevo, «sin hundirse para siempre». Por eso, a lo sumo, ve en Faustino un problema pedagógico. La única responsabilidad social que puede apreciarse es ésa, que es posible entrever en la *Introducción* a esta novela. Pero que se ve de manera mucho más explícita en aquel citado párrafo de *Mariquita y Antonio*, novela que constituye el germen de todas las demás.

El planteamiento de Valera es, pues, ambiguo. Falta el segundo término de la relación, y con ello la relación misma desaparece. Incurre, en cierto modo, en el mismo subjetivismo que los naturalistas.

También puede verse esto que venimos diciendo en el personaje del bandido de esta novela, Joselito el Seco. Para Valera también él es culpable de su propio destino. Sin embargo, su propia historia no es más que el producto de una estructura social en que el amor auténtico no tiene lugar, y sólo se concibe como interés. Es, pues, víctima social.

A la luz del estudio sobre *El bandolerismo andaluz*, sobre sus condiciones sociales, y sus implicaciones tanto económicas como psicológicas, más parecen sofismas los razonamientos de Valera que los de Joselito el Seco (11).

El bandolerismo de Joselito el Seco es producto de un desequilibrio psicológico nacido de un amor desgraciado por obra de los intereses económicos de familia.

A esto objeta Valera (12):

> «¿Había, sin embargo, razones para absolver a Joselito? Los principios de la moral, la ley de la conciencia, la intuición viva de lo justo y de lo bueno no resultan de largos y prolijos estudios: lo mismo están grabados en el hombre de ciencia que en la del campesino más rudo. El que borra, tuerce o desfigura esos principios, esas leyes, esas nociones, es siempre responsable, es culpado. El error de su entendimiento implica una falta de voluntad, que se empeña en satisfacer las cosas para acallar la voz de la conciencia. No se puede negar que en ciertos pueblos, entre gentes selváticas o bárbaras, esa degradación, ese oscurecimiento de la moral es obra de la sociedad entera; el individuo puede, por tanto, no ser responsable de todo; pero en el seno de la sociedad europea no es dable suponer ignorancia o perversión invencibles. Por más que se ahonde, por más que se descienda hasta las últimas capas sociales, no se hallará el abismo oscuro donde vive un ser humano sin que la luz penetre en su alma y grabe allí las reglas de lo bueno y lo justo.»

(11) Constancio Bernaldo DE QUIRÓS y Luis ARDILA: *El bandolerismo andaluz*, Madrid, Turner, 1973, por ejemplo, pp. 89-144 y 85-6 y 228.
(12) O. C., T. I, p. 309.

Con lo cual falta Valera a la objetividad, si no a la real, sí al menos a la novelesca: pues es obra el bandidaje de Joselito de la ofuscación y de la desesperación. Así lo ha presentado. No vemos, pues, a qué viene esta perorata.

En realidad, viene a cumplir una función que queda señalada después: en una vida desesperada hay siempre, para don Juan, gérmenes revolucionarios. Así lo dice en este largo excursus de su novela (13):

«Tanto cuanto se ha dicho en libros y periódicos sobre lo mal organizada que está la sociedad, sobre el modo que tienen muchos de adquirir la riqueza explotando a sus semejantes, sobre el mal uso que de esta misma riqueza se hace después, tiranizando y humillando a los pobres, todo se lo sabía y explicaba Joselito; todo lo ha sabido y explicado, con menos método y orden, pero con más viveza y primor de estilo, cuanto ladrón ha habido en Andalucía, desde hace años. El Tempranillo, el Cojo de Encinas Reales, el Chato de Benamejí, los Niños de Ecija y tantos otros sabían poco menos en esta censura de la economía local de Proudhon, Fourier o Cabet pueden haber sabido. Joselito el Seco no se quedaba a la zaga.

Tales declaraciones contra la sociedad parecían en aquellos tiempos, y aun años después, tan sin malicia, que las novelas de Eugenio Sué: *El judío errante, Martín el expósito* y *Los misterios de París*, llenas del espíritu del socialismo, se publicaron en periódicos moderados, como el "Heraldo".

Dejando aparte la cuestión de si es justa o no justa, y de hasta qué punto lo es la censura, no se ha de negar que, aun suponiendo parte de la propiedad fundada en el robo, ora por violencia, ora por astucia, no es modo de remediarlo robando también por medio de la astucia o por medio de la violencia, ya con la fuerza colectiva y grande de un estado revolucionario, ya con la fuerza menos potente de una cuadrilla de bandoleros. Joselito el Seco, no obstante, entendía o quería dar a entender que sí, apoyado en su antiguo refrán, cuya importancia es inmensa. El refrán dice: *Quien roba al ladrón tiene cien años de perdón;* y en este refrán se apoyaba para afirmar, no ya que no cometía ningún delito, sino que ejercía todas las obras de misericordia, cifradas y compendiadas en una. En efecto: Joselito no robaba jamás sino a los ricos, a quienes despojaba sólo de lo que le parecía superfluo, dejándoles lo necesario. Hacía muchas limosnas, socorría no pocas necesidades y enviaba dinero a varios puntos para misas y funciones de iglesia, porque era muy buen cristiano. Sostenía Joselito que casi todo lo que había robado a ladrones, y los de su cuadrilla jamás se echaban sobre la presa sin exclamar: "Ríndete, ladrón, y suelta la bolsa". La excesiva abundancia de dinero induce además a los hombres a que se entreguen a la ociosidad, madre de todos los vicios; a que se traten con sibarítico regalo, y a que ofendan a Dios, en suma, por no pocos caminos. Por donde Joselito afirmaba que, despojando a muchos de lo superfluo, había contribuido poderosamente a la mejora de sus costumbres y les había abierto y allanado el sendero de la virtud.»

Independientemente de lo que esto tenga de verdad, lo cierto es que como verdad novelesca lo único que no se le podía hacer a Joselito el Seco era recriminarle.

(13) O. C., T. I, p. 310.

Sin embargo, Valera lo hace. En un párrafo que muy poco tiene que ver con la novela, y a modo de discurso didáctico-moralizante —a pesar de las veces que don Juan clamaba contra él—, Valera trata de decirnos una cosa de modo muy claro: la sociedad no es culpable de nada; sólo los individuos son responsables de su éxito o su fracaso. En este caso, en Joselito el Seco veía don Juan un verdadero socialista, y un terrorista.

Toda la novela del doctor Faustino es una culpabilización del héroe. Para ello, necesitaba no presentar la realidad objetiva de la sociedad. Le bastaba con la realidad objetiva del héroe, debidamente determinado.

Valera escabulle los factores atentatorios a la «sana moral». Es decir: Faustino fracasó porque era su destino, no porque la sociedad sea perversa.

No era esto lo que verdaderamente pensaba Valera: en la teoría de los grados lo hemos visto.

No creemos, por tanto, lo que dice Montesinos, tomando a su vez la idea de Azaña, respecto de que Valera no sabía pintar otra cosa que paisajes y ambientes andaluces. Dice así (14):

> «Se ha notado que Valera, tan conocedor del mundo, obligado a largos viajes, como diplomático que era, versado en todas las historias, cuentos y chismes del mundillo madrileño, no supiera localizar sus novelas sino en Andalucía, ni supiera operar, como autor de ficciones, más que con los recuerdos de su primera mocedad.»

Ambos se quedan a medio camino: pues Valera no quería escandalizar, como lo hizo el padre Coloma, y por mucho recurso al humor que hubiera hecho, siempre hubiera aparecido quizá más culpable la sociedad que Faustino, con lo cual iba contra lo que él mismo quería demostrar.

Pero lo que nos importa es que el planteamiento del asunto está mediatizado por este interés del autor. Por tanto, en buena medida está falseando.

No puede decirse que Las ilusiones del doctor Faustino sean una novela realista. El realismo es la novela de la relación héroe-mundo. Si falta el segundo término falta ya toda la relación. El héroe, a pesar de sus determinaciones iniciales, no actúa, y, por tanto, permanece como algo abstracto.

De todos modos, no puede decirse que el segundo término falte del todo. A veces Valera deja entrever algo, sobre todo al final de la novela. Y también las determinaciones mismas del héroe —su clase social, y sus tres vicios— implican un reconocimiento de la existencia del mundo, pero éste no aparece como personaje, como sujeto novelesco. Con lo cual, la relación sigue desapareciendo, permanece escamoteada, y, por tanto, el planteamiento sigue siendo subjetivo.

En buena medida, el fracaso estético de esta novela se debe a esto.

En Juanita la larga, donde trata don Juan un asunto parecido, opera de otra manera. El planteamiento es aquí totalmente realista. Juanita se ve rechazada por la alta sociedad de su pueblo. Pero con «astucia y candidez» consigue triunfar. Claro que el planteamiento es distinto: en primer lugar, la sociedad que pinta Valera es lugareña, y no la de Madrid. Era, pues, menos peligroso. En segundo lugar, los vicios sociales están pintados con humor, lo cual supone siempre una secreta reconciliación con este mundo. Aquí sí

---

(14) Valera o la ficción libre, op. cit., p. 98. Véase Manuel AZAÑA: «Prólogo» a Pepita Jiménez, Madrid, Clásicos Castellanos, 1971, p. lvii. Dice así: «La sociedad de Madrid no le inspiraba; debía parecerle fea, como primera materia artística.»

interviene en profundidad el concepto de mimesis de don Juan. *Juanita la larga* es una novela de humor.

Por otra parte, el caso, en buena medida, es diferente. Aquí ya no trata Valera de hacer la descripción del destino trágico de una clase social, sino que es la fábula feliz de una lugareña pobre y buena, aunque sí lo bastante astuta como para saber triunfar. No hay, pues, necesidad de culpabilizar a nadie.

El humor es el secreto resorte de este triunfo. El planteamiento es, de nuevo, realista: nada impedía a don Juan describir las cosas tales cuales son.

De ahí las diferencias, tan profundas, de *Juanita la larga* con *Las ilusiones del doctor Faustino*, que siempre se mantiene en un plano de abstracción y ambigüedad.

La ambigüedad de esta novela ya la ha señalado, de forma coherente, Juan Oleza cuando dice (15):

> «En cuanto a Faustino, el conflicto entre sus aspiraciones y su voluntad débil, entre su ambición y su fracaso, empieza por ser minimizado: se nos convierte en mito faústico en el caso del pobre despistado Faustino. Por úlimo, Valera hace un poco lo que en *Pepita Jiménez*, encuentra unas cuantas cabezas de turco y distribuye las culpas superficializando un conflicto que podría haber reflejado el auténtico drama de Valera. Faustino y su educación cargan con las culpas: si Faustino hubiera sido de otro modo..., si su madre no le hubiera educado como lo educó... ¡Quién sabe, tal vez las cosas hubieran sido de otro modo! Con lo que Valera incurre contra la ley fundamental de la novela realista, aquélla según la cual lo anecdótico (la historia, el argumento), que es por nauraleza casual (en cuanto se refiere a las circunstancias vitales de un hombre entre millones), debe convertirse en necesario, de modo que lo que ocurre al protagonista sea significativo (no pura anécdota) necesario y representativo de la situación de otros muchos hombres en la sociedad. Valera, en el *Doctor Faustino*, es incapaz de elevarse desde lo particular a lo general, de convertir el caso de Faustino en el conflicto de un individuo que, perteneciendo a las capas bajas de la aristocracia, se ve inmerso en el proceso de cambio histórico por el que la burguesía asciende al poder, y se ve inmerso como víctima propiciatoria, papel contra el que lucha, intentando incorporarse y adaptarse a la nueva sociedad, pero sin ser capaz de desprenderse del lastre del mundo viejo y condenándose, por sus contradicciones internas, al fracaso. Valera dispuso de la situación personal más conflictiva e interesante de todo nuestro realismo: en el *Doctor Faustino* escamoteó su propio conflicto y, una vez más, jugó a la ambigüedad de sugerirlo al mismo tiempo que lo ocultaba.»

El juicio es muy acertado, en la medida en que pone de relieve el escamoteo de la relación conflictiva entre el héroe y su mundo. Si bien no señala de modo claro que eso se debe, precisamente, a que Valera, siempre temeroso, ha decidido ocultar el mundo, el segundo término de la relación, con lo cual éste desaparece.

En cierto modo, aunque no con el mismo enfoque y los mismos términos, coincide Montesinos con Juan Oleza cuando dice (16):

(15) Juan Oleza: *Valera o la ambigüedad*, en «La novela del XIX. Del parto a la crisis de una ideología», Valencia, Bello, 1976, p. 64.
(16) Montesinos: *Valera o la ficción libre*, op. cit., p. 141.

«El carácter del doctor Faustino aparece mal estudiado, porque Valera lo ha estudiado con un prejuicio que los hechos de su vida no confirman. Lo *histórico* predomina sobre lo *psicológico* sin explicarlo, y en último término fueron cosas anecdóticas, contingentes, que pudieron ser o no ser, las que de sus destinos decidieron.»

En definitiva: es el planteamiento subjetivo, falseador de la esencia misma de lo novelesco, lo que hace que en gran medida esta novela sea un fracaso. Ya hemos visto que fueron los sempiternos temores de Valera a «hundirse para siempre» los que, en último término, dieron lugar a estos planteamientos.

Al tratar de este tema de la relación individuo-sociedad, Valera incurre siempre en algún tipo de escamoteo de la realidad.

La historia de Braulio en *Pasarse de listo* también tiene este escamoteo, que nota Montesinos cuando dice que es la novela de dos errores amorosos (17).

Pero tiene la ventaja de que expone la teoría de los grados de Valera, que compensa todas estas deficiencias. La novela es un fracaso: pero para el crítico tiene la ventaja de revelar el verdadero pensamiento de don Juan, aunque indirectamente, en un lapsus.

Efectivamente: son dos errores amorosos. Pero lo que induce a Braulio al suicidio no es tanto su amor, tomando éste en su mera sustantividad. Es que su amor, en definitiva, está mediado por un triunfo social para él imposible. De ahí el fracaso absoluto.

Por su parte, *Morsamor*, que trata, en esencia, del mismo tema, con idéntico fracaso del héroe aunque no con siucidio, es un planteamiento ya totalmente abstracto como ha demostrado Juan Ignacio Ferreras (18). Es una obra que ya más que novela, es más bien cuento, o drama en prosa. Nada tiene que ver ya con el género novelesco.

Los dos grupos de problemas que hemos estudiado, reunidos en los casos de *Pepita Jiménez* y de *Las ilusiones del doctor Faustino* son los más importantes de la obra novelesca de Valera. El caso de *El comendador Mendoza* se sale de esta problemática. En cierto modo es un caso señero, aislado, que se sale fuera de estos dos grandes planteamientos de Valera. Hemos decidido, por eso, no integrarlo en este análisis que hemos realizado de su obra novelesca.

Otro caso, el de *Genio y figura* se sale también de los dos grandes problemas que hemos señalado, aunque ello es para situarse en una posición intermedia entre ambos. Se plantea aquí el problema del amor y también el de las «ilusiones», mediándose uno y otro, para dar como resultado otro caso de desesperación final. Con el agravante, además, de un fracaso estético. Los términos del planteamiento son igualmente ambiguos, y sería ocioso repetirlos.

Estamos ya pues, en condiciones de sacar una conclusión.

(17) Op. cit., pp. 143-4.
(18) Juan Ignacio Ferreras: «*Morsamor*», *testamento literario de la Generación del 68*, en «Introducción a una sociología de la novela española del siglo XIX», Madrid, Taurus, 1973, páginas 225-39.

CONCLUSION

Hemos visto, pues, que Valera en sus novelas trata preferentemente dos temas que, aunque guardan alguna relación desde la perspectiva del autor mismo, se diferencian lo bastante como para presentar literariamente dos planteamientos distintos.

En cuanto al primero de ellos, el del amor, como fenómeno humano que puede chocar con la norma ética, lo trata don Juan con precauciones, pero con un planteamiento realista. Hemos dicho antes que Valera siempre fue enemigo del amor platónico. Su vida es una palpable prueba de esto. En su obra también lo manifiesta, en artículos y novelas. El amor platónico, en cierto modo, aparece sustantivado: pero entre líneas se lee que es producto de este choque. Se ve perfectamente en *Pepita Jiménez*.

En cuanto al segundo, que es más peligroso, pues exige poner de relieve, a nivel explícito, en el mundo imaginario, una oscura serie de interconexiones poco evidentes en la realidad, Valera se decide por escamotear el término en el cual aparecen estas interconexiones, con lo cual anula el planteamiento realista —que, a pesar de todo, no llega a desaparecer totalmente— en favor de otro mucho más ambiguo: es el caso del conjunto de novelas que hemos agrupado bajo *Las ilusiones del doctor Faustino*. Se salva de este planteamiento ambiguo, aunque ya hemos visto con qué recurso —con el del humor— su novela *Juanita la larga*. El problema esencial de toda novela realista decimonónica, el del enfrentamiento del individuo a su mundo social, aparece escamoteado. Con lo cual este tipo de novela, en su planteamiento, se acerca más a un concepto de cuento, o de drama. Faustino ha pecado de «hybris», y esta idea de culpa es la dominante en la novela: Faustino aparece, así, justamente castigado.

Estos son los asuntos y sus planteamientos.

Ahora bien: vemos cómo don Juan en ningún caso ha puesto en práctica su teoría del arte por el arte. Ni siquiera el *Faustino* lo es, ni siquiera *Morsamor*.

Lo cual nos vuelve a traer a la memoria aquello que dijimos respecto a la función ideológica de la teoría estética.

Sin embargo, su teoría de la autonomía del arte y de su concepto de mimesis ejercen un papel en su práctica de la novela.

Se puede apreciar más en el planteamiento de la problemática relación de individuo y sociedad: la mimesis lo es sólo del héroe, del sujeto. En *Pepita Jiménez*, su concepto de la imitación de su teoría estética aparece más atenuado: sólo impone unos límites, más amplios en este caso, a la extensión del mundo que debe ser plasmado. Lo cual le permite decir lo que quería sin tener que verse en la enojosa obligación de llegar hasta el final, y con ello defraudar a sus contemporáneos.

En cuanto a su teoría del arte por el arte, acaso sólo en sus poesías, y en alguno de sus cuentos lo pone en práctica. Sus novelas no son inocentes narraciones, ni tontos parloteos... Van cargadas de intención ideológica, aunque casi nunca planteadas en los términos maniqueos de la novela de tesis. Incluso en *Las ilusiones del doctor Faustino*, la novela más próxima a esta forma por el subjetivismo implícito en las determinaciones del sujeto, que actúan deterministamente sobre él, no llega a caer en este subgénero novelesco.. Aunque sí se aprecia algo de esto último en las parrafadas a propósito de la organización social que introduce a la aparición del personaje de Joselito el Seco. Pero esto es más bien anómalo en Valera.

Don Juan no hace arte por el arte, al menos como suele entenderse. Valera dice en sus novelas que lo hace para quitar importancia a los problemas humanos que trata. Por el contrario, nuestro autor era capaz de meterse a tratar esos problemas, y eso es lo que hizo toda su vida. No quería escandalizar ni asustar a sus contemporáneos, y dice por eso que hace arte por el arte. Por lo demás, era una manera también de elevarse sobre el habitual modo de novelar en la España de entonces, por medio de simbolismos maniqueos.

Valera gana en altura artística y polémica. En su novela defiende valores de modernidad, aunque tratando de conservar al máximo lo existente. Se trata de hacer compatible un ideal nuevo para su clase social con la conservación de los valores que hacen estable la estructura social que le tocó vivir, máxime cuando constantemente se veía ésta amenazada por los golpes revolucionarios de unos y otros, producto de una virulenta conflictividad social.

El ideal del esteticismo constituye la concreción de estos valores nuevos. Este ideal humano es producto de la reflexión de Valera en torno a esos valores, y tiene como base la experiencia inmediata de su mundo social, bajo las circunstancias que ya hemos podido comprobar. Su idea del amor, y su ira contra todo idealismo extremoso —los temas de sus novelas—, son los derivados esenciales del esteticismo. Constituyen el objeto de la plasmación artística, en el nivel más hondo y explicativo de la novelística de don Juan.

En virtud de este esteticismo es como don Juan hace su propia caracterización. Esta la podemos leer en la «Introducción» a *Las ilusiones del doctor Faustino*. Valera, encarnado en don Juan Fresco, dice de sí mismo (1):

> «A pesar de la idolatría que profesaba don Juan a su tío, no me atrevo a afirmar que le imitase en punto a ser religioso y buen católico. Don Juan era positivista. Sólo daba crédito a lo que observaba por medio de los sentidos y a las verdades matemáticas. De todo lo demás no sabía, nada quería saber; hasta negaba la posibilidad de que nada se supiese, era no obstante, muy aficionado a las especulaciones y sistemas metafísicos, y le interesaban como la poesía. Los comparaba a novelas llenas de ingenio, donde el espíritu, la materia, el yo, el no-yo, Dios, el mundo, lo finito y lo infinito, son las personas que la fantasía audaz y fecunda del filósofo baraja, revuelve y pone en acción a su antojo. Don Juan, no obstante, distaba mucho de ser escandaloso ni impío. Aunque para él no había ciencia de lo espiritual y sobrenatural, esto no se oponía a que hubiese creencia. Por un esfuerzo de fe, entendía don Juan que podía el hombre ponerse en

---

(1) O. C., T. I, p. 201. Otra magnífica caracterización de sí mismo, y como héroe novelesco, la que hace en el personaje de *El Comendador Mendoza*.

posesión de lo que el discurso no alcanza y elevarse a la esfera sublime, donde por intuición milagrosa descubre el alma misterios enteramente velados para el raciocinio.»

Tras esta caracterización que Valera hace de sí mismo, sobran todas las demás. Más que paráfrasis más o menos alejada de estas palabras suyas, lo que hay que hacer es explicarlas.

En estas palabras que parecen expresar conceptos tan continuos, tan vinculantes, es en donde se da la raíz misma de la contradicción de Valera· el salto al irracionalismo, como ya vimos, se da sólo en las palabras. La ética y la estética que se desprenden de ellas, el misticismo y el arte por el arte, no se dan en la práctica. Son, pues, como ya hemos dicho tantas veces, pura ideología.

Aunque no se sustantivizan tanto estos conceptos como para que no llegue a verificarse una conexión: ya hemos visto que su concepto de la mimesis artística satisface la necesidad de Valera de no ser del todo realista, o de no llegar del todo al fondo de las cosas, sino más bien de insinuarlas o de aludirlas. Y de otro lado, el ideal humano del esteticismo, del cortesano, como actitud vital, hemos visto cómo, frente al ideal krausista, sirve de mediación entre el nivel de lo real vivido y de lo expresado, entre las vivencias concretas y la necesidad de oponerse ideológicamente a los movimientos revolucionarios que pretenden desestabilizar el orden social.

Ya hemos señalado los autores que notan esta contradicción, los más relevantes de ellos (2).

El profesor Tierno Galván, en su reciente estudio sobre don Juan Valera, también lo nota, siendo éste el autor quizá más próximo a la elucidación del problema: aunque no como contradictoriedad, sino como yuxtaposición. Dice así (3):

«Si hay algún escritor español del siglo pasado en el que se pueda ver con claridad la yuxtaposición entre pragmatismo e idealismo es el autor de *Las ilusiones del doctor Faustino*.»

Y explica esta yuxtaposición como derivado de la peculiar estructura social en la España del siglo XIX. Dice así (4):

«Lo que don Juan Valera atribuye, sin pensarlo mucho, a misteriosa autogénesis espiritual se aplica mejor por las condiciones de la sociedad española del tiempo, que le llevaron a pensar y vivir simultáneamente como idealista y pragmático. Por una parte, tanto él como sus personajes están sujetos a la herencia romántica que se aviene bien con sus pretensiones de excepcionalidad, superioridad y supremacía del yo, por otra parte, buscan el triunfo que les da el dominio y goce de los bienes materiales sin peligros ni excesos.

Esta fórmula de la duplicidad idealismo-pragmatismo caracteriza a muchos de los pensadores de nuestro siglo XIX, pero en ninguno está tan pura, equilibrada y precisa como en don Juan. En este aspecto

(2) Añádase a éstos los magníficos estudios de Juan OLEZA: *Valera o la ambigüedad*, en «La novela del XIX», op. cit., pp. 49-64; y Juan Antonio GÓMEZ MARÍN: *Valera y las contradicciones del moderantismo español*, en «Aproximaciones al realismo enpañol», op. cit., páginas 13-51.
(3) *Don Juan Valera, o el buen sentido*, en «Idealismo y pragmatismo en el siglo XIX español», op. cit., p. 101.
(4) Idem, p. 104.

es el supremo momento de equilibrio y, por consiguiente, un testimo-
nio excepcional. Es tanto más de notar la excepción en cuanto la
obra de Valera no se caracteriza por la pugna entre tradición y mo-
dernismo, como en Costa, por ejemplo, pues don Juan no salió nunca
de sus peculiares simpatías hacia lo clásico y consagrado, salvo en
casos muy concretos, como el de Rubén Darío. Esta fijación de Valera respecto de lo establecido, que equivale a un exagerado respeto
por el orden y la virtualidad burguesa en los personajes de sus novelas y cuentos cuando reflexionan sobre las inclinaciones y pasiones
propias o extrañas, se manifiesta especialmente en sus cuentos o novelas históricas.»

Para el profesor Tierno Galván es yuxtaposición; sin embargo, nuestra
opinión es que la naturaleza misma de los términos hace que esta yuxtaposición se convierta en contradictoriedad. Creemos que Tierno Galván
peca un poco de apriorismo en su estudio sobre Valera, sacrificando la
verdad de éste a una hipótesis más general —la que tiene lugar en la búsqueda de un punto de equilibrio entre las categorías de idealismo y pragmatismo— sobre el siglo XIX español.

Así, desde esta perspectiva del profesor Tierno Galván, el idealismo de
Valera, sobre todo expresado en su estética, se debe a la voluntad de Valera de esquivar todo compromiso (5):

«Precisamente este encastillamiento deliberado y cauteloso, provoca la pregunta de ¿por qué tenía don Juan que hacer concesiones
al empirismo, al positivismo o al pragmatismo, encerrándose en una
interpretación personalísima, de poco o ningún fundamento de Kant?

La respuesta, a mi juicio, es clara, Valera es lo contrario a cualquier compromiso que implique obligación, obediencia y responsabilidad permanentes. Tanto en el orden vital como en el ideológico
rehuyó siempre comprometerse. La aventura con la joven neurótica
americana que, al parecer, se suicidó por su causa, es buena prueba
tanto de desaprensión como de miedo al compromiso. En el orden
ideológico prefería profesar por libre su peculiar idealismo y alejarse
de doctrinas modernas que, de un modo u otro, suponían aceptar los
condicionamientos de las circunstancias y la responsabilidad directa
frente a ellas. Don Juan que era sumamente sagaz y tenía olfato especial para el peligro, lo hacía todo a su modo. Fue filósofo a su modo
novelista a su modo, crítico a su modo y también moral a su modo.»

Y hasta aquí Tierno Galván: desde luego esta explicación aunque lúci-
da en algunos puntos, es, sin embargo, insatisfactoria. Cierto que Valera
siempre rehuyó el compromiso. Siempre que pudo. Pero esto no explica
su idealismo estético.

Pues nosotros hemos podido comprobar cómo nace, precisamente, de
un compromiso: sus ataques al positivismo nacen del compromiso con su
clase social. No se puede olvidar y es preciso tener en cuenta que el positivismo era la ideología del socialismo revolucionario en la España del XIX,
y también había que haber analizado un poco la polémica entre Valera y
Zola, y los conceptos dominantes de su estética, y la inserción de la conflictividad social en esos conceptos a través de los textos mismos de Valera. Pues es así como se ve que lo comprometido de Valera es precisamente su idealismo.

(5) Idem, p. 113. Pueden leerse también las páginas siguientes, 115-6.

En cambio, lo no comprometido de don Juan es su esteticismo, el cual nunca supo expresarlo claramente, precisamente para no comprometerse contra los suyos, contra su mundo. Por evitar, en definitiva, el compromiso personal consigo mismo.

En Valera las contradicciones en el nivel intrínseco de su obra sólo se dan cuando Valera dice la verdad respecto a sí mismo: su estética es una defensa del misticismo; sus novelas, sus cartas, un ataque a todo misticismo y todo ascetismo. En la medida en que sus novelas expresan lo que verdaderamente quería decir don Juan, y eran don Juan, se contradicen con su estética. Valera y sus novelas se oponen a sus ideas estéticas, en los asuntos planteados e incluso en el planteamiento de los asuntos.

En el nivel extrínseco, la contradicción se da entre su manera de vivir y lo que expresaba en sus ideas filosóficas.

La contradicción de Valera, que la conocemos porque la hemos visto en su vida y en su obra, es una contradicción entre las vivencias y la filosofía. Lo cual nos ha dado pie a entender este último como ideología. Su filosofía es romántica, pero Valera no es romántico. Don Juan no podía ser positivista porque su grupo social le pedía que no lo fuera. Y él lo aceptó. Aunque, como contrapartida, él le pidiera a cambio que fuera más elegante, más culto y tal vez así hasta menos hipócrita. Pero nunca se atrevió a extremar esta posición, abandonando un poco, pues, el compromiso consigo mismo. Don Juan cedió en sus peticiones cuando éstas, por las circunstancias históricas, hacían peligrosa la posición de todo su mundo.

Así hemos podido comprobarlo por ejemplo en las obras en las cuales expone don Juan su idea del amor. Agrupadas estas novelas en el estudio de *Pepita Jiménez*, pues las demás, y como ya señaló Montesinos (*Doña Luz, Asclepigenia...*), no son más que variantes en cuanto a las soluciones y en cuanto al desarrollo de un mismo tema, el del amor, hemos visto cómo ofrece Valera un ideal humano que, si bien no difiere en gran medida en la escala de valores admitida por su mundo, introduce, sin embargo, un elemento de novedad indiscutible, cual es el del culto a la belleza, como exponente máximo de una realidad amorosa bien entendida. El culto a la belleza es posible porque el amor es algo total, que no admite recortes ni escisiones; porque el amor entendido de esta manera es el origen de toda alegría y toda belleza, de toda posibilidad de creación fecunda y jubilosa.

Esto es lo mejor que en este grupo de novelas nos ha dado don Juan Valera: no es un concepto del hombre globalmente distinto, pero sí una idea del amor más acorde con los tiempos y con la realidad humana misma, idea que sirve de fundamento, ahora sí, para un ser progresivamente más culto, más hermoso y más perfecto. Por las soluciones graciosas, alegres, joviales, de *Pepita Jiménez y Asclepigenia*, y por la solución trágica de *Doña Luz* hemos podido recogerlo.

Y en el fondo aquí se halla la imagen que da Valera de sí mismo, aunque con una prudencia llevada a tal extremo que le obliga a incurrir en las contradicciones que arriba han quedado expuestas.

El desvelarlas, y explicarlas, ha sido la labor que hemos realizado teniendo en cuenta para ello toda su extensa vida y obra, tratando de documental con el máximo rigor posible cada afirmación nuestra. No obstante, hemos procurado ser parcos, renunciando a una fácil exhibición de citas y datos eruditos, que hubieran hinchado y embrollado los hilos de este trabajo, con el fin de que los más fundamentales de éstos se vieran siempre con toda claridad. Es preciso seleccionar entre tantos materiales, para poder analizarlos, valorarlos y aquilatarlos según su significado. Nada hubiera sido más empalagoso y confuso que una prolija exhibición de textos y datos que, en muchos casos, son innecesarios. De ahí, por ejemplo, el reducir el análisis de las novelas de don Juan a aquellas dos que en síntesis llevan el peso de toda la problemática de nuestro autor. Pues más bien creemos que esta sobriedad en nada perjudica a la verdad y originalidad de nuestro estudio, de nuestra aportación en el campo de la historia de la literatura y de las ideas en la España del siglo XIX.

OBRAS Y EPISTOLARIOS DE DON JUAN VALERA

Obras Completas 3 vols., Madrid, Aguilar, 1968, 5.ª ed.

Obras desconocidas de Juan Valera, ed. por Cyrus DeCoster, Madrid, Castalia, 1965.

Artículos de "El Contemporáneo", ed. por Cyrus DeCoster, Madrid, Castalia, 1966.

Correspondencia, en «Obras Completas», Madrid, Aguilar, 1968, vol. III, pp. 11-209.

Correspondencia de don Juan Valera (1895-1905), ed. por Cyrus DeCoster, Valencia, Castalia, 1956.

Epistolario de Valera y Menéndez Pelayo (1877-1905), ed. por M. Artigas y P. Sáinz Rodríguez, Madrid, Espasa-Calpe, 1946.

Juan Valera. Estébanez Calderón (1850-1858), ed. por Carlos Sáenz de Tejada Benvenuti, Madrid, Moneda y Crédito, 1971.

Cartas íntimas (1853-1897), ed. por Carlos Sáenz de Tejada Benvenuti, Madrid, Taurus, 1974.

BOISVERT, Georges: *Lettres inédites de Juan Valera à Latino Coelho,* en «Bulletin des Etudes Portugaises» publié par l'Institut Française au Portugal, XXVIII-XXIX (1967-1968), pp. 213-86.

— *Cartas inéditas de Juan Valera a su mujer,* en «Revista de Occidente», 2.ª época, VI (octubre 1968), pp. 1-18.

CARDONA, María de: *Don Juan Valera. Cartas inéditas y anecdotario,* en «Tajo», 30 de agosto, 1941.

CHIARENO, Osvaldo: *Lettere di Juan Valera a Angelo de Gubernatis,* Génova, 1962.

CONDESA DE YEBES: *Tres cartas inéditas,* en «Boletín de la Real Academia de la Historia», CXLVIII, 1961, pp. 249-54.

DOMÍNGUEZ BORDONA, E.: *Centenario del autor de Pepita Jiménez,* en «Revista de la Biblioteca, Archivo y Museo», II (1925), pp. 83-109; 237-52; III (1926), pp. 430-62.

DUCHET, M.: *Cinq lettres inédites de Juan Valera à William Dean Howells,* en «Revue de Litterature Comparée», XLII (1968), pp. 76-102.

ESQUER TORRES, R.: *Para un epistolario Valera-Tamayo y Baus,* en «Boletín de la Real Academia Española», XXXIX (1959), pp. 89-163.

JUDERÍAS, Julián: *Don Juan Valera y don Gumersindo Laverde, fragmentos de una correspondencia inédita,* en «La Lectura», XVII, núm. 3 (1917), pp. 15-27, 165-78.

LEMARTINEL, Jean: *Lettres inédites de Juan Valera à Morel-Fatio,* en «Bulletin Hispanique», LXXIV (1972), pp. 453-65.

LÓPEZ ESTRADA, Francisco: *Epistolario de don Juan Valera a don Servando Arbolí,* en «Studia Philologica» (homenaje a Dámaso Alonso), II, pp. 387-400.

PENEDO, Fr. Manuel: *Epistolario inédito de don Juan Valera a don José María Carpio,* en «Estudios», III, 1974, pp. 415-29.

BIBLIOGRAFIA

Hemos intentado recoger el repertorio bibliográfico más extenso posible. Así, utilizamos como base los de: Manuel Bermejo Marcos y Cyrus DeCoster, actualizándolos en lo posible con los últimos títulos que han salido, y los no recogidos en éstos.

Abbot, Alice Katherine: *A Study of the Women Characters in the Novels of Juan Valera*, Illinois, 1927.

Aguado, Emiliano: Prólogo a *Don Juan Valera* (Antología), Barcelona, Fe, 1940, pp. 7-45.

Alcalá Galiano, A.: Prólogo a *Ensayos poéticos*, de Juan Valera, Granada, Benavides, 1844.

Aldama, Leonardo de: *Valera, la heterodoxia y la Hispanidad*, en «Revista de la Universidad de Buenos Aires», núm. 12, 1953.

Alfonso, Luis: *Las ilusiones del doctor Faustino, por don Juan Valera*, en «La Ilustración Española y Americana», XIX, núm. 2, 1875, pp. 58-61.

Alonso Calvo, *Miguel* (Ramón de Garciasol): *El escritor don Juan Valera*, en «Cuadernos Hispanamericanos», I, núm. 3, 1948, pp. 541-54.

Altamira, R.: *Genio y figura*, en «Revista Crítica de Historia y Literatura», mayo y junio de 1897.

Anónimo: *Litterature espagnole. Critique. Un diplomate romancier: Juan Valera*, en «Revue Britannique» IV, núm. 4, 1882, pp. 373-88.

Anzoátegui, Ignacio B.: *Don Juan Valera, novelista andaluz*, en «Cuadernos Hispanoamericanos», XXXI, núm. 88, 1957, pp. 94-102.

Araujo Costa, Luis: *Juan Valera*, estudio preliminar a *Obras Completas*, Madrid, Aguilar, 1967, vol. I, pp. 9-29.

— *Giovanni Valera critico*, en «Rivista Colombo», Roma, II, 1927.

— *El cincuentenario de don Juan Valera*, en «ABC», 17 de abril de 1955.

— *Valerismo*, en «ABC», 28 de octubre de 1954.

Ares Montes, José: *Juan Valera y Os Lusiadas*, en «Revista de Filología Española», LVI, 1973, pp. 53-65.

Arias Abad, Francisco: *Las mujeres de don Juan Valera*, Andújar, 1935.

Arrarás, Joaquín: *Valera y el Quijote*, en «ABC», Sevilla, 24 de mayo de 1947.

Arriaga, Joaquín de: *España y el clasicismo de don Juan Valera*, en «Arriba», Madrid, 9 de enero de 1944.

Artigas, M. y Sáinz-Rodríguez, Pedro: *Epistolario de Valera y Menéndez Pelayo*, Madrid, Espasa-Calpe, 1946.

Avalle-Arce, J.B.: Prólogo a *Morsamor*, Barcelona, Labor, 1970, pp. 9-40.

Azaña, Manuel: *Valera en Rusia*, en «Nosotros», LII, 1962, pp. 5-40.

— *La novela de Pepita Jiménez*, Madrid, «Cuadernos Literarios», 1927.

— *Valera*, prólogo a *Pepita Jiménez*, Madrid, «Clásicos Castellanos», 1971.

— *Valera en Italia. Amores, política y literatura*, Madrid, Páez, 1929.

---

(1) M. B. Marcos: *Don Juan Valera, crítico literario*, op. cit., pp. 229-46. Cyrus DeCoster: «Introducción» a *Las ilusiones del doctor Faustino*, Madrid, Castalia, 1970, pp. 35-41; «Introducción» a *Genio y figura*, Madrid, Cátedra, 1975, pp. 49-55. Algunos de ellos, como para Bermejo Marcos, nos ha sido imposible verificar su existencia. Los señalaremos con un asterisco. Especialmente, véase Cyrus DeCoster: *Bibliografía crítica de Juan Valera*, Madrid, C.S.I.C. 1970.

— *Ensayos sobre Valera*, ed. Juan Marichal, Madrid, Alianza, 1971 (contiene los cuatro ensayos citados arriba)
— *Asclepigenia y la experiencia amatoria de don Juan Valera*, en «Plumas y palabras», Grijalbo, 1976, pp. 85-101.
— *Obras completas*, vol. I, México, Oasis, 1966, pp. 919-1070 (contiene todos estos ensayos).
AZORÍN (José Martínez Ruiz): *Sobre Valera*, en «Blanco y negro», 2 de noviembre de 1907.
— *La estatua de Valera*, en «ABC», 2 de noviembre de 1907.
— *Don Juan Valera*, en «Los valores literarios», Madrid, 1913, pp. 171-6.
— *El paisaje de España visto por los españoles*, Madrid, 1917.
— *Don Juan Valera*, en «ABC», 22 de noviembre de 1946.
— *La sensibilidad en Valera*, en «ABC», 18 de febrero de 1947.
— *Valeriana*, en «ABC», 10 de enero de 1947.
— *Valera en Granada*, en «ABC», 12 de febrero 1947.
— *Valera y sus amigos*, en v*ABC*D, 19 de marzo de 1947.
— Prólogo a *Canciones de suburbio*, de Pío Baroja, Madrid, 1944.
— *Valera*, en *De Valera a Miró*, Madrid, 1959, pp. 19-51.

BAIG BAÑOS, A.: *Cinco andaluces en Madrid*, en «Revista de la Biblioteca, Archivo y Museo Municipal», V, Madrid, 1928.
BALSEIRO, J. A.: *Novelistas españoles modernos*, New York, 1946.
BAQUERO GOYANES, M.: *Juan Valera y la generación de 1868*, en «Arbor», XXXIV, 1956.
BARBERÁN, Cecilio: *Los amigos de don Juan Valera*, en «ABC», 9 de diciembre de 1933.
BARJA, César: *Libros y autores modernos. Siglos XVIII y XIX*, Madrid, Rivadeneyra, 1925, pp. 401-27.
BAROJA, Pío: *Desde la última vuelta del camino*, Madrid, 1945.
— *Las horas solitarias*, en *Obras completas*, vol. V, Madrid, Biblioteca Nueva, 1948.
— *Juventud, egolatria*, Madrid, 1917.
BELADÍEZ, Emilio: *Dos españoles en Rusia: El marqués de Almodóvar, 1761-1763, y don Juan Valera, 1856-1857*, Madrid, Prensa Española, 1969.
BELL, Aubrey F.G.: *Valera and the classical novel*, en «Contemporary Spanish Literature», New York, 1925, pp. 44-8.
BELLO, Luis: *La casa de Pepita Jiménez*, en «La esfera», Cabra, 6 de diciembre 1924.
BENDER, J.: *La correspondencia de don Juan Valera*, en «La lectura», XII, Madrid, 1913.
BENÍTEZ, R. A.: *Don Juan Valera*, en «Revista de educación», La Plata, 1955.
BENÍTEZ CLAROS, R.: *Valera y el español*, en «Anales del Instituto de Lingüística», Mendoza, V, 1952.   ,
BERMEJO MARCOS, Manuel: *Don Juan Valera, crítico literario*, Madrid, Gredos, 1968.
BERTRAND, Jean-Jacques Achille: *Goethe en España*, en «Mélanges d'histoire littéraire générale et comparée offerts a Fernand Baldensperger», vol. I, París, Champion, 1930, pp. 39-53.
BLANCO GARCÍA, F.: *La literatura española en el siglo XIX*, vol. II, Madrid, Sáenz de Jubera, 1891, pp. 147-8; 477-92; 598-600.
BLENNER HASSET, L.: *Der moderne spanische Roman: Fernán Caballero, Valera, Coloma*, en «Deutsche Rundschau», 1895.
BLUMENTRITT, Ferdinand: *Einiges über Juan Valera*, Leitmeritz, Verlag der K.K. Staats-Ober-Realschule, 1894.
BONILLA Y SAN MARTÍN, A.: *Este es un decir antiguo que compuso Aphante Ucalego y se intitula "J. V."*, Barcelona, 1905.
BOTREL, Jean François: *Sur la conditión de l'écrivain en Espagne dans la seconde moitié du XIX siecle*, en «Bulletin Hispanique», LXXVII, 1970, pp. 292-310.
BOUSSAGNOL, Gabriel: *Angel de Saavedra, Duc de Rivas. Sa vie, son oeuvre poétique*, Toulouse, 1926.

Bravo-Villasante, Carmen: *Idealismo y ejemplaridad en Valera*, en «Revista de Literatura», 1952, pp. 339-62.
— *Don Juan Valera en el Alamillo*, en «Semana», 22 de abril 1958.
— *Biografía de don Juan Valera*, Barcelona, Aedos, 1959.
Brenan, Gerald: *The Literature of the Spanish People*, Cambridge University Press, 1951.
Brunetière, F.: *La casuistique dans le roman*, en «Revue des Deux Mondes», París, 15 de noviembre, 1881.
Busuioceanu, A.: *Una historia romántica: Don Juan Valera y Lucía Palladi*, en «Revue des Etudes Roumaines», 1953.
— *El grande y no secreto amor de don Juan Valera: Lucía la muerta*, en «Correo literario», marzo, 1953.

Caballero Pozo, Luis: *Valera y el embrujo andaluz*, en «Revista de la Universidad pp. 131-52.
Cacho Viu, Vicente: *La Institución Libre de Enseñanza*, vol. I, «Orígenes y etapa universitaria» (1860-1881), Madrid, Rialp, 1962, pp. 511-5.
Camacho Padilla, J.: *Valera en el centenario de Goethe*, en «Boletín de la Academia de Ciencias, Bellas Letras y Nobles Artes de Córdoba», 1932.
Candela Ortells, V.: *El centenario del nacimiento de don Juan Valera*, en «El mercantil valenciano», 18 de octubre, 1924.
Cano, José Luis: *Un amor de don Juan Valera*, en «Quaderni Ibero-Americani», Torino, diciembre 1954, pp. 487-9.
— *Valera siempre actual*, en «Insula», octubre 1959.
— *Don Juan Valera en el Brasil*, en «Cuadernos Americanos», XXII, México, 1963, pp. 279-84.
— *El escritor y su aventura*, Barcelona, Plaza y Janés, 1966, pp. 15-49.
Cánovas del Castillo, A.: *Prólogo a las novelas de don Juan Valera*, en Colección de escritores castellanos, Madrid, 1888.
— Prólogo a *Las ilusiones del doctor Faustino*, Madrid, 1901.
Cansinos Assens, Rafael: Introducción a *Fausto*, en Obras literarias de J. W. Goethe, vol. II, Madrid, Aguilar, 1945 p. 471.
Cañamaque, F.: *Los oradores de 1869*, Madrid, 1879.
Cardona, María de: *El gran amor de juventud de don Juan Valera*, en «Tajo», 17 de mayo de 1941.
— *Don Juan Valera*, en «Tajo», 23 de agosto de 1941.
Carilla, Emilio: *Una novela de don Juan Valera*, en «Cuadernos Hispano-Americanos», Madrid, n.º 89, 1957, pp. 178-91.
Casa Valencia, Conde de: *Necrología del Excmo. Señor don Juan Valera*, Madrid, 1905.
— *Necrológica en honor de don Juan Valera*, Madrid, 1907.
Castro, Cristóbal de: *Valera, la distinción y la gratuidad*, en «La esfera», 1 octubre 1927.
— *Valera periodista*, en «ABC», 8 agosto 1952.
Cervaes e Rodríguez, F.: *A travez da Hespanha Literaria*, Porto, 1901.
Christianson, A. C.: *The Women Characters of Juan Valera*, Arizona University, Doctoral Dissertation, 1937.
Clarín (Leopoldo Alas): *El libre examen y la literatura presente, Un prólogo de Valera, El Comendador Mendoza, Tentativas dramáticas y Doña Luz*, en «Solos de Clarín», Madrid, Alianza, 1971, pp. 65-78, 240-50, 292-300, 301-5, 306-10, respectivamente.
— *Valera*, en «Nueva Campaña», Madrid, 1897.
— *Entre bobos anda el juego*, en ensayos y revistas, Madrid, 1892.
— «Revista literaria» (crítica a *Juanita la Larga*) en «Las Novedades», New York, 1896.
— «Revista literaria» (crítica a *Genio y figura*), en «Los lunes del Imparcial», 5 abril 1897.
— «Revista literaria» (crítica a *A vuela pluma*), en «Los lunes del Imparcial», 19 julio 1897.

— «Revista literaria» (crítica a *Morsamor*), en «Los lunes del Imparcial», 7 agosto 1899.
— «Revista literaria» (crítica a *Dafnis y Cloe*), en «Los lunes del Imparcial», 26 marzo 1900.
CLAVERÍA, Carlos: *En torno o una frase en «caló» de don Juan Valera*, en «Hispanic Review», XVI (1948), pp. 97-119.
COELLO, Carlos: *Doña Luz y las novelas de Valera*, en «La Ilustración Española y Americana», XXIX, 8 de agosto 1879.
CONEJO, Angel: *De las andanzas sentimentales de Valera*, en «La estafeta literaria», enero, 1946.
CORREA CALDERÓN, E.: *El centenario de doña Emilia Pardo Bazán*, Madrid, 1952.
COSSÍO, José M.: *Rasgos políticos para una semblanza de don Juan Valera*, Madrid, 1947.
COVALEDA, Antonio: *Juan Valera espectador y protagonista en la muerte de un siglo*, en «La estafeta literaria», 5 mayo 1936.
CRUZ RUEDA, B.: *Un don Juan siempre es discutido*, en «La estafeta literaria», 15 junio 1944.
CUERVO, Rufino José: *El castellano en América*, el Ateneo, Buenos Aires, 1947.
CUSACHS, C. V.: *Pepita Jiménez*, edición crítica para Norteamérica, New York, 1910.

DARÍO, Rubén: *España contemporánea*, París, Garnier, 1907.
DATO IRADIER, E.: *Discurso leído ante la Academia de Ciencias Morales y Políticas*, Madrid, 1910.
DAVIS, Gifford: *The Spanish Debate over Idealism and Realism before the Impact of Zola's Naturalism*, en «PMLA», LXXXIV, 1969, pp. 1649-56.
DeCOSTER, Cyrus: Introducción a *Las ilusiones del doctor Faustino*, Madrid, Castalia, 1970, pp. 7-42.
— Introducción a *Genio y figura*, Madrid, Cátedra, 1975, pp. 11-55.
— *The Theory and Practice of the Novels of Juan Valera: A Study in Technique*, Doctoral Dissertation, Chicago University, 1951 (*).
— *Valera en Washington*, en «Arbor», Madrid, núm. 98, febrero 1954, pp. 215-23.
— *Valera y Portugal*, en «Arbor», Madrid, núm. 123, marzo, 1956, pp. 398-410.
— *Valera: Critic of American Literature*, en «Hispania», XLIII, núm. 3, pp. 364-7.
— *Valera and Andalusia*, en «Hispanic Review», 1961, pp. 200-16.
— *Un fragmento inédito de una versión más antigua de la novela de Valera Morsamor*, en «Boletín de la Real Academia de Ciencias, Bellas Letras y Nobles Artes de Córdoba», 1956, pp. 138-42.
DEMIDOWICK, John P.: *El Conde de las Navas y los contertulios de don Juan Valera*, en «Revista de Literatura», 1957, pp. 154-65.
— *Una carta de Juan Valera y el chascarrillo andaluz*, en «Revista de Literatura», 1958, pp. 231-6.
DIEGO, Gerardo: *Barajas contra Luis Vives*, en «ABC», 5 de febrero 1947.
— *Vives derrotado*, en «ABC», 14 de febrero de 1947.
DONATO, E.: *Don Juan Valera, ese casi desconocido*, en «Boletín de la Real Academia de Ciencias, Bellas Letras y Nobles Artes de Córdoba», 1961, pp. 135-7.
D'ORS, Eugenio: *Palique*, en «ABC», 14 de diciembre 1923.
— *Mimesis, o de las artes de imitación*, en «Arriba», 2 de julio 1944.
— *Il superamento*, en «Arriba», 4 de julio 1944.
— *Lo caduco*, en «Arriba», 23 de mayo 1946.
— *Nacional y castizo*, en «Nuevo Glosario» (O.C., vol. I, Madrid, 1947).
— *Juan Valera*, en «Nuevo glosario» (o.c., vol. I, Madrid, 1947).
— *Valera el artista*, en «Nuevo Glosario» (o.c., vol. I, Madrid, 1947).
DOS FUENTES, Marqués de: *Don Juan Valera. Un aspecto de su vida*, en «Boletín de la Real Academia de Ciencias, Bellas Letras y Nobles Artes de Córdoba, 1951, pp. 63-9.

ECHANOVE, Jaime de: *La fe de don Juan Valera y las ilusiones del doctor Faustino*, en «Cuadernos Hispanoamericanos», LVI, núm. 168, 1963, pp. 551-61.
ELLIS, Havelock: *The Soul of Spain*, London, 1929.

ENGEL, Gerhard: *Don Juan Valera (1824-1905), Weltanschauung und Deukverfahren*, Würzburg, Richard, Mayr, 1935.

ENRÍQUEZ BARRIOS, M.: *Florilegio*, en «Boletín de la Real Academia de Ciencias, Bellas Letras y Nobles Artes de Córdoba», 1956, pp. 135-7.

ENTRAMBASAGUAS, Joaquín de: *Juan Valera*. estudio preliminar a *Juanita la Larga*, en «Las mejores novelas contemporáneas», vol. I (1895-1899), Barcelona, Planeta, 1957, pp. 437-529.

EOFF, Sherman: *Juan Valera's Interest in the Orient*, en «Hispanic Review, VI, 1938, pp. 193-205.

— *Perda's conception of realism as related to his epoch*, en «Hispanic Review», XIV, 1946, pp. 286-7.

— *The Spanisn novel of Ideas: critical opinion (1836-1800)*, en «PMLA», LV, 1940, pp. 531-58.

ESPINOSA, Agustín: *Juan Valera*, en «Almanaque literario», Madrid, 1935.

ESTRELLA GUTIÈRREZ, F.: *Pepita Jiménez* (edición, prólogo y notas), Buenos Aires, Katelusz, 1958.

FALCAO ESPALTER, M.: *El epistolario de Valera y Menéndez Pelayo*, en «Criterio», Buenos Aires, 1938.

FERNÁNDEZ LUJÁN, J.: *Valera, Pardo Bazán y Pereda*, Barcelona, 1889.

FERRERAS, J. Ignacio: *La prosa en el siglo XIX*, en «Historia de la Literatura Española (ss. XIX y XX)», vol. III, Madrid, Guadiana, 1974, especialmente pp. 114-6.

— *Morsamor, testamento literario de la generación de 1868*, en «Introducción a una sociología de la novela española del siglo XIX», Madrid, Edicusa, 1973, pp. 225-39.

FIGUEIREDO, Fidelino de: *A lusophilia de don Joao Valera*, en «Revista de História», Lisboa, 1926.

FIGUEROA, Agustín de: *El primer amor de Valera*, en «ABC», 1 de julio 1948.

FISHTINE, Edith: *Don Juan Valera. The critic*, Bryn, Mawr, 1933.

FITZMAURICE-KELLY, J.: *A New History of Spanish Literature*, Oxford University Press, 1926.

FORD, J. D. M.: *Main Currents of Spanish Literature*, London, Constable and Co., 1921.

FRANCÉS, J.: *Don Juan Valera*, en «La novela semanal», 31 de enero 1925.

FRANCISCO, A. de: *La proyección internacional del pensamiento de Juan Valera*, en «Revista de estudios políticos», núm. 125, septiembre-octubre 1962.

FRANCOS RODRÍGUEZ, J.: *Valera y el periodismo*. Conferencia leída en la Real Academia Española de la Lengua el 9 de diciembre de 1924.

FRAY CANDIL (Emilio Bobadilla): *Grafómanos de América*, Madrid, 1902.

GALLEGO MORELL, A.: *Un teléfono en la literatura de Valera*, en «La estafeta literaria», núm. 192, p. 10.

— *Las poesías de Valera*, en «Poesía española», núm. 89, Madrid, 1960, pp. 29-32.

— *Valera y Alarcón se asoman al Vesubio*, en «Indice», núm. 13, Madrid, 1960.

GÁLVEZ, Rafael: *Don Juan Valera y Menéndez Pelayo*, Cabra, Cordón, 1957.

GARCÍA Y GARCÍA DE CASTRO, R.: *Los intelectuales y la Iglesia*, Madrid, Fax, 1934.

GARCÍA LORENZO, L.: Estudio preliminar a *Pepita Jiménez*, Madrid, Alhambra, 1977, pp. 3-47.

GARCÍA MORENTE: *Goethe y el mundo hispánico*, en «Revista de Occidente», XXXVI, 1932, pp. 131-47.

GARCIASOL, Ramón de: *América, preocupación de don Juan Valera*, en «Estudios Americanos», Sevilla, XVII, 1959, pp. 217-34.

GIL Y CARRASCO: *Crítica literaria*, Madrid, 1893.

GIL CREMADES, J. J.: *Krausistas y liberales*, Madrid, Seminarios y Ediciones, 1975, pp. 131-52.

GIMÈNEZ CABALLERO, E.: *Don Juan Valera*, en «Trabalenguas sobre España», Madrid, 1931, pp. 213-30.

— *El índice de Valera* (discurso leído ante la exposición del libro portugués).

— *Conmemoración de don Juan Valera*, en «Revista de Occidente», T. VI, octubre 1924.

GINER DE LOS RÍOS, H.: *El vocabulario de Juanita la Larga*, en «El resumen», febrero 1890.

GÓMEZ ALFARO, Antonio: *A los cien años de la primera obra de Valera. Versos*, en «Arriba», 13 de abril 1958.

GÓMEZ CARRILLO, E.: *Cuentos escogidos de autores castellanos contemporáneos*, París, Garnier, 1894.

GÓMEZ DE BAQUERO, E.: *Juanita la Larga*, en «La España Moderna», mayo, 1896.
— *Morsamor*, en «La España Moderna», diciembre, 1899.
— *La última novela de Valera. ¿Nuevo Persiles?*, en «La España Moderna», septiembre, 1899.
— *El ocultismo en Morsamor y en otros libros del señor Valera*, en «La España Moderna», septiembre 1899.
— *Florilegio de poesías castellanas del siglo xix formado por don Juan Valera*, en «La España Moderna», agosto 1902.
— *Dos muertos ilustres: Valera, Balart*, en «La España Moderna», mayo 1905.
— *El renacimiento de la novela en el siglo xix*, Madrid, 1924.
— *Don Juan Valera humanista*, en «O Instituto», Coimbra, LXXII, 1925.
— *El humanismo en Valera*, en «La Vanguardia», Barcelona, 11, 18 y 25 de febrero 1925.
— *Valera humanista*, en «De Gallardo a Unamuno», Madrid, 1926, pp. 75-100.

GÓMEZ MARÍN, José Antonio: *Valera y las contradicciones del moderantismo español*, en «Aproximaciones al realismo español», Madrid, Castellote Ed., 1975, pp. 13-51.

GÓMEZ RESHIPO, L.: *Las cartas americanas de Valera*, Bogotá, 1888.

GOMIS, Juan Bautista: *Sentido católico de Juan Valera*, en «Verdad y vida», enero-marzo, 1944.

GONZÁLEZ, Ceferino: *Historia de la filosofía*, Madrid, 1886.

GONZÁLEZ BLANCO, Andrés: *Historia de la novela en España desde el romanticismo a nuestros días*, Madrid, 1909.

GONZÁLEZ LÓPEZ, Luis: *Las mujeres de don Juan Valera*, Madrid, Aguilar, 1934.
— *La gracia, amigo*, en «Boletín de la Real Academia de Ciencias, Bellas Letras y Nobles Artes de Córdoba», XXVII, 1956, pp. 294-6.

GONZÁLEZ ROMÁN, Gonzalo: *Don Juan Valera, sus andanzas diplomáticas y su personalidad humana vistas a través de ellas*, en «Boletín de la Real Academia de Ciencias, Bellas Letras y Nobles Artes de Córdoba», XXVII, 1956, pp. 157-86.

GULLÓN, W.: *Pepita Jiménez* (introducción y estudio a la edición alemana), Berlín, 1882.

GULLÓN, Ricardo: *Valera leído por Montesinos*, en «Insula», núm. 130, 15 de septiembre 1957.

HART, W.: *Pepita Jiménez* (introducción y estudio a la edición alemana), Berlín, 1882.

HERRÁN, Fermín: *Juan Valera*, en «La Academia», V, 1879, pp. 186-7. Reed. en «Aplausos y censuras», vol. III, Bilbao, Cardenal, 1899, pp. 76-95.

HERRERO MAYOR, A.: *Don Juan Valera*, en «Revista de educación», La Plata, vol. I (*).
— *Valera y el idioma*, en «Cosas del idioma», Buenos Aires, Troquel, 1959, pp. 11-24.

HOWE, J. Williams: *An Intellectual Biography of Juan Valera from 1847 to 1868*, Unpublished Ph. Doctoral Dissertation, Harvard University, 1970.
— *Juan Valera and the Nineteenth Century Spanish Oratory*, en «Studies in honor of Tatiana Fotitch», Washington, Catholic University Press, 1972, pp. 237-46.

HOWELS, Williams Dean: *Criticism and Fiction, and Other Essays*, New York, N. Y. University Press, 1959, pp. 41-3.

ICAZA, F. A. de: *Crítica española y literatura hispanoamericana*, en «Guía del lector», I, 1924.
— *Examen de críticos*, Madrid, 1894.

IRUÑA, Fermín de: *Don Juan Valera, autor de zarzuela: una letra en busca de música*, en «Semana», 8 y 29 de noviembre, 1942.

JIMÈNEZ FRAUD, Alberto: *Juan Valera y la generación de 1868*, Madrid, Taurus, 1973.
JIMÉNEZ MARTOS, Luis: *Juan Valera (un liberal entre dos fuegos)*, Madrid, E.P.E.S.A., 1973.
JIMÉNEZ SERRANO, J.: Prólogo a *Ensayos poéticos*, de Juan Valera, Granada, Benavides, 1844.
JUDERÍAS, Julián: *Don Juan Valera; apuntes para una biografía*, en «La Lectura», 1913 y 1914, vols. XIII y XIV.
— *La bondad, la tolerancia y el optimismo en las obras de don Juan Valera*, en «La Ilustración Española y Americana», 1914, núm. 31, 32, 33.
JURETSCHKE, Hans: *España ante Francia*, Madrid, Ed. Nacional, 1940.

KRYNEN, Jean: *Juan Valera et la mystique espagnole*, en «Bulletin Hispanique», 1944, XLVI.
— *L'esthétisme de Juan Valera*, en «Acta Salmancensia», 1946.

LACOSTE, Maurice: *Juanita la Larga* (edición), París, 1959.
LANCASHIRE, G. S.: *Juan Valera*, en «The Manchester Quarterly», July, 1917.
LEÓN MESA, José: *Cartas al señor don Juan Valera sobre asuntos americanos*, en «La España Moderna», 1890 y 1891.
LIDA DE MALKIEL, María R.: *El Parsondes de Valera y la Historia Universal de Nicolao de Damasco*, en «Revista de Filología Hispánica», 1942, pp. 274-81.
LOLIÉE, Frederic: *Les femmes du second Empire (Papiers intimes)*, París, 1906.
LÓPEZ JIMÈNEZ, Luis: *El naturalismo y España, Valera frente a Zola*, Madrid, Alhambra, 1977.
LÓPEZ MORILLAS, Juan: *La Revolución de septiembre y la novela española*, en «Hacia el 98: literatura, sociedad, ideología», Barcelona, Ariel, 1972, pp. 9-41.
LORENZO CRIADO, Emilio: *Goethe visto por los españoles del siglo XIX*, en «Cuadernos Hispanoamericanos», XXXI, núm. 88, 1957, pp. 53-72.
LOTT, Robert E.: *Siglo de Oro. Tradition and Modern Psychology in Pepita Jiménez. A Stylistic Study*, Washington, The Catholic University Press, 1958.
— *Pepita Jiménez* (prólogo estudio a...), Washington D. C., 1958.
— *Pepita Jiménez and Don Quixote: A Structural Comparison*, en «Hispania», XLV, 1962, pp. 395-401.
— *Language and Psychology in Pepita Jiménez*, Urbana, University of Illinois Press, 1970.
LOUIS LANDE, L.: *Un roman de moeurs espagnol*, en «Revue des Deux Mondes», 15 de enero 1875.

LLORIS, Manuel: *Valera y el naturalismo*, en «Symposium», XXV, 1971, pp. 27-38.
— *Juan Valera: su preocupación por España*, en «Hispania», LI, 1968, pp. 265-9.

MARÍAS, Julián: *La historia de la literatura empieza a ser historia*, en «Insula», núm. 127, junio 1957.
— *Libertad y convivencia en Valera*, en «Insula», núm. 154, septiembre 1959.
— *Una tradición olvidada*, en «Insula», núm. 151, 15 de junio 1959.
MARICHALAR, Antonio: *Riesgo y fortuna del duque de Osuna*, Madrid, 1942.
MARTÍNEZ KLAISER, L.: *Don Pedro Antonio de Alarcón*, Madrid, Suárez, 1943.
— *Campoamor, Zorrilla y Valera escriben a don Leopoldo Alas*, en «La estafeta literaria», 20 de marzo 1944.
MARVAUD, A.: *Don Juan Valera*, en «La quinzaine», LXVI, 1905.
MAURA, Antonio: *Centenario de Valera*, en «Boletín de la Real Academia Española», XI, 1924, pp. 509-18.
MAURIN, Mario: *Valera y la ficción encadenada*, en «Mundo Nuevo», núm. 14, agosto 1967, pp. 35-44; núm. 15, septiembre 1967, pp. 37-44.
MAZZEI, P.: *Per la fortuna di due opere espagnole in Italia: La Celestina e Pepita Jiménez*, en «Revista de Filología Española», IX, 1922, pp. 384-9.
— *Dante nel pensiero di don Juan Valera*, Ferrara, Taddei, 1927.
— *La lirica di don Juan Valera*, en «Bulletin Hispanique», XXVII, 1925, pp. 131-63.
MELIAN LAFINUR, A.: *Valera novelista*, en «Boletín de la Academia Argentina de Letras», XXII, 1957, pp. 427-66.

MENÈNDEZ PELAYO, Marcelino: *Historia de los Heterodoxos españoles*, T. V, Madrid, C.S.I.C., 1962.

— *Canciones, romances y poemas de Valera*, en «Etudios y discursos de crítica histórica y literaria», Madrid, C.S.I.C., 1962.

MERCHÁN, Rafael: *Cartas al señor don Juan Valera sobra asuntos americanos*, en «La España Moderna», abril y mayo 1890.

MESONERO ROMANOS, R.: *Tipos y caracteres*, Madrid, 1881.

MONGUIO, L.: *Crematística de los novelistas españoles del siglo xix*, en «Revista Hispánica Moderna», XVII, 1951.

MONTES HUIDOBRO, Matías: *Sobre Valera: el estilo*, en «Revista de Occidente», XXXV, noviembre, 1971, pp. 168-92.

MONTESINOS, J. F.: *Una nota sobre Valera*, en «Estudios dedicados a don Ramón Menéndez Pidal», T. IV, Madrid, 1953.

— *Valera o la ficción libre*, Madrid, Castalia, 1970.

MONTOLIU, Manuel: *Literatura castellana*, Barcelona, Cervantes, 1937.

MONTOTO, Santiago: *Las amarguras de don Juan Valera*, en «El Sol», 13 de octubre 1926.

— *Thebussem, Valera y Montoto*, en «La Epoca», 21 de febrero 1931.

— *El verano de don Juan Valera*, en «Semana», 7 de agosto 1943.

— *Celos de don Juan Valera*, en «Semana», 6 de octubre 1952.

— *Retrato de don Juan Valera*, en «Semana», 5 de julio 1953.

— *Valera al natural* (que incluye los artículos anteriores y seis más), Madrid, Langa, 1962.

MORBY, E. S.: *Una batalla entre antiguos y modernos: Juan Valera y Carlos Reyles*, en «Revista Iberoamericana», México D.F., 1941.

MORENO, Enrique: *Juanita la Larga* (dramatización de la novela), Cabra, 1934.

MUÑOZ ROJAS, J. A.: *Notas sobre la Andalucía de don Juan Valera*, en «Papeles de Son Armadans», III, octubre, 1956.

NAVAS, Conde de las (López Valdemoro): *Don Juan Valera. Apuntes del natural*, Madrid, 1905.

— *Centenario de Valera*, en «Boletín de la Real Academia Española», XI, 1924, pp. 484-508.

— *Valera íntimo*, Madrid, Tip. Revista Archivos y Museos, 1925.

NELKEN, Margarita: *La madre de don Juan Valera, o, en folletín, la ambición de una madre*, en «ABC», 30 de marzo 1930.

OCHARÁN MAZAS, L. de: *Incorrecciones deslizadas en las páginas de Pepita Jiménez*, Madrid, 1924.

OLEZA, Juan: *Valera o la ambigüedad*, en «La novela del xix», Valencia, Bello, 1976, pp. 49-64.

OLGUÍN, Manuel: *Valera's philosophical Arguments against Naturalism*, en «Modern Language Quarterly», Washington, XI, 1950.

— *Juan Valera's theory art for art's sake*, en «Modern Language Forum», XXXV, 1950, pp. 24-34.

OLIVAR BERTRAND, R.: *Confidencias del Bachiller de Osuna*, Valencia, Castalia, 1952.

OLIVER, M. S.: *Sobre terapéutica social*, en «Entre dos España», Barcelona, 1906.

OLIVER BRACHFELD, F.: *Juan Valera et l'Autriche-Hongrie*, en «Bulletin Hispanique», XLI, 1939.

OLIVEIRA MARTINS, J. P.: *Correspondencia*, Lisboa, Parceira Antonia María Pereira, 1962, pp. 38-52.

OMBUENA, José: *Don Juan Valera en los Estados Unidos*, en «Boletín de la Real Academia de Ciencias, Bellas Letras y Nobles Artes de Córdoba», XXVII, 1956, pp. 143-160.

«Opinión, La»: Número especial del semanario egabrense dedicado exclusivamente a don Juan Valera, Cabra, 7 de septiembre 1927.

ORTEGA Y GASSET, José: *La crítica de Valera, De la dignidad del hombre, Valera como celtíbero, Una polémica*, en «Obras completas», Vol. I, Madrid, «Revista de Occidente», 1946.

OTEYZA, Luis de: *Las mujeres en la literatura*, Madrid, 1917.

OVEJERO, A.: *Don Juan Valera*, discurso leído con ocasión de la inauguración del monumento a Valera en Córdoba, 1 de julio 1928.

OYUELA, Calixto: *Apuntes de literatura castellana, siglos* XVIII *y* XIX, Buenos Aires, 1896.

PABÓN SUÁREZ DE URBINA, José M.: *Algunas influencias del Fausto, de Goethe, en España*, en «Universidad», Zaragoza, IV, 1927, pp. 3-22; 297-321.

PACHECO, F. de Asís: *Don Juan Valera*, en «El Imparcial», Madrid, 23 de noviembre 1878.

PAGANO, León: *Al través de la España literaria*, Barcelona, Maucci, 1904.

PAGEARD, Robert: *L'oeuvre épistolaire de Juan Valera*, en «Bulletin Hispanique», LXIII, 1961, pp. 38-45.

— *Pepita Jiménez en France*, en «Bulletin Hispanique», LXIII, 1961, pp. 28-37.

— *Goethe en España*, Madrid, C.S.I.C., 1958, pp. 103, 122-5, 156-60.

PALACIO VALDÉS, Armando: *Semblanzas literarias*, en «Obras Completas», T. II, Madrid, Aguilar, 1965.

— *La literatura en 1881*, Madrid, 1882.

PALMA, Ricardo: *Los sábados de don Juan Valera*, en «El Mercurio peruano», Lima, III, 1919, p. 336.

PANTORBA, Bernardino de (José López Jiménez): *Juan Valera*, Madrid, Compañía Bibliográfica Española, 1969.

PARDO BAZÁN, Emilia: *Una polémica entre Valera y Campoamor*, en «Nuevo teatro crítico», Madrid, febrero 1881.

— *La cuestión palpitante*, Salamanca, Anaya, 1970.

— *Retrato y apuntes literarios*, Madrid, 1908.

PARDO CANALIS, E.: *Valera y la sátira*, en «Revista de ideas estéticas», X, 1952.

PAZOS GARCÍA, D.: *Los ataques que al regionalismo catalán dirige el excelentísimo señor D. J. Valera*, en «La España regional», febrero 1888.

PEERS, Allison: *Angel de Saavedra, duque de Rivas. A Critical Study*, en «Revue Hispanique», LVIII, 1923.

PELLA Y FORGAS, J.: *Los ataques que al regionalismo catalán dirige don Juan Valera*, en «La España regional», octubre 1887.

PEÑA LÓPEZ, A.: *Españolismo de Valera*, en «La opinión», Cabra, febrero 1932.

— *La Andalucía de Valera*, en «Investigación», núm. 246, 1948, pp. 93-7.

PERES, Ramón: *Críticas y semblanzas*, Barcelona, 1892.

PÉREZ DE AYALA, Ramón: *Valera y Galdós. La incógnita y realidad*, en «Amistades y recuerdos», Barcelona, Aedos, 1961.

— *Divagaciones literarias* (don Juan Valera o el arte de la distracción y otros), en «Obras Completas», T. IV, Madrid, Aguilar, 1969.

— *Las máscaras*, Buenos Aires, Austral, 1940.

— *Valera y el escepticismo político*, en «ABC», 21 de marzo de 1956.

— *Valera y la oratoria*, en «ABC», 23 de marzo 1956.

— *Recuerdos: Valera y Menéndez Pelayo*, en «ABC», 19 de septiembre 1957.

PÉREZ GUTIÉRREZ, Francisco: *Juan Valera*, en «El problema religioso en la generación de 1868», Madrid, Taurus, 1975, pp. 21-96.

PETSCHEN, Santiago: *Iglesia-Estado. Un cambio político. Las Constituyentes de 1869*, Madrid, Taurus, 1975.

PORCHER, J.: *Juan Valera*, en «Revue Bleue», núm. 25, París, 1897.

PUCCINI, M.: *Peppina Jiménez*, traducción y prólogo de ..., Milano, Verona, 1936.

QUALIA, C. B.: *The Platonism of Valera*, Texas Technological College (*).

— *The Renaissance influence in the Novels*, Texas Technological College (*).

QUESNEL, Leo M.: *La litterature espagnole*, en «Nouvelle Revue», París, 15 de septiembre 1887.

RAMOS LÓPEZ, J.: *El Sacromonte de Granada*, Madrid, 1883.

RATAZZI, Princesa de: *Don Juan Valera*, en «L'Espagne Moderne», París, 1878.

REVILLA, Manuel: *Las ilusiones del doctor Faustino*, en «Revista Europea», Madrid, 1875.

— *Revista crítica*, en «Revista contemporánea», Madrid, 30 de mayo 1876.

— *Análisis y ensayos*, en «Revista contemporánea», 15 de diciembre 1877.
— *Pasarse de listo*, en «Revista contemporánea», 15 de junio 1878.
— *Disertaciones y juicios literarios*, en «Revista contemporánea», 15 de octubre 1878.
— *Juicio sobre el escepticismo de Valera*, en «Obras», Madrid, Sáinz, 1883.
REVUELA Y REVUELTA, L.: *Valera estilista*, en «Boletín de la Real Academia de Cien cias, Bellas Letras y Nobles Artes de Códroba», núm. 55, 1946.
RÍOS, L.: *Le illusioni del dottore Faustino*, introducción y versión de..., Milano, 1908.
RÍOS DE LAMÉREZ, B. de los: *De la mística en la novela de don Juan Valera*, discurso leído en la R.A.E.L., Madrid, 1924.
RIVAS CHERIFF, C.: *Pepita Jiménez*, refundición en forma teatral, Madrid, El teatro moderno, 1929.
ROCA FRANQUESA, J. M.: *La personalidad poética de don Juan Valera*, en «Revista de la Universidad de Oviedo», 1947.
RODRÍGUEZ MARÍN, F.: *Don Juan Valera epistológrafo*, Madrid, 1925.
— *Centenario de Valera*, discurso en la R.A.E.L., octubre 1924.
ROMERO MENDOZA, P.: *Don Juan Valera*, en «Alcántara», Cáceres, IX, 1955.
— *Don Juan Valera: Estudio biográfico crítico*, Madrid, 1940.
ROMEU, R.: *Les divers asepcts de l'humeur dans le roman espagnol moderne*, en «Bulletin Hispanique», XLVIII, 1956, XLIX, 1957.
RUIZ CANO, Bernardo: *Don Juan Valera en su vida y en su obra*, Jaén, Cruz, 1935.
RUKSER, Udo: *Goethe in der Hispanischen Welt*, Stuttgart, J. B. Metzlersche, 1958, pp. 82, 97-8, 107-8 (hay trad. española, México, F.C.E., 1978).
RUNSDORFF, Dorothy Eileen: *Don Juan Valera and Nineteenth Century Currents of Thought Reflected in Las ilusiones del doctor Faustino*, University of Minnesota, 1962 (Unpublished doctoral diss).

SÁINZ DE TEJEDA, C.: *Valera y los Bonaparte*, en «Semana», 29 de agosto 1958.
— *Las delicias de doña Mencía*, en «Blanco y Negro», 23 agosto 1959.
— *Juan Valera en su correspondencia*, en «ABC», 30 de agosto 1959.
SÁINZ RODRÍGUEZ, P.: *Documentos para la historia de la crítica literaria en España*, en «Boletín de la Biblioteca Menéndez Pelayo», 1921 y 1922.
SAMPAIO PASSOS, L.: *Los cuentos de Valera*, Madrid, 1959 (tesis doctoral inédita).
SAMPELAYO, Juan: *Don Juan Valera en sus cartas*, en «La estafeta literaria», 6 de abril 1957.
SÁNCHEZ MOHEDANO, G.: *Don Juan Valera y doña Mencía*, Cabra, 1948.
SÁNCHEZ PÉREZ, A.: *Nota sobre la primera serie de Cartas Americanas*, en «La España moderna», agosto 1889.
SÁNCHEZ ROJAS, J.: *Apostillas a una conferencia*, Madrid, 1924.
— *Valera*, en «El Adelantado», Salamanca, 12 de octubre 1917.
SÁNCHEZ ROMERO, C.: *El cuento y don Juan Valera, Don Juan Valera pedagogo*, en «Boletín de la Real Academia de Ciencias, Bellas Letras y Nobles Artes de Córdoba», XXVII, 1956.
SÁNCHEZ TRINCADO, J .L.: *Stendhal y otras figuras*, Buenos Aires, López, 1943, pp. 37-51.
SANDOVAL, Manuel de: *La tertulia de don Juan Valera*, en «La Epoca», 30 de octubre, 15 de noviembre, 1 y 16 de diciembre de 1920 y 1 y 15 de enero de 1921.
— *Valera poeta*, conferencia leída en la R.A.E.L. el 9 de diciembre de 1924.
SANTACRUZ, P.: *Ensayo sobre las ideas estéticas de don Juan Valera*, en «Boletín de la Real Academia de Ciencias, Bellas Letras y Nobles Artes de Córdoba», XVI, 1945, pp. 167-95.
SAZ, Agustín del: *La literatura española*, Barcelona, Argós, 1952, pp. 36-7.
SBARBI, P.J.M.: *Un plato de garrafales: Pepita Jiménez*, en «Revista de Archivos, Bibliotecas y Museos», IV, 1874, pp. 187-90 y 203-5.
— *Ambigú literario*, Madrid, 1897.
SCHANZER, George D.: *Russia and the United States in the eyes of a Nineteenth Century Novel*, en «Thought Patterns», New York, VI, pp. 167-95.
SHEPELEVICH, L. In: *Zagranichnaia Khronika*, en «Vestnik inostrannoi literatury», agosto, 1905, pp. 304-9.
SERRANO Y SANZ, M.: *Cartas de algunos literatos a don Emilio Arrieta, don Ru-*

perto Chapi y don Adelardo López de Ayala, en «Boletín de la Real Academia Española», XIX, 1932.

SHAW, Donald L.: *Juan Valera*, en «Historia de la Literatura Española. El siglo XIX», vol. V, Barcelona, Ariel, pp. 183-90.

SIBONI, Luis: *Plaza partida*, Madrid, 1897.

SILVA, César: *Don Juan Valera*, Valparaíso, 1914.

SIMÓN DÍAZ, J.: *Semanario pintoresco español*, Madrid, 1945.

SMITH, Paul: *Juan Valera and the Illegitimacy Motif*, en «Hispania», LI, 1968, pp. 804-11.

SOCA, Juan: *Semblanza y fantasía del pueblo de don Juan Valera*, en «Boletín de la Real Academia de Ciencias, Bellas Letras y Nobles Artes de Córdoba», XXVII, 1956.

— *Perfiles egabrenses*, Cabra, 1961.

TANNENBERG, Boris de: *La poésie castillaine contemporaine*, París, Librerie Academique, 1889.

— *La España Literaria, retratos de ayer y de hoy*, Madrid, 1903.

TAYLER, N. H.: *Valera's philosophy of Instincts as Expressed in El Comendador Mendoza*, University of Toronto (*).

TIERNO GALVÁN, Enrique: *Don Juan Valera o el buen sentido*, en «Idealismo y pragmatismo en el siglo XIX español», Madrid, Tecnos, 1977, pp. 95-130.

TORRE, Guillermo de: *Juan Valera*, en «Del 98 al Barroco», Madrid, Gredos, 1969, pp. 282-308.

— *Proyecciones actuales de Valera*, en «Cuadernos del Congreso por la Libertad de la Cultura», núm. 17, 1956, pp. 81-7.

— *Tres conceptos de la literatura hispanoamericana*, Buenos Aires, Losada, 1963.

TORRENTE BALLESTER, G.: *Panorama de la literatura española contemporánea*, Madrid, Guadarrama, 1956, pp. 41-54.

URMENETA, Fermín de: *Sobre la estética valeriana*, en «Revista de Ideas Estéticas», XIV, 1956.

VALBUENA, A. de: *Ripios académicos*, Madrid, 1890.

VALBUENA BRIONES, A.: *Don Juan Valera y la idea de América*, en «Acta Salmanticensia», X, núm. 2, 1956.

VARELA, Fernando: *Don Juan Valera, el hombre, la vida y la obra*, apéndice a Juan Valera, «Cuentos y leyendas», México, Orión, 1944, pp. 165-222.

VALERA JÁCOME, Benito: *Introducción a Doña Luz*, Madrid, «Iter», 1970, pp. 7-41, 211-32.

— *La idealización de la realidad en Juan Valera*, en «Estructura novelística del siglo XIX», Barcelona, Aubí, 1974, pp. 148-84.

VÁZQUEZ DODERO, J. L.: *El bombo solicitado*, en «Semana», 2 de marzo 1948.

— *Las cartas de don Juan Valera*, en «Nuestro tiempo», Madrid, núm. 49, 1958.

VEGA BAEZA, A.: *Ensayo sobre la evolución de la novela española en los tiempos modernos y contemporáneos*, Tacua, Chile, 1914.

VÉZINET, F.: *Les maîtres du roman espagnol contemporain*, París, 1907.

VIDART, Luis: *Recuerdos de una polémica acerca de la novela de don Juan Valera: Pepita Jiménez*, en «Revista de España», LIII, 1876, pp. 269-84.

— *La filosofía española*, Madrid, Europa, 1866, pp. 141-3.

VILLAURRUTIA Marqués de: *Don Juan Valera, diplomático y hombre de mundo*, en «Boletín de la Real Academia de la Historia», LXXXVI, 1925.

VILLEGAS MORALES, Juan: *Pepita Jiménez, de Juan Valera. 1. Notas al narrador. 2. La verosimilitud estética de Juan Valera*, en «Ensayos de interpretación de textos españoles (medievales, clásicos y modernos)», Santiago, Edit. Universitaria, 1963, pp. 143-60.

VINOGRADOV, A. K.: *Mérimée y pismakh k Sobolevskomu*, Moscú, 1928, pp. 151-2.

VORRATH, J. C.: *Literary and Social Aspects of Valera's Novel*, Yale, 1956.

WARREN, L. A.: *Modern Spanish Literature*, vol. I, Londres, Bretano's, 1929, pp. 94-111.

ZAMORA, Antonio: *Estudio biográfico de don Juan Valera*, en «Revista de la Universidad de Buenos Aires», 1953.

ZAMORA ROMERA, Alfonso: *Don Juan Valera (ensayo biográfico crítico)*, Córdoba, Tip. Artística, 1966.

ZARAGÜETA, Juan: *Don Juan Valera, filósofo*, en «Revista de Filosofía», XV, 1956, pp. 489-518.

ZAYAS, A. de: *Elogio de don Juan Valera*, en «Ensayos de crítica historia y literaria», Madrid, 1909.

ZULETA, Emilia de: *Historia de la crítica española contemporánea*, Madrid, Gredos, 1966, pp. 47-66.

ZUM FELDE, Alberto: *Indice crítico de la literatura hispanoamericana*, México, Guarranía, 1954.

ZÚÑIGA, Angel: *El cervantismo en Valera*, en «ABC», 19 de octubre 1954.

XIMÉNEZ DE SANDOVAL, F.: *Un flirt de don Juan Valera*, en «ABC», 16 de diciembre 1955.

NOTA A LA BIBLIOGRAFIA

Tenemos que agradecer a la amable atención del doctor don José María Martínez Cachero (Universidad de Oviedo), el envío en primer lugar de la reseña de un epistolario más de don Juan Valera, por nosotros desconocido, que se encuentra publicado en «La estafeta literaria», núm. 7 (1944), p. 21. Cartas a don Teodoro Llorente.

Y en segundo lugar, el envío de cuatro títulos más referentes a la bibliografía sobre don Juan Valera. Son:

— AGUADO, Emiliano: Artículo en «La estafeta literaria», núm. 7, 1944, p. 3.
— Anónimo: *Don Juan Valera*, en «ABC», 25-IV-1955.
— FERNÁNDEZ CRUZ, Juan: *Don Juan Valera y don Aureliano Fernández Guerra*, serie de siete artículos en el diario cordobés «Córdoba», premio Juan Valera, Cabra, 1968.
— FIGUEROA, Agustín de: *Washington vista por don Juan Valera*, en «ABC», 1-VII-1948 (contiene carta inédita a don Pedro Madrazo, desde Washington, año 1884).